Maureen Lang

Vreugdekind

Roman

Vertaald door Lia van Aken

Pocketeditie © Uitgeverij Kok – Kampen, 2010

Postbus 5018, 8260 GA Kampen
www.kok.nl

Oorspronkelijk verschenen onder de titel *The Oak Leaves* bij Tyndale House Publishers, Inc., 351 Executive Drive, Carol Stream, IL 60188, USA
© Maureen Lang, 2007

Vertaling Lia van Aken
Omslagillustratie Getty Images
Omslagontwerp Julie Bergen
ISBN 978 90 435 1797 3
NUR 302

Voor mijn man en mijn kinderen,
en alle gezinnen die getroffen zijn door
het fragiele X-syndroom

Verdriet is een vrucht. God laat het niet groeien aan een tak die te zwak is om het te dragen.

Victor Hugo

Voor mijn zoon Kipp en zijn vrouw, en voor hun kinderen en kindskinderen in Amerika.

Ik kan geen betere manier bedenken om mezelf aan jullie bekend te maken dan door mijn dagboek met jullie te delen vanaf het moment in mijn leven dat Gods plannen voor mij werden onthuld – plannen die geheel anders waren dan de mijne. Dit is mij nalatenschap aan jullie.
Ik kan jullie verzekeren dat elk woord waar is. Als jullie iets van mij erven, moge het dan de wetenschap zijn dat liefde sterker is dan angst, zeker als je gelooft in de Ene die liefde is: Jezus Christus is gisteren en heden dezelfde en in der eeuwigheid.

Cosima Escott Hamilton, 1874

I

Het doffe zoemen van de garagedeur klonk. Luke was thuis. Natalie keek op van de boeken en papieren die verspreid lagen over de keukentafel. De verleiding had groot kunnen zijn om de hele nacht op te blijven om te lezen, maar nu niet. Het verwelkomen van haar echtgenoot was het enige dat ze leuk vond aan zijn nu en dan voorkomende zakenreizen.

Toen de deur van de garage openging, stond Natalie op om haar man te begroeten. 'Welkom thuis!'

Hij wilde zijn aktetas op de gebruikelijke plaats zetten, maar nu de tafel vol bleek te liggen met de memorabilia die Natalie had zitten bestuderen, legde hij hem op een stoel.

'Hoi,' zei hij, terwijl hij haar in zijn armen nam en kuste.

Verbazingwekkend hoe zelfs na vier jaar huwelijk haar hart nog steeds een sprongetje maakte bij zoiets, vooral toen hij haar daarna aankeek. Ze las niets dan pure liefde in zijn levendige blauwe ogen.

'Fijn om weer thuis te zijn.' Hij gluurde naar de aangrenzende woonkamer.

Natalie vermoedde dat hij keek of hun kind er

was. 'Ik heb geprobeerd Ben wakker te houden, maar een minuut of twintig geleden is hij ingestort.' Ze grinnikte. 'Maar rond een uur of twee vannacht is de volgende gelegenheid om de kennismaking te hernieuwen.'

'Is hij veel op geweest toen ik weg was?'

Ze knikte.

Luke haalde zijn brede schouders op en trok zijn colbert uit. 'Ik kijk wel even bij hem als we naar boven gaan.'

'Hoe is het allemaal gegaan op reis?'

'Beter dan ik had verwacht. Ik heb de baan gekregen.'

'Echt waar!' Natalie omhelsde hem, maar maakte ze zich toen los. 'Waarom heb je dat niet verteld toen je belde?'

'Ik wilde je gezicht zien.' Hij kuste haar en keek haar opnieuw aan. 'En het was het wachten waard.'

Diep vanbinnen welde trots in haar op. Vroeger, voordat ze Luke had ontmoet en er andere dromen voor in de plaats gekomen waren, had ze een droombeeld gehad van een eigen loopbaan. Ze had zich omhoog willen werken langs de onderwijsladder, van onderwijzeres tot afdelingshoofd tot studiecoordinator, van adjunctdirecteur tot directeur. Nu ze Luke's dromen zag uitkomen, voelde ze plaatsvervangende trots, maar vreemd genoeg miste ze die oude aspiraties niet voor zichzelf. Ze leefde nu een nieuwe droom, een droom die ze voor niets wilde ruilen.

'Gefeliciteerd, meneer de bouwkundig directeur. Wanneer ga je beginnen?'

'Meteen. Morgen verhuis ik naar mijn nieuwe kantoor. Ze willen dat ik de afdeling ga herstructureren, dus ik zal waarschijnlijk een paar nieuwe mensen aan mogen nemen.'

'Dat moeten we vieren. Een oppas zoeken, uit eten gaan – alles erop en eraan.'

Luke maakte zijn das los en liep naar de koelkast. Hoe fantastisch hij er ook uitzag in een pak, ze wist dat hij veel liever een spijkerbroek en een T-shirt droeg. Hij pakte een blikje cola. 'Wat is hier allemaal gebeurd terwijl ik weg was?'

'Jennifer van verderop in de straat begint een speelgroepje voor de kinderen in de buurt. Morgen ga ik erheen met Ben.'

'Leuk. Hoeveel kinderen?'

'Vijf. Allemaal vorig jaar geboren, net als Ben.'

Hij nam een grote slok frisdrank. 'Heb je het naar je zin gehad bij je moeder? Een hoop werk verzet?'

Natalie draaide zich weer om naar de tafel. 'De vuilnisman zal dinsdag knap chagrijnig zijn, maar het huis ziet er piekfijn uit. Ik denk dat ze het vandaag of morgen wel in de verkoop kan doen. Kijk eens...' Ze hield de familiebijbel omhoog waar ze naar had zitten kijken voordat hij thuiskwam. 'Deze schat hebben we gevonden tussen alle troep.'

'Wat is dat?'

'Een bijbel die van mijn vaders grootmoeder is geweest. Ik heb een hele doos vol dingen die van haar moeten zijn geweest. Fantastische brieven. Brieven schrijven is een kunst die verloren is gegaan nu iedereen e-mail heeft. En kijk dit eens. Volgens mij is het een dagboek.'

Ze pakte het gladde, in leer gebonden boek op. Het was dichtgebonden met een lint. 'Ik durf het haast niet aan te raken – de band is gebarsten. Het is allemaal gewoon niet te geloven.' Natalie keek zuchtend naar alle dingen die over de tafel verspreid lagen. 'Dit is net een wegwijzer, Luke.'

Hij keek van het dagboek naar haar. 'Een wegwijzer?'

Ze knikte; in haar hart miste ze pijnlijk haar vader. 'Toen ik nog klein was, gingen we als gezin met de auto op vakantie. Op de eerste dag stonden we om drie uur 's nachts op om de spits rond Chicago te vermijden. We vielen allemaal weer in slaap, maar dat vond pap juist fijn – om in de stilte te rijden. Maar soms zat ik voorin naast hem. Hij zei altijd dat ik hem hielp door hem gezelschap te houden. Ik wist dat hij eigenlijk geen hulp nodig had. Hij wilde gewoon dat ik me nuttig voelde.'

Onverwachte tranen welden op in haar ogen. 'Hij vond het prettig om achterlichten voor zich te kunnen zien. Niet te dichtbij, maar in de verte.' In plaats van de rommelige keukentafel zag ze een stel ronde, rode lichtjes dansen op een onzichtbare donkere weg. 'Dan zei hij dat dat zijn wegwijzer was. De auto in de verte wees hem erop dat de weg er nog was, en dat hij hem gerust kon volgen.'

Ze knipperde met haar ogen en was weer terug in het heden. 'Dit soort dingen zijn als een wegwijzer. Naar het verleden kijken kan ons leren wat we van het leven kunnen verwachten. Dat is zeker betekenisvol als het om je eigen familiegeschiedenis gaat.'

Natalie richtte haar aandacht weer op de bijbel. Ze sloeg hem open bij de namen en data, die teruggingen tot de achttiende eeuw.

'Staat je naam in die bijbel?' vroeg Luke.

Ze keek de lijst na tot de meest recente toevoegingen onderaan, maar schudde haar hoofd. 'Nee, maar mijn moeder staat vlak naast mijn vader, met hun trouwdatum erbij. Wat veel namen! Voor onze volgende baby kunnen we een naam uit de familie kiezen. Bijvoorbeeld... Josephine of Sarah of Emily. Of deze, die is echt mooi: Cosima. Dan kunnen we haar Sima noemen.'

'Wat, komen er geen mannen voor in de geschiedenis van je vader? Staan er geen jongensnamen bij?'

'We hebben toch al een jongen, gekkie. Volgende keer moeten we op een meisje hopen.'

'Vijftig procent kans, schat. Laat eens kijken.' Hij nam de bijbel van haar over. 'Matthew is mooi. Of... wacht eens. Branduff? Seamus? Dat klinkt als een stelletje Ieren. Ik dacht dat je familie Duits en Engels was?'

'De Duitse kant is van mijn moeder. Ik denk dat ik uit die namen meer te weten kan komen over de familie van mijn vader. Maar er moet iets vreselijks gebeurd zijn in 1848. Er staan vijf sterfgevallen op één dag vermeld.'

'Hmm... 1848. Ik geloof dat er rond die tijd een aardappelhongersnood was in Ierland.'

'Dat zal het zijn,' zei Natalie met een knik. 'Is het niet vreemd dat ze zichzelf niet konden voeden, maar dat ze wel geboortegegevens bijhielden helemaal tot een eeuw eerder?'

Luke glimlachte. 'Je hebt daar vast en zeker een bijzonder stukje familiegeschiedenis in handen.'

'En moet je dit zien. Pap had echt een tante Ellen. Ellen Dana Grayson, een zus van zijn moeder. Maar dat laat ik liever niet aan Dana zien.'

'Waarom niet?'

'Omdat zij naar de geheimzinnige tante Ellen is vernoemd. Haar volledige naam is Ellen Dana, alleen vond mijn moeder Dana mooier, daarom hebben we haar altijd zo genoemd.'

'En waarom is die tante geheimzinnig en wat maakt het uit of Dana van haar bestaan afweet?'

'Kijk dan.' Natalie wees naar een aantekening. '*Ellen Dana Grayson, geboren 1910, gestorven 1941.*' Ze is nooit getrouwd en ze is gestorven in een plaats die Engleside heet. Dat klinkt als een rusthuis, maar daar was ze te jong voor. Ze moet ziek zijn geweest. Ik wil niet dat Dana weet dat ze vernoemd is naar een of ander ziekelijk, eenzaam familielid dat nooit getrouwd is. Je weet hoe Dana is. Ze vindt zichzelf toch al een oude vrijster en ze is nog geen dertig. Ze zal denken dat de geschiedenis zich herhaalt, alleen vanwege die naam.'

Luke schudde zijn hoofd. Natalie had die blik op zijn gezicht eerder gezien, de blik die zei dat ze weer overbezorgd was. Ze was bereid toe te geven dat ze het beste voor haar jongere zusje wilde, maar zo *hoorden* grote zussen nu eenmaal te zijn. Ze wilde zich niet aan haar plicht onttrekken, zelfs niet op zo'n klein puntje.

Luke zat nog steeds de namen achter in de bijbel te bestuderen.

'Als ik een ruwe schets maak en alle namen en geboortedata op volgorde zet, kun jij dan een stamboom maken?' vroeg ze. 'We kunnen hem in de studeerkamer hangen.'

'Tuurlijk. Maar alleen geboortedata? Wil je alles wat morbide is vermijden, zoals wanneer ze stierven, al is dat het interessantste gedeelte?'

Natalie aarzelde.

'Het is die datum, hè?' Hij keek haar nauwlettend aan. '16 mei 1848.'

'Ik weet dat het waarschijnlijk niets anders is dan de hongersnood, maar ik geloof dat ik liever weet wat er gebeurd is voordat we hier thuis aan de muren hangen dat vijf leden van mijn familie op dezelfde dag gestorven zijn.'

'Begrijp me niet verkeerd, Natalie. Ik ben gek op een lekker mysterie. Maar ik geloof niet dat iets wat meer dan honderdvijftig jaar geleden gebeurde, veel verschil kan maken in ons leven. Laten we nu maar naar boven gaan om een kijkje bij die kleine te nemen. En dan...' hij legde de bijbel opzij en trok haar weer in zijn armen en snuffelde in haar hals, 'mag je me welkom thuis heten alsof ik langer dan een paar dagen weg ben geweest.'

*

Natalie stapte uit bed, uit ervaring wetend dat haar bewegingen Luke niet stoorden. Zijn gestage ademhaling zei haar genoeg.

Ze ging naar beneden, naar de keukentafel, waar ze het beduimelde dagboek had laten liggen. Het was oud en stijf, het satijnen lint was verschoten.

Ze streek over een van de in de voorkant gegraveerde klavertjes, maakte het lint los en sloeg het zachte leren omslag open. De bladzijden waren opmerkelijk onaangetast, ondanks hun onmiskenbare ouderdom. Geen watervlekken, geen schimmel, alleen een duidelijk handschrift op dik papier dat door de jaren heen nauwelijks vergeeld was. Misschien was het maar goed dat haar vader zo weinig belangstelling voor het verleden had gehad; het bewaren in de droge duisternis van hun zolder had de collectie geen kwaad gedaan.

Natalie vermoedde onmiddellijk dat het een persoonlijk dagboek was. Van een onbekende weliswaar, maar van iemand wiens bloed door haar vaders aderen had gestroomd, en nu door de hare stroomde. Ze las de eerste bladzijde.

Voor mijn zoon Kipp en zijn vrouw, en voor hun kinderen en kindskinderen in Amerika.

Ik kan geen betere manier bedenken om mezelf aan jullie bekend te maken dan door mijn dagboek met jullie te delen vanaf het moment in mijn leven dat Gods plannen voor mij werden onthuld – plannen die geheel anders waren dan de mijne. Dit is mijn nalatenschap aan jullie.

Ik kan jullie verzekeren dat elk woord waar is. Als jullie iets van mij erven, moge het dan de wetenschap zijn dat liefde sterker is dan angst, zeker als je gelooft in de Ene die liefde is: Jezus Christus is gisteren en heden dezelfde en in der eeuwigheid.

Cosima Escott Hamilton, 1874

Natalie pakte de bijbel en sloeg de gegevens erop na. Cosima Escott, geboren in Ierland in het jaar des Heren 1830, dochter van Mary en Charles Escott. Getrouwd in 1850 met Peter Hamilton.

Geboren in Ierland? Natalie's vader had haar verteld dat haar erfgoed Engels was, niet Iers. En de namen Escott en Hamilton klonken beslist niet Iers. Met haar vingers langs de gegevens vond Natalie het jaar van Cosima's dood: 1901. Hoewel ze meer dan honderd jaar geleden was gestorven, had ze een hoge leeftijd bereikt. Tjonge, ze was bijna zes jaar ouder geworden dan vader. Niet slecht voor die tijd.

Vreemd dat Cosima als nalatenschap 'liefde is sterker dan angst' had geschreven.

Natalie liet haar vinger weer langs de sterfdata glijden. Daar stond het: 16 mei 1848...

Misschien bevatte Cosima's dagboek het antwoord.

2

Ierland, 1849

Vandaag kregen we een onverwachte bezoeker, die nog onverwachter nieuws kwam brengen. Ik ben bang dat mijn leven voor altijd zal veranderen.
De dag begon als alle andere. Na het ontbijt hielp ik mama de slaapkamers netjes maken en ging toen andere werkjes doen die vroeger door de talrijke bedienden werden gedaan. Het grootste deel van de ochtend waren we bezig met koper poetsen: sloten en knoppen, kandelaars en lampen, bedstijlen en gordijnroeden. Als het tijd wordt om het schoon te maken, zie je overal koper om je heen! Eerlijk gezegd ben ik blij dat we de oudere vleugel hebben afgesloten, al is het een beetje raar om kamers in je huis te hebben die donker en koud zijn en vol staan met afgedekt meubilair. Maar nu we ons nog maar de hulp van slechts vier bedienden kunnen veroorloven, blijkt het erg prettig om ons te kunnen beperken tot de nieuwe vleugel.
Toen mijn werkjes voor de dag af waren, kon ik een poosje uitrusten onder de oude eikenboom. Eerst was Royboy bij me. Zo heerlijk dat hij een paar ogenblikken kalm en rustig was...

Cosima Escott speelde met de hanger die ze om haar hals droeg en keek naar haar broer Roy in de schaduw van een oereik. Ze noemden hem Royboy omdat hij in zijn hoofd nog steeds een klein jongetje was en weinig hoop gaf dat dat zou veranderen. Hij lag op de grond en wreef nu eens zijn neus in het vroege lentegras en trok dan weer schors van de boom, terwijl hij erop los brabbelde. Al twee keer had ze stukjes hout uit zijn mond moeten halen en ze verwachtte dat binnen niet al te lange tijd weer te moeten doen. Ondertussen ratelde hij maar door, herhaalde woorden die hij Cosima had horen zeggen of vertelde wat hij die ochtend had gedaan.

Op de meeste dagen was Cosima zich nauwelijks bewust van de beperkingen van haar broer. Hij was gewoon Royboy, dezelfde die hij altijd was geweest. Maar vandaag was Cosima met haar neus op haar broers hang naar kattenkwaad gedrukt: hij had bladzijden uit haar boek met lievelingsgedichten gescheurd.

Ze trok aan de lange gouden ketting die om haar hals hing. Mama zei dat de hanger die Cosima als ketting droeg te ouwelijk was, te groot en te sober, hoewel het een erfstuk was van mama's kant van de familie. Maar Cosima ging zelden ergens heen zonder haar hanger. Ze kneep in het kruis met de metalen randen die van de ketting in haar handpalm bungelde. Hoe hard ze ook kneep, hij liet geen spoor achter op haar jeugdige huid. Wat zou het fijn zijn om een constante herinnering te hebben, het beeld van het kruis even dichtbij en altijd aanwezig als haar eigen hand. Als het familierelikwie dat zo veel voor haar betekende dan kwijtraakte, of als ze het buitenshuis niet meer mocht dragen, hoefde ze alleen maar naar haar hand te kijken om er weer aan te denken. Niet alleen aan de kracht die het kruis voor elke christen symboliseerde, maar ook aan het feit dat het bloed van de Kenneseys door haar aderen stroomde. En ze kon het doorstaan – alles.

Soms was het goed om te denken aan de kracht die ze had geërfd. Weer keek ze naar haar broer. Lichamelijk was Royboy zijn kinderlijke staat lang geleden ontgroeid. Met dertien jaar was hij lang en slungelig en nog steeds blond, al was Cosima zelf haar gouden lokken al kwijt. Het was of Royboys haar wist dat hij nog een kind was. De krullen hoorden meer bij een kind van de leeftijd die Royboy in zijn hoofd was, dan bij een jongeling die maar zes jaar jonger was dan Cosima.

Nu Royboy de paardenbloempluis probeerde te vangen die ze in de lucht blies, was het onmogelijk zijn altijd aanwezige glimlach niet te beantwoorden.

'Appel, Cosima,' zei Royboy.

Cosima knikte. Het was tijd om te eten.

Ze stond op, nam Royboys hand in haar vrije hand omdat ze wist dat hij weg zou dwalen en de honger elk moment weer vergeten kon zijn. Ze liepen naar het grote huis en passeerden onderweg de tuinman met zijn armen vol tuingereedschap en een juten zak vol onkruid dat verbrand moest worden.

'Royboy, zeg eens: "Hoe maakt u het?"' instrueerde Cosima hem, zoals zo vaak als ze iemand tegenkwamen.

Royboy slaakte een hoge klank en fladderde met zijn vrije hand in de lucht. Soms herhaalde hij bij verrassing de zin die ze gehoopt had hem te leren, maar nooit als er iemand anders bij was dan zijzelf.

Cosima ging voorop naar de nieuwe vleugel, waar de kamers warmer bleven op een minimum aan brandstof. Waarvoor zouden ze zo'n voornaam en groot landhuis heropenen? Er kwam nooit iemand op bezoek, en dat was niet omdat de aangetaste aardappelvelden voor beroerde tijden zorgden. Nee. Andere mensen waren bang dat hun vloek besmettelijk was.

Net toen Cosima daaraan dacht, werd haar aandacht getrokken door een rijtuig. De weg die naar het landhuis leidde, was smal en afgelegen, en kronkelde als een beekje tussen de bomen door. Iedereen die over de kilometerslange laan kwam, kon vanaf de voordeur makkelijk gezien worden.

Cosima snelde naar de achterkant van het landhuis, waar een trap naar de keuken beneden leidde.

Royboy volgde met zijn langzame, logge gang. 'Ik wil appels, Cosima. Haal appels.'

'Eerst moeten we mama zoeken, Royboy,' zei ze.

'Nee. Niet mama. Appels.'

'Maar er komt bezoek aan, Royboy, dat moeten we haar vertellen.'

'Appels, Cosima.' Royboy trok haar in de richting van de kasten.

Te opgewonden om zich te ergeren aan het typische gedrag van haar broertje, stemde ze toe. 'Een stukje brood dan, Royboy.' Ze ging naar het brood dat verborgen onder een theedoek in een mand lag en sneed vlug een stuk af, waarbij ze bijna in haar hand sneed. Het rijtuig leek voornaam, zwart en glanzend, met een of ander embleem op de deur. Wie kon het zijn?

'Kom mee,' zei ze tegen Royboy, hem meelokkend met een stuk dat ze van het brood scheurde. Als ze hem het hele stuk gaf, zou hij alles tegelijk in zijn mond stoppen.

Hij nam de korst aan en stak meteen zijn hand uit om meer. Cosima wachtte tot hij gekauwd had en doorgeslikt voordat ze hem nog een hap gaf, en toen nog een, helemaal tot boven aan de trap. Tegen de tijd dat ze boven waren, was het brood al verdwenen.

'Drinken, Cosima. Ik wil drinken.'

'Goed, Royboy, alleen zul je moeten wachten tot ik mama heb gevonden.'

'Ik wil mama niet. Ik wil drinken.'

'Ja, maar eerst meekomen.'

Cosima vond haar moeder in de kamer die als woonkamer werd gebruikt. Vroeger was het een naaikamer geweest en dat werd er nog steeds gedaan, misschien tegenwoordig nog wel meer, nu ze hun kleding langer droegen. Voorbij was de tijd dat er simpelweg voor het plezier werd genaaid, en wandkleden en tafellinnen werden gemaakt.

Haar moeder was vandaag niet aan het naaien, ze zat aan de schrijftafel. Ze zette haar aanzienlijke talenten vaak in voor de kerk, die aan haar kunstige schrift de voorkeur gaf boven de plaatselijke drukkers.

'Mama, er komt een rijtuig de laan op. Verwacht u bezoek?'

Haar moeder liet de veer vallen en snelde naar het raam. Cosima volgde, een onwillige Royboy in de buurt houdend.

'Ach, en nu is je vader weg,' zei mama alsof het een ramp was. Ze draaide zich om naar Cosima. 'Lieve help, we zullen wie het ook is zelf moeten ontvangen.'

'Zal ik kijken of ik Melvin kan vinden? Misschien kan hij helpen.'

'Ja! Dat is een goed idee, Cosima. Zeg hem wel dat hij zijn jasje aantrekt en dat hij even wacht met het binnenlaten van de gast. Niemand mag me zien voordat ik me een beetje opgeknapt heb.' Mama haastte zich naar de deur en stond stil voor de penantspiegel met de schuine randen, die tussen twee ramen aan de muur hing. Ze moest hetzelfde spiegelbeeld zien als Cosima: Mary Escott was slank en knap, en leek niet bepaald een vrouw van middelbare leeftijd. Met haar honingblonde haar losjes boven op haar hoofd, haar grote hazelnootbruine ogen, een volle mond en scherpe jukbeenderen, was ze mooi als altijd.

Cosima en haar moeder waren even groot, maar heel verschillend van gezicht en teint. Cosima was het evenbeeld van haar vader, met zijn donkere haar en ogen. Haar gezicht was zachter, haar ogen wat groter, haar lippen een beetje voller. Zij en haar vader waren, zoals Cosima's moeder vaak zei, het perfecte voorbeeld van hetzelfde gezicht in mannelijke en vrouwelijke uitvoering.

Mama fronste. 'Ik zie er vreselijk uit. Ik zou me gewoon moeten verstoppen en het aan jou overlaten, Cosima. Zelfs met je verwaaide haar ben je nog jong en knap.'

'Melvin houdt de gasten wel even bezig, mama, terwijl u zich opknapt. Ik ga hem meteen zoeken.'

Cosima haastte zich weg en trok Royboy mee, die nu gewillig volgde, misschien omdat hij raadde dat ze op de terugweg waren naar de keuken.

'En neem Royboy mee naar Decla in het washuis,' riep mama hen achterna.

Royboy vond het prima om achtergelaten te worden bij Decla, die hem vlug iets te drinken gaf. Cosima had weinig moeite om Melvin te vinden, de man die diende als butler, livreiknecht, koetsier en dierenarts. Zijn favoriete merrie kon elke dag een veulen werpen en Melvin was nooit ver uit de buurt van de stallen.

Hij volgde Cosima haastig naar het grote huis. Helaas rook Melvin ondanks het nette jasje dat hij aangetrokken had, onmiskenbaar naar hooi en mest.

'Laat de gast binnen in de salon boven,' zei Cosima. 'Daar is het tenminste schoon en niet afgedekt zoals in de salon beneden.'

'Heel goed, juffrouw Cosima.' Hij was al bezig zijn jasje over zijn forse buik dicht te knopen. Melvin was ongeveer van dezelfde leeftijd als Cosima's vader. De twee verschilden van elkaar in manier van doen, maar leken treffend op elkaar qua bouw. Ze hadden allebei een dikke buik alsof ze zes maanden zwanger waren, alleen zonder een spoor van de zachtheid die een vrouw bezat.

'En veeg in de keuken je schoenen af met een oude doek,' riep ze hem na.

Cosima zelf snelde naar boven om te zien hoe haar moeder vorderde. Er was niet genoeg tijd om zich te verkleden, maar de oude japon die haar moeder droeg, had de kwaliteit van fijn linnen afgezet met kant – al bleek bij nadere inspectie dat het versleten kant te veel gaatjes vertoonde. Haar huid glansde alsof ze een goede nachtrust had gehad in plaats van alleen een beetje rozenwater in haar gezicht had geplensd en een druppel goudsbloemolie om de roodheid te verdrijven uit haar ogen, die te lang naar haar kunstige letters hadden getuurd.

Cosima keek naar zichzelf. Ook haar japon was oud en aan de zoom bijna tot op de draad versleten. Ze had andere japonnen, evenals haar moeder, maar die moesten dit jaar nog tevoorschijn worden gehaald. Ze betwijfelde of zich een gelegenheid zou voordoen om nieuwe japonnen te laten maken. De japonnen die ze bezaten, roken naar specerijen en iriswortel van de opslag in deze stille winter, maar dat was een stuk prettiger dan te moeten vaststellen dat de motten zich er tegoed aan hadden gedaan.

De japon die Cosima droeg, was van haar moeder geweest en was vast en zeker erg mooi toen hij nieuw was. Hij was nu totaal uit de mode, met ballonmouwen die van de schouders vielen en een te nauwe rok, aan de onderkant verzwaard met een rij gerafelde ruches. Maar hij had nog steeds een mooie kleur roze, die prachtig afstak bij Cosima's donkere ogen en haar.

Mama glimlachte toen Cosima dichterbij kwam. Tot Cosima's verrassing maakte haar moeder geen haast om het bezoek te gaan begroeten. In plaats daarvan pakte ze Cosima's hand in de hare. 'Vervloekt, zo zeggen ze, jij en ik. Maar toch mooi.'

Het werd Cosima koud om het hart om de trots die haar moeder nog steeds bezat, zelfs met dat woord dat voor altijd met hun namen was verbonden. Vervloekt, inderdaad.

Cosima haakte haar moeders arm door de hare en nam haar mee de kamer uit. De brede, met tapijt beklede gang, leidde naar de andere kant van het landhuis. Hier zag het huis eruit zoals het altijd had gedaan; de familiegeschiedenis van haar vader was overvloedig aanwezig. Er hingen afbeeldingen van Escotts aan de muren – Engelse soldaten en politici, allemaal geleerden, ongeacht hun beroep. Ze woonden aan de overkant van de Ierse Zee, maar voor Cosima, die weinig méér wist dan wat de portretten konden vertellen, waren het vreemden.

Hoewel Cosima zelf sprak als een Engelse, dankzij haar vaders zorgvuldige begeleiding en de Engelse huisonderwijzeressen en gouvernantes die hij van kleins af aan voor haar in dienst had genomen, was het Engelse bloed dat haar door de aderen stroomde haar even vreemd als haar uitspraak moest klinken in de oren van de dorpsbewoners om haar heen.

Melvin had kennelijk de kokkin en Briana, het keukenhulpje, aan het werk gezet, want er stond thee klaar op een kleine ronde tafel voor de bij elkaar passende canapés in het midden van de salon. De ruimte was eerder comfortabel dan protserig. Gestoffeerde meubels, oude gordijnen, versleten tapijten – allemaal in het bloemontwerp waar moeder zo dol op was geweest. Maar de kamer moest gemoderniseerd worden als ze hem wilden openstellen voor iemand anders dan hun eigen familie.

Cosima en haar moeder zaten nog niet lang in de salon toen Melvin aan de deur kwam en hun gast aankondigde.

'Osborn Linton, *milady*, werkzaam in de huishouding van sir Reginald Hale, uit Londen, Engeland.'

Hun bezoeker was een lange, slanke man met

grijs haar en een smal snorretje boven dunne lippen. Melvin had zijn overjas aangenomen en daaronder droeg hij een keurig gesneden rokkostuum met een effen vest en overhemd, en een smalle witte das die dichtgeknoopt was bij zijn keel. Zijn broek was duifgrijs, vastgegespt onder de voeten en netjes in iets puntige, zwartleren schoenen gestoken. Voor iemand uit de werkende klasse, duidelijk op z'n minst een lijfknecht, was hij naar de laatste Engelse mode gekleed.

Uit haar ooghoek zag Cosima haar moeder glimlachen alsof ze een voorname dame was wier portret zou komen te hangen in de gewijde gangen waar ze daarnet doorheen waren gelopen. Op dat moment deed het er niet toe dat ze in plaats daarvan de kleindochter was van een rijke Ierse landheer, alleen getrouwd met een Engelsman, en die was, hoewel van onberispelijke komaf, hard op weg om te verarmen als de zaken in Ierland niet gauw veranderden. Noch scheen het van belang dat hun bezoeker een bediende was, in plaats van een rijk man.

'Dank u dat u me wilt ontvangen, mevrouw Escott,' zei meneer Linton met een buiging. 'Als ik zo vrij mag zijn om het te vragen, komt de naam Hale u in de verte bekend voor, mevrouw?'

'Hale?' herhaalde mama alsof ze erover nadacht. Uiteindelijk schudde ze haar hoofd. 'Neem me niet kwalijk, maar nee. Misschien zou mijn man een beter antwoord kunnen geven; hij heeft familie in Engeland.'

'Ja, ja. Hij kent vast wel een zo vooraanstaande naam in de Londense zakenwereld.'

Cosima zei niets, maar ze was benieuwd waarom die man daar vanuit ging. Al had haar vader nog banden met Engeland – wat voor zover zij wist niet het geval was – de zakenwereld vermengde zich zelden met die van de aristocratie. En de portretten van de familie Escott waren beslist aristocratisch.

'Wilt u niet gaan zitten?' vroeg mama, met een gebaar naar een van de Queen-Annestoelen achter hen.

Zodra mama en Cosima tegenover hem zaten op de canapé, zwaaide de man de punten van zijn rokkostuum opzij en nam plaats. Cosima merkte dat zijn blik langer op haar bleef rusten dan op haar moeder, en ze voelde kort kippenvel opkomen. Hoewel de blik verre van wellustig was, was hij duidelijk taxerend, zodat Cosima de aandrang voelde zich te verstoppen.

'Uw knecht informeerde me dat meneer Escott weg is, om belangrijke zaken te behartigen. Het zou het beste zijn als ik wachtte, maar ik wil u erg graag de reden van mijn bezoek onthullen.'

'Dat zou me een genoegen doen, meneer Linton,' zei mama.

'Mijn werkgever, sir Reginald Hale, zendt u zijn groeten en een vraag aangaande de kwestie van...' zijn blik, die Cosima slechts een ogenblik had losgelaten, keerde nu naar haar terug, 'een huwelijk met juffrouw Cosima Escott.'

Cosima zag dat haar moeder net zo geschokt was als zij. Cosima hield haar adem in en in de stilte hapte haar moeder naar adem. Cosima weigerde haar of hun gast aan te kijken en voelde beider blikken zwaar op zich rusten.

'Uw werkgever vraagt om de hand van mijn dochter zonder haar zelfs maar te hebben ontmoet?' Er klonk opwinding door in moeders vraag.

'Dat klopt, mevrouw Escott. Ik heb hier in mijn tas een introductiebrief, zodat u mijn werkgever kunt leren kennen. Mag ik deze documenten ter lezing bij u achterlaten?'

'Natuurlijk.'

Meneer Linton stond op en liet zijn thee onaangeroerd staan. 'Ik logeer hier in het dorp, mevrouw Escott, in de Quail's Stop Inn. Stuurt u me alstublieft bericht als u openstaat voor een bezoek van sir Reginald.'

Hij maakte aanstalten om te vertrekken en mama stond op en trok Cosima mee. Mama volgde de man nagenoeg op zijn hielen naar de deur, ondanks Cosima's pogingen om haar terug te trekken.

'Mijn echtgenoot wordt niet voor het einde van de week verwacht,' zei haar moeder. 'Ik kan natuurlijk geen bericht sturen zonder...'

Meneer Linton zweeg even. Cosima dacht een tevreden blik op zijn gezicht te zien, alsof haar moeders overduidelijke gretigheid naar behoren was opgemerkt en verwelkomd.

'Ik zal in de herberg verblijven tot ik van u gehoord heb, mevrouw.' Hij zette zijn hoge hoed op en nam zijn overjas van Melvin aan, maar drapeerde hem slechts over zijn onderarm. 'Hoe lang het ook zal duren, mevrouw. Mijn heer is een zeer geduldig mens. Hij zal mijn bericht afwachten.'

Cosima keek toe hoe hij vertrok. Hij nam de koele marmeren trappen alsof hij ze vele malen eerder had gebruikt, met een onmiskenbaar verende stap. Mama pakte Cosima's hand en kneep erin, bracht hem naar haar mond om de knokkels van haar dochter te kussen. 'Een huwelijksaanzoek! Van een adellijk heer! O, Cosima, misschien is er toch nog een toekomst.'

Cosima had haar hoofd niet bij haar moeders woorden over de toekomst. Ze staarde weer naar meneer Linton door het grote raam. Hij stapte weer in het rijtuig. Het was beschilderd met een familiewapen, zag ze nu, met een gouden *H* op de zijkant. Een familierijtuig helemaal uit Engeland? Waarom zouden ze dat meesturen met meneer Linton, een bediende?

Moeder en dochter zagen door het raam hoe het rijtuig tussen de bomen langs de laan verdween. Ofwel de eigenaar was een overmoedige verkwister, die betaalde voor het vervoer van zijn rijtuig alleen om zijn favoriete lijfknecht te verzekeren van een comfortabel vervoermiddel, of sir Reginald twijfelde er niet aan dat zijn aanzoek aanvaard zou worden. De opgeblazen proleet was al begonnen zijn bezittingen over de Ierse Zee te verhuizen.

De man wist natuurlijk niets van Cosima af, anders had hij nooit zijn dienaar gestuurd met zo'n bizar voorstel. Iets in die geest wilde ze tegen haar moeder zeggen, maar mama keek zo blij dat Cosima het hart niet had om haar stemming te bederven.

Mama drukte Cosima's hand dicht tegen zich aan, haar ogen glommen zoals ze in geen maanden hadden gedaan. Toen liet ze haar los en zweefde weg door de gang, misschien om weer aan het werk te gaan.

Cosima ging naar haar slaapkamer, verlangend naar de vertrouwdheid en de troost die ze daar vond. Ze ging haar dagboek pakken.

Dat mama hoopte op een toekomst was voor Cosima geen verrassing. De moeilijkheid was dat *haar* beeld van de toekomst en Cosima's beeld mijlenver uit elkaar lagen.

Dit was niet de eerste keer dat iemand om Cosima's hand had gevraagd. Ze zou tenslotte het landgoed Escott erven, en het inkomen dat dat opbracht, was verleidelijk. De tijden zouden beter worden; de aardappeloogst zou niet altijd bederven... God kon het land genezen van de ziekte waaraan het op dit moment leed. En zo niet, haar vader wilde hun omstandigheden verbeteren door schapen te fokken in plaats van aardappels te telen, en dat zou zeker een einde maken aan de zware tijden.

Maar één ding stond vast: zelfs een rijke erfenis kon de schaduw van een vloek niet doen verbleken.

Heel County Wicklow wist van de vloek. Twee jaar eerder had de zoon van een landeigenaar uit County Cork door hun afgelegen vallei gereisd, en toen hij hoorde van de ongetrouwde dochter die een erfenis zou krijgen, was hij om Cosima's hand komen vragen.

Maar een enkele avond was genoeg geweest om de jongeman te waarschuwen. Hij was vertrokken voordat de zon opkwam.

Cosima had erom kunnen lachen dat de angst voor een vloek genoeg was om hebberigheid te overwinnen. Maar omdat die zogenaamde vloek op haar rustte, vond ze er niets grappigs aan.

Als die man deze lente was gekomen, was hij wellicht langer gebleven. Maar twee jaar geleden leefde haar oom nog, die iedereen Willie noemde in plaats van William, omdat hij altijd als een klein jongetje was geweest. Simpel.

En Percy was ook nog bij hen geweest. Percy was de oudste in Cosima's familie, haar oudere broer. Hoewel Cosima pas een paar jaar na Percy was geboren, kon ze wel raden welke vragen er in haar ouders op waren gekomen in de tijd voor Percy's geboorte.

Zou hij net zo zijn als de zoon van tante Rowena, slap? Of als zijn oom, onrustig van geest? Willie was luidruchtig en grof, en zijn taalgebruik weinig meer dan het nabootsen van de mensen om hem heen. Tot zijn plotselinge dood op de leeftijd van vijfenveertig jaar, was hij als een kind geweest – hij kon weinig bevatten en was nieuwsgierig, maar gevaarlijk als het ging om dingen als vuur en teer glaswerk. Hij scheen het heerlijk te vinden om zijn mond vol eten te proppen tot hij moest kokhalzen. Het was vaak moeilijk om bij Willie aan tafel te zitten.

Cosima werd verteld dat haar broer Percy de eerste paar jaar van zijn leven schijnbaar vrij van de vloek was geweest. Hoewel hij een makkelijke baby was geweest die een beetje laat leerde lopen, verwierf hij langzaam een taalgebruik dat verder ging dan dat van zijn oom Willie.

Nee, Percy was niet zoals Willie. Maar hij was ook niet zoals andere jongens uit andere families. Cosima kwam te weten dat haar moeder het jarenlang geprobeerd had te ontkennen, zelfs tijdens haar zwangerschap van Cosima, toen ze uitkeek naar de geboorte van een ander kind. Maar ergens in de loop van de jaren was iedereen om haar heen, zelfs Cosima's vader, gedwongen geweest mama van gedachten te doen veranderen. Percy mocht dan niet zo traag van geest zijn als Willie, maar traag was hij.

Decla, mama's favoriete dienstmeisje, vertelde Cosima dat mama haar echtgenoot daarna jarenlang zijn huwelijksrechten had ontzegd, uit angst om nog meer kinderen te krijgen. Maar toen, om redenen die zelfs Decla nooit heeft geweten of niet aan Cosima wilde vertellen, was Mary Escott weer zwanger geworden. Deze zwangerschap was heel verschillend geweest dan in de jaren waarin kinderen mama alleen blijdschap en hoop hadden gegeven. Nee, de maanden waarin ze wachtten op Roy waren geladen met zorgen, en onder landeigenaren en pachters in de hele stad werd gefluisterd over de vloek.

Ten slotte werd Roy geboren, en elk snippertje hoop waaraan Cosima's ouders zich hadden kunnen vastklampen, ging bij de eerste aanblik in rook op. Je kunt er nog niets van zeggen, had Cosima's vader gezegd. Maar mama wist het. Ze zag Roys hoofd, een beetje groter dan de hoofden van de baby's in het dorp, en zijn oren, die aan twee kanten uitstaken. Net als bij Percy en Willie. En het ergste van alles: toen ze hem de borst wilde geven, wist ze de waarheid. Zijn gehemelte was net zoals Percy's gehemelte, zo hoog dat hij twee keer zo hard moest werken om zich vast te kunnen houden aan de borst. De pijn bij elke voeding wees haar er maar al te duidelijk op dat Roy – die algauw Royboy werd genoemd – als Percy zou worden... of erger, zoals Willie. Twee generaties van mannen vervloekt onder het Kennesey-bloed.

Mama en Cosima waren niet de enigen die de last voelden. Vorig jaar was mama's zus Rowena op bezoek gekomen. Wat was het lang geleden dat de zussen elkaar hadden gezien! Maar het was een weinig vrolijke hereniging, want Rowena had twee kinderen van haarzelf meegebracht, de één een flinke jongeman en de ander net acht jaar. Allebei achterlijk.

Er waren nog andere kinderen geweest – een jongen en een meisje, gezond en intelligent – die niet mee waren gereisd. Toen Rowena twee dagen op bezoek was, beseften Cosima en haar moeder dat de vloek voor Rowena veel erger was geweest, ondanks haar gezonde kinderen. Rowena, die weinig wilskracht had, had geleden onder hetzelfde geroddel over een vloek als mama. Misschien had ze het nog scherper gevoeld, want haar man was minder verdraagzaam dan Cosima's vader. Rowena's man had haar en de getroffen kinderen het huis uit gestuurd, en de gezonde kinderen gehouden. Hij wilde niets meer te maken hebben met een vrouw die zo overduidelijk vervloekt was.

Rowena had weinig keus. Het was ofwel naar een inrichting met haar zoons, of sterven op straat. In plaats daarvan was ze naar haar zus gekomen.

Maar Rowena was niet van plan iemand lastig te vallen met haar problemen en de enige kinderen die haar man haar had laten houden. Nee, ze had een plan dat achteraf bezien duidelijk bedoeld was om te helpen, en niet om problemen te veroorzaken, zoals het onvermijdelijk deed.

Op een zonnige lenteochtend, bijna een jaar geleden, net zo'n ochtend als waarop Cosima met Royboy in de schaduw van de boom had gezeten, had Rowena haar zoons en die van mama, samen met hun broer Willie – inderdaad, allemaal getroffen in de familie – meegenomen naar het huis diep in het bos. Het was een oud jachthuis dat meer dan honderd jaar eerder was gebouwd door boeren die de plaatselijke landheer dienden, en nu was het van Cosima's vader, door zijn huwelijk met mama.

Daar had Rowena alle luiken dichtgedaan, de haard afgesloten en de deuren dichtgedaan. En toen had haar tante opzettelijk, als een soort martelaar, het kleine huisje in brand gestoken.

Op de een of andere manier was Royboy weggeglipt zonder dat Rowena het merkte. Een van de luiken werd open aangetroffen en toen Royboy stinkend naar rook in het landhuis terugkwam, had Cosima hem gesmeekt haar te vertellen waar hij vandaan kwam.

Maar hij hoefde het niet te zeggen, al had hij het gekund. Algauw maakte de rook die opsteeg boven het bos duidelijk wat de bron was. Samen met haar ouders en de bedienden was Cosima naar de gruwelijke ontdekking toegesneld.

Rowena had op de enige manier die ze kon bedenken, geprobeerd een einde te maken aan de vloek.

Cosima kon zelden aan die dag denken zonder dat er tranen in haar ogen prikten. Maar tante Rowena had geen einde gemaakt aan de vloek. Ze had hem eerder verergerd. Voor die tijd hadden de mensen die haar familie vervloekt hadden genoemd, gezegd dat het alleen in de mannen zat. Maar daarna begon iedereen ook met een scheef oog naar de vrouwen te kijken.

En bij *deze* familie wenste sir Reginald Hale zich aan te sluiten?

3

Natalie liet het dagboek haast vallen en er glipten een paar bladzijden uit de tere rug. Met trillende handen stopte ze ze weer op hun plaats. Haar ademhaling ging met horten en stoten.

Was *dit* haar wegwijzer? Ze had een familie verwacht die zo dol was op onderwijs en geschiedenis dat ze er ondanks de armoede in geslaagd waren een familie-erfenis na te laten. In plaats van een edele, veerkrachtige voorouderlijke lijn die de verwoesting van een hongersnood had overleefd, bleek de waarheid te draaien om een moord, zelfmoord en achterlijke kinderen die familie van haar waren. Dit was niet het type wegwijzer dat haar vader voor haar gewenst zou hebben.

Ze schudde haar hoofd en duwde het dagboek opzij. Dit kon niet waar zijn.

Nogmaals keek ze neer op de woorden op het omslag. *Dit is mijn nalatenschap aan jullie. Ik kan jullie verzekeren dat elk woord waar is.*

Nalatenschap. Wat voor nalatenschap? Geen wonder dat papa dit dagboek nooit tevoorschijn had gehaald om voor te lezen aan de rest van de familie. Sommige geheimen konden beter in de kast blijven.

Ergens vanbinnen wilde ze naar boven rennen

om Luke wakker te maken en hem de vreselijke woorden te vertellen die haar betbetovergrootmoeder eigenhandig had geschreven. De adrenaline schoot door Natalie's lijf, maar ze dwong zich om stil te blijven zitten. De ongebruikte energie tintelde in haar vingers en tenen.

Ze legde het tere dagboek terug in de doos, stopte het op de bodem, onder haar vaders schoolwerk, onder alle familiebrieven. Het enige waarmee ze aarzelde was de bijbel.

Natalie staarde ernaar. Wilde ze nu nog zo graag aan een stamboom werken? Ze wist dat Luke een meesterstuk zou maken van de informatie die ze hem gaf, en het eindproduct kon met trots tentoon worden gesteld. Geef hem een project en hij is net als zij met fotoboeken. Ze hadden allebei perfectionistische neigingen.

Maar om zoiets tentoon te stellen... inclusief de datum van een moord en zelfmoord zodat iedereen het kon zien?

Ze legde de bijbel niet bij de andere spullen, maar terzijde, op de keukentafel. Misschien zou ze de familiegegevens nog eens bekijken. Misschien.

Ze nam de doos mee naar boven, niet naar haar eigen slaapkamer, maar naar de logeerkamer, een plek waar ze haast nooit kwam, behalve nu en dan met de stofdoek. Ze had voorlopig wel genoeg familiegeschiedenis gelezen.

*

'Dus daar zat ik, boven aan de trap, tranen met tuiten te huilen omdat mijn man weer naar zijn werk ging en mij alleen achterliet met de baby.' Jennifer Dunlap, Natalie's buurvrouw, roerde in het restant van haar thee en lachte. 'Ik wist zeker dat ik het niet aankon om voor Alison te zorgen *en* de was te doen, de vaat, het huis, het eten... Zoals je ziet, kan ik het niet allemaal als ik goed voor de baby wil zorgen.'

Ze leidde ieders blik naar de vaat in de gootsteen en de mand vol wasgoed. De andere vrouwen lachten mee, terwijl de meesten, waaronder Natalie, toegaven dat ze het thuis ook druk hadden.

Natalie en de andere moeders hadden het grootste deel van de ochtend gepraat over echtgenoten, schoonfamilie, recepten en de vakanties die niet meer voor hen leken weggelegd. Jennifer had voorgesteld dat iedereen volgende week een lievelingsboek meenam om uit te wisselen. Al met al was het een heel gezellige ochtend geweest.

Natalie keek weer naar de kleintjes op de grond in de woonkamer. Ben zat terzijde en keek nu en dan toe hoe de andere kinderen met het speelgoed speelden. Hij speelde nooit met speelgoed zoals zij deden. Ze dacht dat hij gewoon nog te klein was.

Een van de buurvrouwen stond op en zei dat ze weg moest.

Natalie dronk haar thee op en stond samen met Lindy op. Ze gingen elk naar hun eigen kind toe.

'Ik geloof dat het waar is dat meisjes sneller zijn dan jongens,' zei Lindy terwijl ze haar zoon Mitchell oppakte. 'Kijk, die kruipen al! Mijn ventje schuift nog naar de plek waar hij heen wil.'

Inderdaad, de drie meisjes op het kleed bewogen zich voort op handen en knieën. Als op een teken snelden ze op hetzelfde doel af: een felgekleurd dik kussen in de vorm van een pony.

Jennifer kwam achter hen aan. 'Alison is vroeg met kruipen, maar ik heb gehoord dat sommige kinderen meteen gaan lopen.'

Natalie zei niets en hield haar ogen op Ben gericht. Als iemand opmerkte hoe de onrust in haar omhoog golfde, dan wilde ze het niet erkennen. Ze wilde niet tellen in hoeveel opzichten Ben verschilde van de andere kinderen, maar ze kon er niet mee ophouden. Hoewel Ben beslist gunstig afstak in grootte en het meeste haar had, was zijn houding anders. Hij zat met een onmiskenbare curve in zijn rug, niet sterk en stevig rechtop zoals de anderen. Hij leek... tja, slap, alsof zijn spieren niet op dezelfde manier werkten. En toch wist Natalie dat hij sterk was. Hij kon haar vinger stevig vastgrijpen en schoppen als een professionele voetballer in de dop.

'Zeg maar dag, Alison.' Jennifer Dunlap hield haar acht maanden oude dochter in haar armen.

Natalie droeg Ben naar de voordeur. Haar huis was zo dichtbij dat ze niet de moeite had genomen om de wandelwagen mee te nemen. Ze stapte naar buiten in de zon. Toen ze over haar schouder keek, zag ze Alison net zoals haar moeder zwaaien met haar handje. Natalie zwaaide terug.

Ze hield Ben stevig vast, zijn armpjes en zijn hoofd rustten tevreden tegen haar aan. 'Lindy heeft gelijk over jongens en meisjes, denk ik. Maar je haalt het later wel in, hè? Natuurlijk.'

Op de oprit van haar huis keek ze nog eens om naar het huis van Jennifer. Ze kon de last niet negeren die om haar hart cirkelde, iets wat er niet was geweest voordat ze naar de speelgroep was gegaan. In Lindy's armen zwaaide Mitchell net zo gedag als Alison had gedaan.

Mitchell en Ben mochten dan allebei achterlopen met kruipen, maar Mitchell kon tenminste wuiven.

Misschien deed Natalie teveel voor Ben. Nooit had hij er belangstelling voor getoond om zelf te willen of kunnen eten, zoals de andere kinderen vanmorgen deden. Als ze hem in het verleden een stukje brood of een zacht banaantje gaf, legde hij zijn mond eromheen zonder te bijten. Het was of hij de kracht niet had, of niet wist wat hij moest doen, zelfs niet zoiets gewoons als een hapje nemen.

Weer in haar eigen keuken gaf Natalie Ben het bekertje yoghurt dat ze hem niet had willen geven waar de anderen bij waren. Ze zette de lepel in de beker en zette hem neer voor Ben in de kinderstoel.

Hij keek om zich heen en merkte nauwelijks op wat ze voor hem neergezet had.

Zacht legde Natalie haar hand op zijn handje.

Eerst verzette hij zich tegen haar aanraking, en daarom pakte ze de lepel en voerde hem een hapje, in de hoop zijn belangstelling te wekken als hij doorhad dat het zijn favoriete smaak was.

In plaats van de lepel te pakken, sloeg hij hem uit haar hand en morste een deel van de yoghurt.

Natalie pakte de lepel op, zonder toe te geven aan haar teleurstelling. 'Volgens mij ben je er nog niet aan toe om zelf te eten, jochie.'

Ze stond in de verleiding om te proberen of hij in een stuk brood wilde bijten, maar hield zichzelf voor dat ze raar deed. Wat gaf het als hij het fijn vond als zijn moeder hem voerde? Ben was nog maar een baby, en ze vond het heerlijk om dingen voor hem te doen. Bovendien was de preek zondag in de kerk gegaan over de frustratie die onvermijdelijk voortkwam uit vergelijkingen. Ze moest Ben niet met anderen vergelijken.

Ze sprong op toen de telefoon ging, dankbaar voor de afleiding. Ze hoefde niet te kijken wie het was. Luke belde altijd om deze tijd.

'Hoi.' Luke nam niet de moeite om zich bekend te maken.

'Hoi, chef. Hoe gaat het in de nieuwe baan?'

'Geweldig. Ik heb een kantoor helemaal voor mezelf – vier muren en een deur enzo. Je moet een keer komen kijken.'

'Graag. Hoe zijn de mensen?'

'Mijn vroegere baas is nu een collega, en mijn nieuwe baas is er haast nooit. Het kan niet beter.

En iedereen met wie ik altijd werkte, is er nog, een eindje verderop in de gang. Volgende week ga ik sollicitatiegesprekken voeren om de twee nieuwe plaatsen in te vullen.' Het klonk alsof hij een slok koffie nam. Daar was hij aan verslaafd. 'Hoe was het speelgroepje?'

'Leuk. Het is wel fijn om de vrouwen hier in de buurt wat beter te leren kennen.' Toen viel haar iets in dat Luke waarschijnlijk was vergeten. 'Denk erom dat je morgenavond in je agenda zet.'

'Morgenavond?'

'Ons promotiefeestje. Alleen jij en ik.'

'O ja.' Zijn toon liet doorschemeren dat het hem speet dat het hem ontschoten was.

'Alles is afgesproken. Dana komt oppassen, ze is er tegen zessen.'

Nadat Natalie had opgehangen, voerde ze Ben verder en deed haar best om de reeks onprettige gedachten te negeren. Ze wilden niet verdwijnen, hoewel ze zichzelf voorhield dat ze vrijdag had om naar uit te kijken: een echt afspraakje om uit te gaan met Luke.

Ze moest deze ochtend vergeten door naar boven te gaan en die doos te halen die ze zo haastig had weggezet. Het was echt alleen haar bedoeling geweest om dat vreselijke dagboek uit het zicht te houden, de rest niet. Ze kon de brieven lezen, de oude ansichtkaarten bekijken. Of ze kon beneden blijven en aan de familiestamboom werken. De bijbel lag nog steeds op de keukentafel.

Maar toen Ben kort na de lunch naar bed ging om zijn slaapje te doen, trok geen van die dingen haar.

Cosima's dagboek wel.

4

Het was een beetje enerverend om vanmorgen met mama en vader in de serre te zitten. Voor vandaag hadden we hem bijna een jaar niet gebruikt! Ik was vergeten hoe prachtig het uitzicht is op de achterkant van ons landgoed. Aan de voet van de heuvel kun je het bos zien, en daarachter vele hectaren rijk akkerland. Althans, vóór de aardappelziekte waren ze rijk.
Ik dacht aan onze pachters, van wie de meesten dankzij vaders edelmoedigheid nog in hun knusse huisjes wonen. Wat moet er van hen worden als de geldkist van de Escotts leeg is? Geld moet ergens vandaan komen. Toch mogen mijn gedachten niet lang bij dat onderwerp stil blijven staan...

'Ik zie geen reden waarom je niet blij zou moeten zijn met dit bezoek, Cosima,' zei haar vader Charles Escott.

'Natuurlijk is ze er blij mee.' Haar moeder dronk thee en haar lichte toon had Cosima ervan kunnen overtuigen dat ze kalm was, maar haar theekopje kwam een beetje te hard op het schoteltje neer en ze morste.

Cosima zei niets om hun uitspraken te bevestigen of te ontkennen. Ze keek de kamer rond, naar de meubels die zoveel maanden afgedekt waren geweest en er nu weer zo kleurig en aanlokkelijk uitzagen. Het was schitterend vakmanschap, aangeschaft toen geld nog geen rol speelde. Weelderige canapés en opgewreven bijzettafels met ingewikkeld houtsnijwerk boden de bezoeker wat hij wenste: een plaats om comfortabel te zitten en een tafel waar hij zijn thee op kon zetten.

De hele benedenverdieping was heropend, een beetje vroeg, want de laatste winterkou kon nog komen. Maar nu hun bezoeker elk ogenblik kon arriveren, was het een eenvoudige beslissing voor haar moeder geweest.

'Cosima,' zei haar vader vleiend en luchthartig, 'heb je soms besloten niet te spreken voordat de beslissing is genomen?'

Cosima proefde van haar lauw geworden thee en huiverde. Ze hield niet van de smaak van haar moeders lievelingsthee, maar was te laat aan tafel verschenen om haar voorkeur kenbaar te maken.

'Natuurlijk niet,' zei ze ten slotte. 'Ik zal heus wel praten, maar mijn woorden zullen niet veel verschil maken, hè? Het besluit is genomen... door sir Reginald Hale.'

Haar vader boog naar voren klopte op haar hand. 'Kom kind, we verkopen je niet aan die man, hoor. Het kan toch een heel acceptabele vent zijn, van wie je op de duur kunt gaan houden?'

'Lieverd, als je het huwelijk ingaat met zulke lage verwachtingen als jij kennelijk hebt, kan het alleen maar beter worden. Respect dat door de jaren heen wordt gewonnen, leidt onvermijdelijk tot liefde.' Moeder nam een hap van een broodje en voegde er nadenkend aan toe: 'Sommige huwelijken uit liefde staan bloot aan teleurstelling, omdat de verwachtingen onredelijk zijn. En zo zit het, is mij verteld.'

Cosima keek haar moeder onderzoekend aan alsof ze een andere taal had gesproken. Cosima was niet op zoek naar liefde en ze probeerde het ook niet te ontwijken. Ze deed gewoon radeloos haar best om onverschilligheid voor het hele onderwerp huwelijk aan te kweken, om één heel goede reden: ze kon simpelweg niet trouwen. Nooit.

Hoe kon het dat haar moeder dat niet begreep? Ze deed alsof Cosima aan het verdrinken was in de dwaasheid van haar eigen plan en wilde haar beslist een reddingsboei toewerpen in de vorm van ene Reginald Hale.

Vader was weer aan het woord. 'We hebben de brief van de man bekeken, Cosima. Hij komt uit een gerespecteerde Engelse handelsfamilie. Geen aristocratie, maar hij heeft zijn titel verdiend met liefdadigheidswerk. Het is je moeders wens, en de mijne, dat je dit aanzoek overweegt als wellicht het beste dat je kunt verwachten. Met die... tja, de opvattingen van de mensen hier in de buurt...'

'Ze noemen het een vloek, vader.' Cosima had het niet zo koud willen zeggen. Ze keek uit het raam en zag Royboy lachend achter een van de honden aan struikelen.

Een vloek. Haar broer, van wie ze hield maar aan wie ze soms een hekel had, was het stoffelijke bewijs van die vloek. Als ze kinderen kreeg kon je er vast op rekenen, zo zei iedereen die hen kende, dat ook zij een zoon zou baren met de geest van een nooit opgroeiend kind. Ze had gezien wat dat met haar vader had gedaan. Zijn hoop die de bodem was ingeslagen, de last geen zoon te hebben om de naam en het erfgoed door te geven. En ze had gezien hoe haar moeder de schuld had gedragen.

Waarom verwachtten ze van haar dat ze de cirkel zou willen herhalen? En er iemand anders mee opschepen? Ze voelde in het geheel niets voor sir Reginald Hale, maar zelfs een vreemde verdiende het te weten wat hij aanhaalde als hij met haar trouwde.

Bovendien had ze zichzelf er bijna van overtuigd dat God haar niet had geschapen voor het huwelijk. Als ze wat meer op Hem kon vertrouwen, zou het laatste restje verlangen om eens te trouwen binnenkort ook wegslinken.

'Het rijtuig nadert, mevrouw,' zei Melvin op de drempel. Vooralsnog was er niets dat erop wees dat hij een groot deel van de winter stallen had uitgemest. Hij was weer helemaal de keurige bediende, stijf in het zwart gekleed, compleet met smetteloos witte handschoenen en glimmende zwarte schoenen. Sterker nog, de meeste bedienden die ze voor de winter hadden ontslagen, waren teruggeroepen, en Cosima vermoedde dat ze dolblij waren dat ze weer een loon verdienden – hoe schamel ook, gezien de omstandigheden in hun land. Maar toch, ze hadden een dak boven hun hoofd, 's nachts een warm bed en meer te eten op Escott Manor dan ze waarschijnlijk hadden gehad in het armenhuis waar ze het afgelopen jaar gedwongen waren geweest te wonen.

Mama stond als eerste overeind en het tafeltje wankelde toen haar lange rok langs de rand streek. Ze bracht één hand naar haar achterhoofd, waar haar haren netjes in een losse knot waren opgestoken, terwijl ze met de andere de halsdoek van haar japon gladstreek. Hun mooiste japonnen hadden inderdaad de zwakke geur van kaneel, nootmuskaat en iriswortel aangenomen, maar er was geen steekje aangeroerd door hongerige motten. Na een paar dagen luchten was de geur nauwelijks merkbaar en hij vervaagde volkomen naast het aangename aroma van het rozenwaterbadzout waar de vrouwen allebei van hielden.

Haar ouders stonden al op de drempel voordat Cosima was opgestaan, en dat deed ze alleen omdat haar vader afwachtend omkeek en haar zijn arm bood.

'Wij wachten in de ochtendkamer,' zei hij tegen Melvin.

Dat haar vader praatte als zijn gewone onaangedane zelf was een troost voor Cosima, maar ze merkte dat hij een iets verhoogde kleur had, wat verraadde dat hij net zo gretig als haar moeder hoopte dat het aanzoek vruchtbaar bleek. Cosima volgde met haar hand licht op haar vaders arm, maar haar blik bleef hangen bij Royboy buiten met de honden. Misschien was het beter om geboren te worden zoals hij.

De salon werd de ochtendkamer genoemd, maar Cosima had hem altijd gezien als de blauwe kamer, want hij was voor een groot deel ingericht in blauwe tinten, van het keurig gestoffeerde meubilair en de brokaten gordijnen tot de vazen en lampen die de bijzettafels sierden.

Toen Cosima en haar ouders zaten, kwam Melvin binnen. Achter Melvin volgden twee gestalten. De een herkende ze als de bediende, meneer Linton. Haar blik gleed van hem weg om de man te zien die sir Reginald moest zijn.

Op het eerste gezicht was hij onopvallend. Met zijn een meter zeventig niet langer dan Cosima zelf – wat lang was voor een maar half Ierse vrouw, maar een beetje klein voor een man. Het aantrekkelijkste aan hem was zijn dikke, opvallend blonde haar. Zijn lichte huid paste bij de lichte kleur van zijn haar en zijn ogen waren levendig blauw. Maar die ogen waren klein, zijn neus een beetje groot en hij had bijna geen kin; zijn gezicht versmalde van zijn voorhoofd meteen door naar zijn hals. Zijn lippen waren plat en de bovenlip haast onzichtbaar. En toch zag hij er aardig uit, dankzij zijn haar en ogen. Zeker niet knap, maar ook niet lelijk.

Als hij vriendelijk was, dacht ze...

Cosima wilde haar gedachten niet langs die weg laten afdwalen. Zou ze een huwelijk zo makkelijk overwegen? Nee... wat die man ook hoopte te bereiken.

Ze besefte dat haar ouders al waren voorgesteld en nu stond sir Reginald voor haar. Ze bood hem haar hand, die hij na een formele knik kuste.

'U bent lieflijk, juffrouw Escott. Mooier dan ik me had voorgesteld.'

Haar moeder bood hem een kopje thee aan, met een stem die zelfs in de oren van een vreemde zenuwachtig moest klinken. Voorts beantwoordde ze meneer Lintons vragen over de bagage van sir Reginald, want van tevoren was afgesproken dat de twee in het landhuis zouden logeren. Toen excuseerde Linton zich en volgde Melvin de kamer uit.

'We hebben uw introductie met belangstelling gelezen, sir Reginald,' zei vader. 'Maar nergens konden we vinden hoe u afweet van het bestaan van onze Cosima. Ga zitten alstublieft, en vertel het ons.'

Sir Reginalds mooie, lichte huid werd een beetje roze. Cosima geloofde niet dat het door de warmte kwam, al zaten ze voor de open haard. Die was aangestoken in de hoop de ochtendkilte enigszins te verdrijven, maar in dit deel van het stenen landhuis bleef de koude lucht hangen als in de diepste diepten van een ijskelder.

Cosima's ouders gingen op de canapé tegenover

hem zitten, zodat voor Cosima alleen de plaats naast hun bezoeker overbleef.

Reginald richtte zich tot haar vader. 'Ik ben een kennis van uw moeder, douairière Merit, sir Charles. Daarom aarzelde ik om de connectie te noemen in mijn document.'

Nu was het haar vaders beurt om te blozen. Aangezien hij zijn moeder in elk geval in Cosima's leven niet gesproken had, wist ze niets van zijn familie af.

'Ik neem het u niet kwalijk dat u mijn moeder kent,' herstelde hij zich snel met vaste stem. 'Het is droevig dat mijn familie en ik van elkaar vervreemd zijn.'

'Ze moeten u toch wel erkennen, vader.' Cosima's onwilligheid om deel te nemen aan de conversatie was verminderd door haar belangstelling voor het onderwerp. 'Anders had sir Reginald nooit van ons gehoord.'

Haar ouders en zij lieten hun blikken weer op Reginald rusten, dit keer met duidelijke nieuwsgierigheid.

Reginald keek van de een naar de ander en wreef zijn handpalmen over zijn bovenbenen. Hij lachte kort, een lach die zijn uiterlijke onbehagen niet verborg. Hij keek Cosima aan. 'Je hebt een nicht die alles weet over jou en je familie hier in Ierland, ondanks het feit dat haar eigen ouders hebben geprobeerd elke herinnering aan dit deel van hun familie uit te wissen.'

'Heeft ze u dan verteld waarom?' Cosima was er niet zeker van of haar vader had willen doorvragen, maar ze moest.

'Ze dacht dat het kwam door een algemene hekel aan Ierland. Er worden niets dan afvalligen gevonden in dit land van boeren en katholieken. O, neem me niet kwalijk...' voegde hij eraan toe en bracht zijn hand naar zijn mond alsof hij de woorden wilde pakken en terugstoppen. 'Ik heb zelf niets tegen katholieken, en ook niet tegen boeren trouwens. Met al die moeilijkheden tussen Engeland en Ierland heb ik niets te maken, want ik heb heel weinig godsdienstige neigingen.'

'Maar u zou toch wel in de kerk trouwen?' vroeg mama.

'O, ja,' zei Reginald haastig. 'Ik ben natuurlijk anglicaans. Geen heiden, hoor, mevrouw Escott. Misschien had ik moeten zeggen dat ik weinig *politieke* neigingen heb voor zover het over katholieken en protestanten gaat. Soms lijkt het onmogelijk om die twee te scheiden, nietwaar?'

'Is dat alles wat die nicht van mij gezegd heeft over onze familie? Dat mijn vader verstoten is omdat hij in Ierland wilde wonen?'

'Tja...' Hij keek de kamer rond, alsof zijn omgeving iets te maken had met het antwoord. 'Vergeef me... Dit klinkt op z'n zachtst gezegd onaangenaam, totaal niet zoals ik wenste dat u me kon leren kennen en ik u.'

'Natuurlijk,' zei mama, opstaand. De boze blik

in haar richting ontging Cosima niet. Noch de opluchting van haar vader dat het onderwerp ineens van de baan was. 'Wat onachtzaam van ons om u te dwingen tot een discussie die beter onbesproken kan blijven. We zullen naar de eetkamer gaan voor een lichte maaltijd na uw reis.'

Ze stonden allemaal op. Sir Reginald bood Cosima zijn arm, en ze legde haar hand zo licht op zijn mouw dat hij hopelijk helemaal niets voelde. Hij mocht zich dan niet op zijn gemak voelen om haar alles te vertellen wat ze wilde weten over de familie van haar vader, maar dat zou haar er niet van weerhouden *hem* alles te vertellen wat hij moest weten over haar. Eén blik in zijn aardige blauwe ogen en ze wist dat hoe eerder ze sprak, hoe beter.

Vader ging zwijgend voor door de brede hal en Cosima staarde recht voor zich uit toen ze sir Reginalds blik op haar profiel voelde rusten. Hij keek niet eens om zich heen, niet naar de muurkandelaars waar mama zo dol op was, of naar de Ierse landschappen die haar vader had laten maken. Het verbaasde haar een beetje dat sir Reginald niet meer belangstelling toonde voor het huis, als hij hoopte het via haar te erven. Maar goed ook. Als hij eenmaal van haar broers afwist, was dat ongetwijfeld het laatste wat ze van ene sir Reginald Hale zou zien.

Maar hoe moest ze het hem vertellen zonder dat mama tussenbeide kwam?

Ze betraden de eetkamer en daar, midden in de kamer, met de engelachtige glimlach van een tweejarig kind, zat het volmaakte antwoord op Cosima's dilemma. Royboy zat – niet op een stoel, maar midden op de tafel – tevreden broodpudding uit een van mama's favoriete kristallen kommen te schrapen. Hij gebruikte geen bestek en zijn gezicht was besmeurd, het bewijs hoe heerlijk hij het vond om zijn mond vol te proppen, en zijn handen en hemd waren overvloedig bevlekt.

'Royboy!'

Zelfs om de boze en verraste uitroep van zijn moeder glimlachte hij. Ook toen ze een uitval naar hem deed, de kom van hem afpakte en zijn pols greep om hem van de tafel te trekken, glimlachte hij. Hij lachte toen ze om Decla riep, het dienstmeisje dat meestal voor Royboy zorgde.

Mama voerde hem vlug de kamer uit, maar hij grijnsde breed naar zijn zus toen hij langsliep. 'Pudding.'

Mama stond niet stil. Maar Royboy moest Reginald hebben opgemerkt en hij draaide zich om zodat hij achteruit met zijn moeder mee moest lopen. 'Hoe maakt u het,' zei hij, precies zoals Cosima hem zo vaak had voorgehouden. Het was uit het hoofd geleerd; ze wist dat hij geen idee had of de woorden een begroeting waren of dat ze helemaal niets betekenden. Maar op dat moment was Cosima buitensporig trots op hem. Voor het eerst van zijn leven had hij het zinnetje op het juiste moment uitgesproken.

Toen Royboy uit het zicht was en door de gang

naar de keukentrap werd meegevoerd, keek Cosima naar Reginald. Hoe had hij haar broer beter kunnen ontmoeten? Hoe had hij beter kunnen zien wat voor zoons ze hem zou baren?

Reginald stond stijfjes naast haar, zijn gezicht was een masker. Nou, hij was wel beleefd; dat moest ze hem nageven. Zelfs haar vaders gezicht toonde wat afgrijzen, en hij was gewend aan Royboys wandaden. Vader voelde zich kennelijk te opgelaten om iets te zeggen.

Daar had Cosima geen last van. Ze glimlachte alsof het volkomen normaal was wat zojuist was voorgevallen. 'Dat was mijn broer, Roy Escott. Heeft mijn nicht u over hem verteld misschien?'

Onder het praten stapte ze naar voren en nu haar hand steviger op zijn arm lag, kon hij niet anders dan meekomen. Ze naderden de tafel, waar de bewijsstukken van Royboy's wangedrag duidelijk werden. Hij had niet alleen de pudding opgegeten, maar flink huisgehouden in de schaal met oesters, een waterkan omgegooid en grote, kleurige vingerafdrukken achtergelaten op de meeste borden en wijnglazen.

'Cosima,' zei haar vader, die zich niet had verroerd, 'laten we naar de serre gaan, dan krijgen we daar iets anders opgediend.'

'Ach,' zei Reginald terwijl hij zijn hand uitstak naar een van de schone borden aan de rand van de troep, 'er zijn nog meer dan genoeg oesters over, en ze zien er heerlijk uit.'

Cosima keek geschokt en ongelovig toe hoe sir Reginald zichzelf niet alleen oesters, maar ook wat salade en twee broodjes opschepte. Hij keek om naar Cosima en scheen zich verbaasd af te vragen waarom ze niet meedeed.

En dat deed ze dus.

'Goed,' zei vader toen Cosima en sir Reginald verderop aan tafel gingen zitten, die de inhoud van de omgevallen kan niet had bereikt. Hij stond nog steeds roerloos op de drempel. 'Ik ga je moeder halen, Cosima, en dit laten opruimen terwijl we eten.'

Alleen met de toekomstige bruidegom keek Cosima sir Reginald aan vanaf de plaats die ze tegenover hem had ingenomen. Nu kon ze hem met evenveel belangstelling bekijken als hij haar.

'Royboy is mijn broertje,' zei ze terwijl ze zichzelf salade opschepte. 'Hij is net zoals mijn oom, die we Willie noemden. Hij heette natuurlijk William, maar hij leek zijn hele leven zoveel op een kleine jongen dat we hem nooit anders dan Willie konden noemen. Net zoals Royboy, die eigenlijk Roy heet, maar we noemen hem Royboy. Ik weet zeker dat de moeder van mijn vader – heette ze geen douairière Merit, zei u? – van hun bestaan af moet weten. Als ze niet van Royboy zelf gehoord heeft, moet ze toch in elk geval van mijn oom Willie afweten. Hij was tenslotte tamelijk volwassen toen mijn ouders trouwden. Ik heb zelfs gehoord dat Willie een scène heeft gemaakt op de bruiloft toen hij zich begon uit te kleden nadat iemand een erwt achter in zijn hemd had laten glijden.'

Reginald liet niet merken of hij van Willie had gehoord. Hij at de oesters en keek Cosima aan alsof ze het over iets veel onschuldigers hadden dan de staat van het mannelijke nageslacht in haar familie.

'Ik heb ook nog een broer gehad,' ging ze verder, met haar ogen op hem gericht, op zoek naar een teken dat hij dit eerder had gehoord. 'Zijn naam was Percy. Percy was heel anders dan Royboy en Willie. Niet half zo knap. Maar hij kon heel goed praten en zelfs een beetje lezen. Niemand zou zelfs vermoeden dat hij anders was, totdat een gesprek minstens een paar minuten had geduurd en hij ineens begon te praten over iets dat er niets mee te maken had, of onbehoorlijke vragen ging stellen.' Reginald at door.

Had hij haar wel gehoord? Was hij niet van streek, ontsteld, zelfs een beetje bang? Zo reageerde iedereen immers.

Uiteindelijk legde Cosima haar vork neer en gluurde naar de deur, want ze wist dat ze niet veel tijd meer had voordat haar ouders terugkwamen. Die zouden ongetwijfeld een einde maken aan wat zij moest doen. Maar ze moest spreken, zodat het leven door kon gaan zoals altijd. Zonder verandering, zonder verrassing. Zonder de mogelijkheid de vloek door te geven. En dus zonder huwelijk voor haar.

'Sir Reginald' – ze verdrong elk vertoon van sympathie uit haar stem – 'die nicht van mij heeft u een slechte dienst bewezen. Ze bezat kennelijk maar een klein deel van de feiten, toen ze u vertelde van mijn veronderstelde beschikbaarheid en het land dat ik zal erven.'

Hij fronste. 'Ga je dit prachtige landhuis niet erven?' Hij keek om zich heen en haalde zijn schouders op. 'Jammer, maar ach.'

'Nee, ik ga het wel erven, en ik zal hier stellig blijven wonen totdat ik sterf. Maar na de dood van mijn ouders, op dezelfde dag dat ik het erf, worden dit huis en het landgoed verbouwd tot een school voor zwakzinnigen. Eventuele fondsen die verkregen worden uit de landbouwgrond zullen naar personeel en leerlingen gaan, zodat de school zichzelf kan onderhouden en onbeperkt kan blijven bestaan, zolang er zwakzinnige kinderen zijn die een plek nodig hebben om te leven en te leren wat ze kunnen.'

Reginald nam nog een hap en knikte. 'Een nobel plan, Cosima. Ik zie wel dat je even goedhartig bent als mooi.'

Ze liet het compliment van zich afglijden. 'Maar ziet u niet waar ik de bezieling voor dat plan vandaan haal?'

Hij keek haar aan en wachtte zwijgend haar ongevraagde informatie af.

'Vanwege Royboy,' zei ze zacht tegen hem. 'En Percy. En Willie. En de twee neven van mijn moeders kant, want ook die waren getroffen. En nog een stel neven van de jongere zuster van mijn oma. Begrijpt u wat ik bedoel, sir Reginald? Moet ik het nog duidelijker zeggen?'

'Wat zeggen?'

Ze hield zijn blik vast en eindelijk hield hij op met eten. 'De vrouwen van de familie Kennesey zijn getroffen, sir Reginald. We *kunnen* gezonde kinderen voortbrengen, maar al te vaak krijgen we trage kinderen. Je kunt er praktisch vanuit gaan dat ik, net als mijn moeder, mijn tante en hun moeder daarvoor, zwakzinnigen zal baren, vooral als ik zoons mocht krijgen.'

Sir Reginald stelde haar voor de ene verrassing na de andere. Hij glimlachte vriendelijk, pakte over de tafel heen haar hand en drukte hem teder in de zijne. Zijn handen waren zacht, zijn vingers lang en smal. Dit was, besefte ze, de eerste keer dat iemand anders dan haar vader of haar broer haar op zo'n manier aanraakte. Ze keek neer op zijn slanke vingers en gladde nagels terwijl hij de rug van haar hand streelde.

'Cosima,' zei hij zacht, 'als je die zogenaamde vloek bedoelt waar meneer Linton over hoorde toen hij in het dorp logeerde, dan moet ik je meteen verzekeren dat ik in zoiets niet geloof. Je bent jong. Je bent toch gezond?'

Ze knikte, maar voegde er vlug aan toe: 'Gezond, ja, maar zo zeker als rood haar rood haar voortbrengt, zal ik zwakzinnigen baren.'

Hij lachte. 'Nonsens, Cosima! Dat kun je niet bewijzen, alleen omdat... nou ja, omdat er een paar ongelukkige geboorten zijn geweest. Als het in het bloed zit, zoals jij zegt – en dat betwijfel ik sterk – hoe weet je dan dat het niet aan de kant van de vaders zit? In de families waarin je moeder en je tante zijn getrouwd?'

Nieuwsgierig trok ze haar wenkbrauwen op. 'Zijn er inderdaad kinderen met zo'n afwijking aan mijn vaders kant van de familie?'

'Nou... nee, niet dat ik weet. Maar,' voegde hij eraan toe terwijl hij vlug een hand opstak om haar protest te bedaren, 'er lopen talloze mensen rond die zich net zo gedragen als Royboy. Het is een excentriciteit. Hij kan toch praten? En hij plast niet meer in bed? Nou, kijk aan. Ik weet zeker dat er veel mensen rondlopen die net zo zijn als Royboy. Waarschijnlijk was er met je broer Percy helemaal niets aan de hand; je wilde hem alleen een etiket opplakken om andere mensen met hun wrede geroddel tevreden te stellen.'

Sir Reginald klopte op haar hand en vervolgde: 'Volgens mij luister je teveel naar wat anderen zeggen, Cosima. De meeste mensen die anderen beschimpen, kunnen zelf niet eens lezen en schrijven. Wie zegt dat ze zelf niet zwakzinnig zijn? Neem de mensheid maar nooit een intelligentietest af. De meesten slagen niet.'

Cosima schudde haar hoofd, ze wist dat zijn woorden redelijk *klonken*, hoewel misschien een beetje opgeblazen. Hij had haar niet overtuigd. ‘Maar mijn moeder, haar zus, mijn oma, allemaal...’

‘Nou, kom kom,’ viel hij haar in de rede, ‘ik denk dat je het beste mee kunt gaan naar Engeland, wat ik toch al wilde voorstellen, alleen heb je me nu de perfecte gelegenheid gegeven. Een huwelijk is een levenslange verbintenis en moet niet overhaast worden aangegaan, al zie ik geen reden waarom we elkaar niet kunnen leren kennen nadat we onze beloften hebben uitgewisseld. Om je tijd te geven om erover na te denken, was ik van plan om je mee naar huis te nemen, je te laten zien waar je zult wonen en je de kans te geven voor de huwelijksplechtigheid aan me te wennen.’

‘Maar je weet niet alles...’ begon ze, op het punt om alle gebeurtenissen van de afgelopen lente op te halen, gebeurtenissen waardoor de dorpsbewoners en andere landeigenaren allemaal speculeerden over de krankzinnigheid die de vrouwen van haar geslacht kon treffen.

Maar ineens stonden haar vader en moeder in de kamer en het was duidelijk dat ze minstens een deel van hun gesprek hadden gehoord.

‘Een verstandig idee van u om Cosima mee te nemen naar Engeland, sir Reginald,’ zei mama, met een glimlach zo lief of het voorval met Royboy nooit had plaatsgevonden. Royboy was nergens meer te bekennen. ‘En wat een genereus aanbod. Natuurlijk zal Cosima u vergezellen. Lieverd,’ vervolgde ze terwijl ze achter Cosima kwam staan en bukte om een arm om haar schouders te slaan, 'ik twijfel er niet aan dat sir Reginald er een heerlijke tijd van zal maken. Millicent O'Banyon kan je vergezellen als chaperonne.'

Cosima gaf geen antwoord. Ze keek haar moeder niet eens aan, wetend dat ze alleen maar blijdschap zou zien over de plannen en voorbereidingen. Nee, dacht ze bij zichzelf, zo makkelijk werd dit niet geregeld. Sir Reginald Hale mocht dan de vloek waar iedereen op gefixeerd was niet serieus nemen, maar daar moest een reden voor zijn.

En ze was van plan om uit te zoeken welke.

5

Zaterdagochtend begroette Natalie haar zus vrolijk met een schaal vol dampende dikke pannenkoekjes, terwijl de geur van koffie door haar roestvrijstalen keuken zweefde. De vroege ochtendzon werd gefilterd door de rood met wit geruite gordijntjes die boven het open raam hingen. Ben maakte in zijn kinderstoel in de hoek zijn favoriete geluiden – iets tussen een gorgel en een lach. Hij werd altijd vrolijk wakker, net als Natalie zelf.

Ze had al meloen en sap klaargezet, en toast en jam, waarvan het meeste was verslonden door Luke, die net van tafel wilde gaan. Dana goot stroop over haar bord en geeuwde.

'Heb je niet goed geslapen?' vroeg Natalie, verrast door de vage kringen onder de ogen van haar zus. Dana was ook een ochtendmens, vroeger tenminste. 'Je ziet er moe uit. Heeft de nieuwe hond van de buren je uit de slaap gehouden? Het blaffen klinkt vlak onder onze logeerkamer waarschijnlijk het hardst.'

Dana schudde haar hoofd en glimlachte. 'Nee, prima. Ik ben gewoon een beetje sloom vandaag.' Ze keek neer op het dampende bord met eten. 'Zo'n ontbijt heb ik van mam niet meer gehad sinds pap is gestorven. Wat zou ze me duidelijk hebben willen maken... bijvoorbeeld dat ik allang op mezelf had moeten gaan wonen?'

Natalie ging tegenover haar zitten. 'Nee, het was fijn voor haar dat jij er nog was nadat papa overleed. Maar ik denk dat jullie allebei toe zijn aan verandering.' Uit zuinigheid was Dana in haar studietijd thuis blijven wonen, en toen hun vader te horen had gekregen dat hij kanker had, was ze gebleven om te helpen met het doktersbezoek en de behandelingen. Iedereen, ook Natalie, was haar dankbaar geweest.

Maar nu was Dana onderwijzeres geworden en haar toekomst was even onbegrensd als die van Natalie vroeger. Natalie was van plan om alles wat Dana deed toe te juichen – of ze nu haar loopbaan voortzette of besloot te trouwen en thuis te blijven, zoals Natalie had gedaan.

Dana speelde met het eten op haar bord. Er daagde geen bruiloft aan de horizon, niet in de nabije toekomst tenminste. En toch was er iets in haar kennelijke gebrek aan slaap en nu een onmiskenbaar gebrek aan eetlust dat Natalie's interesse wekte. Dana had altijd de grootste eetlust van de familie, ondanks haar altijd platte buik.

'Hoe was die bruiloft vorige week? Nog leuke mensen ontmoet?'

Dana's blik schoot van haar bord naar Natalie's oplettende ogen. O jazeker, die blik zei dat er absoluut iets aan de hand was. Natalie vond het altijd heerlijk om haar zus te plagen als er weer een nieuwe liefde in beeld was.

Maar Dana schudde haar hoofd en nam een reusachtige hap pannenkoek, alsof ze Natalie zonder dat er een woord werd gewisseld wilde bewijzen dat ze het mis had.

Natalie keek naar Luke. Misschien wilde Dana niet praten waar hij bij was. 'Lieverd, wil jij Ben mee naar boven nemen om hem aan te kleden? Misschien even in bad doen, als je vanmorgen tenminste kunt wachten met grasmaaien – omwille van de buren natuurlijk. We willen niemand wakker maken met die maaimachine.'

Luke knikte, maar in plaats van te vertrekken, dronk hij zijn koffie, en ze had zelf net zijn kopje bijgevuld. Stom.

'Ik had het natuurlijk gisteravond moeten vragen,' zei Dana, 'maar wat vierden jullie ook alweer?'

'Luke's promotie!' zei Natalie.

'O ja.' Dana keek naar Luke, die nu was opgestaan om Ben uit zijn kinderstoel te halen. 'Hoe gaat het in je nieuwe baan?'

'Prima. Mijn eerste uitdaging is een paar nieuwe werknemers te vinden. Een waterbouwkundig ingenieur en een architect.'

'Een architect?'

Natalie nam haar zus nog een keer op. Ze was opgeveerd en had de woorden herhaald alsof ze precies daarop had zitten wachten.

'Dat klopt.'

'Ken je er eentje?' vroeg Natalie.

Dana zei niets; ze verborg haar gezicht door een slok te nemen uit haar grote glas sinaasappelsap. 'En hoe was jullie uitje?' vroeg ze. Haar toon was normaal en beleefd.

Natalie keek naar Luke en zette gedachten aan architecten en Dana's merkwaardige reactie op alles vanmorgen voor het moment opzij. 'We hebben het heerlijk gehad. Fantastisch eten, heerlijk gezelschap – alles erop en eraan.'

'Ja.' Luke knipoogde naar haar voordat hij Ben op zijn schoot liet neerploffen. 'Natalie is nog steeds een lekker ding om mee uit te gaan, Dana.' Hoewel voor Dana bestemd, had hij de woorden zangerig uitgesproken om Ben aan het lachen te maken.

'Bah, ik moet er niet aan denken.' Dana lachte ondanks haar protest. 'Ik heb in die doos in de logeerkamer gekeken, Natalie – die doos die je thuis van zolder hebt gehaald. Uit de brieven kun je opmaken dat papa's familie een stuk intiemer was dan je zou denken na het weinige contact dat wij met onze familieleden aan de East Coast hebben gehad.'

Natalie schrok. Ze had het dagboek eruit gehaald, maar na een klein stukje lezen teruggelegd. 'Die *doos*...' Ze hoefde de verraste blikken van Luke en Dana niet te zien om te weten dat haar toon ineens verbazend hard was geweest. Ze probeerde te lachen om de indruk weg te nemen. Kennelijk had Dana het dagboek niet gevonden, anders had ze er wel iets over gezegd. Wie zou niet reageren op het nieuws van een moord en zelfmoord in de familie, hoe lang geleden ook? 'Tja... ik voel me schuldig dat ik het ding net als papa heb weggestopt, maar wat maakt het allemaal uit eigenlijk? Je zei zelf dat we geen contact hebben met papa's familie. Waarom zou je ze dan willen leren kennen door stokoude brieven? Iedereen die ze geschreven heeft, is dood. Papa, zijn moeder, zijn broer...'

Dana fronste haar wenkbrauwen – van afkeuring of verwarring, dat wist Natalie niet. 'Ik dacht dat je zei dat je onze familiegeschiedenis wilde leren kennen? Geschiedenis is altijd vol dode mensen, alleen zijn we aan deze mensen verwant. Ik had gedacht dat je mama een paar oude foto's zou aftroggelen en een soort historisch plakboek zou maken ofzo.'

Natalie schudde haar hoofd al voordat Dana uitgesproken was en weigerde te luisteren. 'Hou alsjeblieft op, wil je? Vergeet het.'

'Heb je de familiebijbel gezien?' vroeg Luke aan Dana.

Natalie werd boos toen ze het onderwerp niet wilden laten varen.

'Nee, is die er?' Dana richtte zich tot Natalie met haar vraag.

'Hij moet wel ergens zijn,' zei Natalie zonder haar zus of haar man aan te kijken. Ze voelde Luke's ogen op zich gericht. Bezorgd om haar knorrige bui natuurlijk.

'Ik zag hem in onze studeerkamer,' zei hij tegen Dana terwijl hij Natalie aan bleef kijken. 'Ik dacht dat je een ruwe schets zou maken van je familiestamboom, zodat ik een grotere kan maken op bouwkundig papier.'

Natalie hield haar ogen op haar koffie gericht, ze roerde de room in het midden en lichtte hem op van zwart tot melkchocoladebruin.

'Dat klinkt niet als iemand die niet geïnteresseerd is in het verleden,' merkte Dana op.

'Ben je van gedachten veranderd over die stamboom?' vroeg Luke.

Natalie keek naar het verblufte gezicht van haar man, en het belangstellende van haar zus. Hoe kon ze het hun vertellen? Het ellendige verhaal van haar familie gewoon eruit flappen? Natuurlijk was dat wat ze moest doen; het was honderdvijftig jaar geleden. Luke vond vast dat het niets met haar familie van nu te maken had. En Dana had er recht op het te weten.

Maar toen ze zich voornam te vertellen wat ze te weten was gekomen, vroeg ze zich af of haar vader het had geweten. Had hij het dagboek opzettelijk weggestopt, omdat hij het niet nodig vond dat deze nalatenschap doorgegeven werd? Als hij dat had gevonden, moest zij dat misschien ook doen.

Dus haalde ze opnieuw haar schouders op en roerde nog maar eens in haar koffie. 'Vandaag of morgen kom ik wel eens aan die stamboom toe.'

Misschien was het verhaal van Cosima helemaal niet waar. Misschien kon ze uitzoeken hoe het zat met al die sterfgevallen op dezelfde dag als ze Ierse overlijdensaktes uit 1848 zag. Al had ze er geen idee van hoe ze die in handen moest krijgen.

Waar of niet, misschien moest ze zich van het dagboek ontdoen. Dat verleden kon beter vergeten worden. Ze wenste dat haar vader het had opgeruimd in plaats van het weg te bergen.

'Ik heb ook een paar spullen meegenomen van de zolder,' zei Dana. 'Ik vond een paar dingen die ik aan de muur ga hangen. Een manddeksel met een heleboel oude knopen erop genaaid, een klok die ik vast wel kan laten repareren, en nog een paar dingen die ik in een kabinet kan zetten. Mama zei dat het ook allemaal afkomstig was van papa's familie.'

'Leuk.' Natalie zette de vaat in de gootsteen, vastbesloten het onderwerp achter zich te laten. En haar prikkelbare stemming ook. Ze zette de kraan open. 'Weet je nog dat ik vroeg of je met ons mee naar de kerk wilde, Dana? Er stond een berichtje in het kerkblad dat er vanavond een feest van de vrijgezellengroep is. Daar zou je best heen kunnen gaan.'

'Goed idee,' zei Luke, die hun kind op zijn schouders zette. Ben zakte voorover over Luke's hoofd heen, maar keek volkomen gelukkig. Luke stond op, eindelijk was zijn kopje leeg.

'Natalie was niet erg specifiek over de groep,' zei Dana zonder veel belangstelling. 'Laat me raden... er zijn zeker negen vrouwen en twee mannen?'

'Eigenlijk schijnt het een nogal populaire groep

te zijn,' zei Luke. 'Er komen mensen uit allerlei kerken in de buurt naar hun feestjes.'

'Misschien,' zei Dana, maar ze klonk niet erg overtuigend.

Even later liep Luke eindelijk de keuken uit om Ben te gaan wassen en aankleden.

Natalie kwam achter de gootsteen vandaan. Ze nam haar plaats weer in tegenover Dana, die haar bord nog niet half leeg had. 'Oké, barst maar los.'

Dana trok onschuldig haar wenkbrauwen op. 'Hoezo, ik ben geen onweersbui.'

'Je weet best wat ik bedoel. Kijk eens naar dat bord.'

Dana keek naar haar bord. 'En?'

'Waar is je eetlust gebleven? Je bent alleen een kieskeurige eter als je iemand tegen bent gekomen. Dus zeg het maar, is hij architect ofzo?'

Maar Dana schudde alweer haar hoofd. 'Nee, nee, nee, Natalie. Ik...'

Natalie stak haar hand op. 'Laat die ontkenning maar zitten. Je bord en je opgezette ogen zeggen genoeg. Hoe heet hij?'

Dana zuchtte. De overwinning was voor Natalie, en zonder veel strijd. 'Oké, hij heet Aidan Walker, maar hij is totaal niet geschikt voor me.'

Natalie wist niet wat ze ervan moest denken. 'Is hij geen christen?' Dat was de enige grens die ze ooit gesteld hadden; daarbuiten kwam alles meestal wel goed.

'Hij zegt van wel, maar hij is Melody's nieuwe

aangetrouwde neef. Haar man zegt dat Aidan alleen maar naar de kerk gaat om de vrouwen te bekijken. En bij de eerste de beste kans die hij kreeg, nam hij me meteen te pakken.'

'Te pakken? Hoe dan? Je zou je eetlust niet kwijt zijn als hij je in de klassieke zin van het woord te pakken had genomen. Je had hem meteen afgeschreven.'

Dana schudde haar hoofd. 'Dat is het hem nou juist. Melody waarschuwde me dat hij een rokkenjager is, en ze had een heel beschermingsteam om me heen gezet tijdens de bruiloft, alleen om mij uit zijn zicht te houden. Maar toen we dansten en hij vroeg me mee uit – precies op het juiste moment, dacht ik toen – vertelde ik hem dat ik geen losbandige christen was en geen losbandige afspraakjes maakte, en toen zei hij iets dat ik niet uit mijn hoofd kan krijgen.'

'Wat dan?'

'Nou, ik zal je eerst vertellen dat hij inderdaad architect is. Hij heeft de afgelopen vier maanden in het buitenland gewerkt. Hij zei dat hij tijdens zijn afwezigheid gegroeid was in het geloof. Dat hij met een schone lei is begonnen en dat Melody of Jeff of zelfs ik hem niet konden afnemen wat Christus hem had gegeven.'

'En hij klonk oprecht?'

Dana knikte.

'Goed...'

'Maar hij was zo'n charmeur dat ik niet wist wat

ik moest geloven. Misschien zei hij dat maar omdat hij alle juiste woorden wist. Alleen maar woorden... snap je?'

Natalie staarde haar zus aan. Er viel maar één ding te doen en het antwoord was eenvoudig. 'Weet je wat je doet, Daan,' zei ze. Het was hetzelfde zinnetje en dezelfde kinderlijke bijnaam die ze gebruikt had toen ze in de vierde klas zat en Dana vertelde hoe ze het de eerste dag op de kleuterschool moest aanpakken. 'Je laat Melody of haar man tegen die neef van ze zeggen dat je naar de vrijgezellengroep van mijn kerk gaat. Als hij in je geïnteresseerd is, zal hij de kans grijpen om ook te gaan. Je leert hem kennen onder de structuur van de kerk zelf en ziet met eigen ogen wat voor geloof, en wat voor levensstijl, hij heeft. Je weet dat je dit voor jezelf moet uitzoeken, anders zul je het nooit los kunnen laten. Goed?'

Voor het eerst die ochtend glansde er een licht in Dana's ogen, dat de vermoeidheid uitbande.

Tevreden stond Natalie op om de rest van de tafel af te ruimen. Het was haar een raadsel waarom haar zus nog niet getrouwd was, behalve dat ze waarschijnlijk te kieskeurig was en niet zo'n perfecte man kon vinden als Luke. Maar misschien kwam daar nu verandering in. Misschien lagen een huwelijk en kinderen wel vlak om de hoek voor Daan.

Natalie's glimlach stierf weg toen de herinnering aan Cosima's dagboek de voorgrond van haar gedachten weer innam. De huwelijkskandidaat die Cosima was komen opeisen, had haar meegenomen van huis, weg van alles en iedereen die ze kende. Een onwillige omgang op z'n best, om redenen die maar al te duidelijk werden uit wat Cosima beschreef.

Gelukkig had Dana zulke problemen niet! Dana piekerde zo; het lezen van de huwelijkse beproevingen waar Cosima voor gesteld stond, was wel het laatste wat ze nodig had. Dat zou alleen de angst versterken dat iemand zoeken niet de moeite waard was.

Natalie moest toch nog maar wat verder in het dagboek lezen voordat ze besloot het weg te gooien.

6

Tegen beter weten in ga ik morgen met sir Reginald op weg naar Engeland. Ik moet vertrouwen hebben in de keuze van mijn ouders en Gods plannen voor mij. Ik bid dat de weg duidelijk zal worden; ik moet bekennen dat het op het ogenblik allemaal erg verwarrend is.

Sir Reginald heeft ons verzekerd dat mijn vier hutkoffers helemaal tot Londen boven en achter op zijn rijtuig kunnen worden gegespt. Het rijtuig zelf gaat met ons mee op het schip, over de Ierse Zee. In de grootste koffer zitten mijn mooiste japonnen; een andere zit vol tasjes, hoeden, muiltjes, schoenen en andere accessoires. (Ik kan haast niet geloven dat ik al die opschik nodig zal hebben, maar mama houdt vol dat ik voorbereid moet zijn op alle soorten uitjes!) Weer een andere koffer bevat mijn mooiste ondergoed, nachtkleding, sjaals, capes en daagse jurken. Mama staat erop dat Millicent met me meegaat, en dus zit de vierde koffer vol met haar persoonlijke spullen. Hoewel ik me niet kan voorstellen dat ik een kamenierster nodig zal hebben, zoals Millicent genoemd zal worden, vind ik het wel aardig om een bekend gezicht in de buurt te hebben.

Ik neem ook mijn kleine handtas mee, voor de dingen die ik niet uit het oog mag verliezen. Dit dag-

boek, bijvoorbeeld. Ook heb ik het kleinood in mijn tas gestopt dat oma Josephine me heeft nagelaten: het kruis met de ijzeren randen. Dat kan ik niet achterlaten.

Er zit maar één artikel in mijn tas dat meer dan sentimentele waarde heeft, en ik zou het veel liever veilig thuis laten. Maar mama wilde per se dat ik haar smaragden ketting meenam – een enkele smaragd in goud gezet, dat aan een gevlochten ketting hangt. Het is veel meer waard dan alle andere prullen die ik bezit of ooit verwacht te bezitten. Mama wil vast dat haar dochter laat zien dat iemand van Ierse afkomst – en ziedaar, zelfs een afstammeling van katholieken – niet zo achterlijk en armoedig is als de mensen in Engeland schijnen te denken. Ik heb afgesproken de smaragd mee te nemen – maar ik heb niet beloofd dat ik hem ga dragen...

Het interieur van Hale's rijtuig was gestoffeerd met warm goudkleurig fluweel, met bijpassende opgetrokken gordijntjes voor alle ramen. Naast een zitplaats waren schootdekens en een houten krukje opgeborgen, en een kussen om de rit nog comfortabeler te maken dan de dik opgevulde zitplaatsen en rugleuningen al deden.

Cosima zag de bomen van het Escott-land verdwijnen en plaatsmaken voor glooiende groene heuvels. Escott-land heette het nu, maar voordat haar moeder met Charles Escott was getrouwd, was het Kennesey-land geweest. Oma Josephine

Kennesey kreeg meerdere kinderen, maar slechts drie overleefden hun kinderjaren. Een paar stierven er op kleuterleeftijd, en eentje op de leeftijd van zeven jaar toen een simpele snee in haar voet geïnfecteerd raakte en tot een fatale koorts leidde. Josephine's oudste zoon, een briljante en veelbelovende erfgenaam, kwam op de leeftijd van vijftien jaar om door een ongeluk met paardrijden. Zo bleven er maar drie over: Cosima's moeder Mary, haar jongere zus Rowena en haar broer Willie.

Volgens de Engelse wet moesten Ierse nalatenschappen gelijkelijk verdeeld worden onder het nageslacht; een oude wet die bedoeld was om te verdelen en te heersen. Maar zoals vele andere families verzette de familie Kennesey zich met hand en tand daartegen. Ze konden makkelijk bewijzen dat Willie niet geschikt was om te erven, en toen Rowena trouwde, tekende ze een akte om haar rechten over te hevelen naar Mary, zodat het land niet verdeeld hoefde te worden. Een klein protest, maar het maakte de familie gelukkig.

En zo was Mary de enige erfgenaam geworden. Daarna was het land door mama's huwelijk met een protestantse Engelsman uit de handen van Ierse katholieken overgegaan naar de Engelsen, een strijd die gewonnen werd zonder bloedvergieten. Als er een vloek bestond, vonden veel Ieren het wel gepast dat mama hem via haar huwelijk had doorgegeven aan de Engelsen.

Het rijtuig reed een poosje in stilte door het

landelijke gebied en Cosima liet haar blik rusten op de man die tegenover haar zat. In de vier dagen van Reginalds bezoek aan Escott Manor was hij scherpzinnig en goedgemanierd gebleken, wat Cosima's moeder plezier deed. Ook hield hij zich met Cosima's vader bezig en iets minder opvallend met Cosima zelf, met zijn scherpe inzicht in de situatie die de Ierse landbouw, politiek en maatschappij teisterde.

Ondanks het feit dat hij duidelijk had gemaakt dat het zijn bedoeling was om met Cosima te trouwen, had hij er opmerkelijk weinig energie in gestoken om haar, buiten wat beleefde conversatie, beter te leren kennen. Ze had zich afgevraagd of hij een intiemer onderzoek bewaarde tot wanneer ze relatief alleen konden zijn – zoals nu. Alleen Millie vergezelde hen, maar een kamenierster moest doof en blind zijn voor de persoonlijke zaken van haar meesteres. Dit was de juiste gelegenheid voor Cosima en Reginald om elkaar te leren kennen, voordat de huwelijksgeloften werden uitgewisseld.

Hoewel Reginald niet van de verlegen soort leek, vroeg Cosima zich af of hij hulp of aanmoediging nodig had voor een persoonlijk gesprek. Ze was totaal niet verzoend met het idee Reginald te trouwen, maar als hij even overtuigend bleef als hij bij haar ouders was geweest, wat voor reden kon ze dan zelfs aan zichzelf geven om *niet* met hem te trouwen?

'U vertelde mijn ouders dat u een tijdje geleden

uw eigen ouders hebt verloren, sir Reginald. Zijn er nog... andere familieleden... die mij verwachten?'

Hij bleef het landschap bestuderen toen hij zei: 'Ik heb geen familie.' Zijn toon was dof en vlak. Eindelijk keek hij haar aan en zijn blik was onveranderd. Maar hoewel zijn ogen bijzonder blauw waren in het zonlicht dat door het raam naar binnen stroomde, gaven ze maar één boodschap af: onverschilligheid.

Cosima's aanvankelijke verlangen naar een gesprek taande. Ze wierp een steelse blik op Millie, die trouw aan haar positie recht voor zich uit keek.

'Je komt niet naar Engeland om goedgekeurd te worden ofzo, Cosima,' zei Reginald zacht. Hij verraste haar met zijn tedere toon. 'Je hoeft alleen mij te behagen, en dat heb je gedaan.'

Wederom keek ze hem aan. Hij was weer de man die hij bij haar ouders was geweest: vriendelijk en toegankelijk. Ze glimlachte. 'Daar ben ik blij om, sir Reginald. Alleen kennen we elkaar nauwelijks. Ik vrees dat het genoegen dat u in mij hebt, slechts van de oppervlakkigste soort kan zijn. Ik hoop echt dat mijn bezoek aan uw huis een middel voor ons zal zijn om elkaar beter te leren kennen.'

'Natuurlijk,' zei hij inschikkelijk. 'Wat zou je willen weten?'

Ze wist geen antwoord op die onverwachte vraag. Haar idee van een aanstaande echtgenoot te leren kennen moest wel erg verschillen van Reginalds idee. Hij scheen te geloven dat je gewoon een lijst met vragen kon uitwisselen en – hup! – je kende elkaar goed genoeg om te weten of je wel of niet bij elkaar paste.

Maar, hield Cosima zichzelf voor, het overwegen van een huwelijksaanzoek was niet iets waar ze erg bedreven in was, zelfs niet in haar verbeelding. Misschien was zijn standpunt realistischer dan de dwaze dromen die ze geprobeerd had te onderdrukken, van intieme conversatie die uit twee mensen vloeide als water uit een fontein met twee kranen, dat zich vermengde tot een grote vijver vol gedeelde ideeën en overeenkomsten.

En dus besloot ze Reginalds manier dan maar te proberen. 'Toen ik je laatst vertelde over mijn plannen voor Escott Manor, leek je totaal niet geërgerd. Heb je zelf geen plannen voor het land en de grond die eens van mij zullen zijn?'

'Mijn lieve Cosima,' zei hij luchtig, 'dacht je ook maar één moment dat ik aan deze kant van de Ierse Zee zou willen wonen?'

Ze verstijfde door zijn duidelijke minachting voor haar geboortegrond en gaf geen antwoord.

Even later moest Reginald haar verontwaardiging hebben bemerkt. Hij boog naar voren en nam haar beide handen in de zijne. 'Cosima, Cosima,' zei hij zacht, 'ik ben geen geldwolf, noch een landkoopman. Ik heb geen plannen met je landgoed. Het is van jou, je mag ermee doen wat je wilt. Een school, zei je toch? Dat is een nobel plan, ik zou je willen aanmoedigen om het door te zetten.'

Cosima glimlachte geforceerd. Zijn woorden zouden een troost moeten zijn. Het land zou van haar blijven, ze kon ermee doen wat ze wilde. Was dat niet meer dan ze had kunnen hopen? Ze werd het hof gemaakt door een Engelse heer – en hij liet haar het vrije gebruik van haar erfgoed. Het kon toch niet beter?

Reginald liet haar handen los en leunde achterover. Hij staarde weer uit het raam. Hij deed niets om het gesprek voort te zetten, hoewel hij het zoeven ook niet belemmerd had.

Cosima had nog veel meer vragen, maar ze aarzelde om ze ter sprake te brengen. Haar voornaamste zorg was de toekomst van Roy. Als haar ouders niet meer leefden, had hij iemand nodig om voor hem te zorgen en Cosima had zichzelf altijd in die rol gezien.

Zelfs bij haar plannen voor een school om hem en anderen zoals Roy zorg en lessen te verschaffen, was haar aanwezigheid inbegrepen om te zorgen dat Royboy veilig en geborgen was. Kon ze hem daar achterlaten als er geen hoop was dat zij daar ook zou wonen? Dat was een vraag die ze niet uit haar hoofd kon zetten.

Veel verkieslijker zou zijn om hem bij zich te hebben waar haar thuis was, of het nu in Ierland was of in Engeland, als Reginald het goed vond. Maar waarom zou ze bang zijn voor Reginalds antwoord? Hij had zich toch verdraagzaam getoond ten opzichte van Royboy? Zelfs toen Royboy bij verschillende gelegenheden bij hen was komen zitten, zelfs toen hij hen eindeloos had nagebootst in zijn eigen soms onsamenhangende taaltje, of aan Reginalds voeten met zijn schoenveters had zitten spelen, en zelfs bij de mislukte lunch had Reginald nooit over Royboys aanwezigheid geklaagd. Misschien zou hij Royboy welkom heten, of op z'n minst dulden.

'Wat zijn dan uw plannen voor de toekomst, sir Reginald?' vroeg ze na enige tijd, het eigenlijke onderwerp angstig voor zich uit schuivend. 'Tegenover mijn vader gaf u blijk van belangstelling voor politiek. Is dat uw verlangen?'

Hij lachte. 'Ha, met mijn bescheiden titel zou ik niet ver komen, ben ik bang, behalve in het Lagerhuis. En ik heb geen zin om met de gewone man om te gaan.'

'En het werk dan waarvoor u geridderd bent?' vroeg ze, denkend aan het verhaal dat hij haar ouders had verteld over liefdadigheidswerk in Londen en Liverpool.

'O, dat.' Hij keek weer uit het raam. 'Dat was voornamelijk vanwege mijn vriend Peter. Hij is baron en zal burggraaf worden als zijn vader overlijdt. Heb ik je al eens over Peter verteld?'

Cosima schudde haar hoofd.

'Het was zijn idee om armenhuizen op te zetten in de slechtste buurten van Londen en Liverpool. We gingen erheen met een paar van onze mannen en plukten iedereen uit de goot die in staat was om het eenvoudigste werk te doen, en maakten hen voorman. We zorgden voor banen waarbij de arbeiders genoeg verdienden om fatsoenlijk van te leven. We hebben ook een kliniek opgezet en een soepkeuken in de stijl van wat jullie hier in Ierland een poosje hebben gehad – nou, nog wel denk ik, alleen niet meer met hulp van de Engelse regering. De soepkeukens worden nog steeds betaald door de Quakers, hoorde ik van Peter. Hij houdt zich op de hoogte van het liefdadigheidswerk, zodat hij hier en daar een gaatje kan opvullen.'

'Maar u bent geridderd,' zei ze. 'U moet een belangrijke rol hebben gespeeld.'

'Ach, dat heeft Peter gedaan namens mij. Ik heb geen vinger uitgestoken, alleen wat geld gedoneerd en meegedaan omwille van het avontuur, omdat ik nog nooit in een achterbuurt was geweest. Ik wilde van dichtbij zien hoe armoede eruitziet, niet vanaf de zijlijn. Alleen maar uit nieuwsgierigheid, hoor.'

Cosima staarde hem verbijsterd aan. Zei hij het met opzet zo harteloos, of was hij alleen bescheiden om zijn eigen altruïsme te bagatelliseren? 'En Peter is een goede vriend van u?'

'O ja, fantastische kerel. Hij probeert me altijd zover te krijgen om de koninklijke weg te kiezen – je kent het type. Ik ben erg op hem gesteld, als ik geen hekel aan hem heb uit pure afgunst op alles wat hij is en doet.' Hij lachte vrolijk. 'Hij was zendeling geworden, denk ik, als zijn vader die titel niet had gehad om door te geven. Peters jongere broer is al een geloofsheld in een of andere desolate plek in Afrika. Helaas heeft Peter maar één broer. Twee zussen, maar we weten allemaal dat die niet erg meetellen als het om een titel gaat. Dus de toekomst van het grote Hamilton-erfgoed rust volledig op Peters schouders.'

'Heeft hij zelf nog geen kinderen, om een nieuwe generatie veilig te stellen voor zijn erfenis?'

'Kinderen? Nee, Peter niet. Hij is een keer verloofd geweest, maar dat is misgelopen, dus hij staat tegenwoordig nogal aarzelend tegenover een huwelijk.' Reginald lachte haar breed toe. 'Ik hoopte Peter een goed voorbeeld te geven met jou, zodat hij wat minder onwillig tegenover zijn toekomst zou staan.'

'Wat aardig van u. Hebt u daarom besloten om een vrouw te gaan zoeken? Om uw vriend aan te moedigen?'

Hij lachte weer. 'Tja, misschien wel! Je moet weten, Cosima, dat ik al plannen met je had voordat ik je zelfs maar had ontmoet. Ik had meneer Linton gestuurd om rapport uit te brengen, omdat ik weet dat hij... mensenkennis heeft.' Hij lachte hard, alsof hij een grapje had gemaakt dat alleen hij begreep. 'Toen hij terugkwam, zei hij dat je mooi was vanbinnen en vanbuiten, dat je reputatie onder de dorpsbewoners vrij was van zelfzuchtigheid of gierigheid, en dat je naar zijn bescheiden mening een geschikte echtgenote zou zijn voor iemand in een positie als ik.'

'Maar zijn er geen vrouwen in Engeland die bij u passen?'

'O ja, zat – maar niemand die ik zou kiezen wil me hebben. Kijk, Cosima, ik ben een snob. Ik geef het direct toe. Ik ben maar lage adel – rijk, welzeker, maar voor de rest een gewone man. Ik houd niet van gewone burgers – niet van Engelse tenminste – en de dames uit de aristocratie willen me niet hebben. Op grond van de erfenis van je vader kom jij het dichtst in de buurt van adel dat ik kan krijgen.'

Dat hij het huwelijk beschouwde als een middel tot maatschappelijke verbetering had haar niet moeten verrassen, want Cosima wist al dat romantiek geen rol speelde in zijn belangstelling. Maar dat hij het zo ronduit zei, zonder merkbaar gewetensbezwaar, gaf haar ontegenzeggelijk een onbehaaglijk gevoel. Wat belangrijker was, hoe kon iemand haar met haar familiegeschiedenis als sociaal begeerlijk beschouwen?

Maar hij had een onderwerp aangesneden dat haar veel meer interesseerde dan ze tot dat moment had willen toegeven. 'Ik weet heel weinig van de familie van mijn vader, afgezien van de portretten in onze hal. Mijn moeder zei dat vader iemand had aangenomen om levensgrote portretten te maken van kleine kopieën die hij had meegenomen toen hij uit Engeland vertrok. Het leek mij altijd duidelijk dat mijn vaders familie hem verstoten heeft, en niet andersom. Hoe is zijn familie?'

Reginald keek haar aan alsof hij zijn oren niet geloofde. 'Heb je geen idee waarom je vader uit Engeland vertrokken is?'

'Nee.'

'Je vader heeft geprobeerd de vrouw van zijn oudste broer in te pikken. Nou ja, dat was voordat ze getrouwd waren, dus ze was destijds nog maar zijn verloofde. Ze is nu je tante, want ze is inderdaad met je oom getrouwd. Dit was natuurlijk allemaal lang voordat ik werd geboren, dus ik heb alleen geruchten gehoord. Maar het was een heel schandaal. Je vader verleidde zijn aanstaande schoonzuster en de hele familie was in rep en roer, tot in alle uithoeken van Londen. Je vader is beschaamd vertrokken en beloofde nooit meer terug te komen om iedereen weer aan de gehele geschiedenis te herinneren.'

Het verhaal leek totaal niet in overeenstemming met de man die Cosima kende als haar vader. Niet dat ze haar vader eigenlijk ooit had beschouwd als een man die in zijn jeugd dwaas en hartstochtelijk had kunnen zijn. Was het waar? Ze kon het niet weten – maar waarom zou Reginald zoiets verzinnen?

'Dan moet ik contact met hen maar uit de weg gaan, om die geschiedenis niet op te rakelen.'

'Onzin, mijn beste. We gaan vrijdag bij hen dineren en ze willen je graag ontmoeten. Bijna iedereen is die hele escapade onderhand vergeten, behalve je vader misschien, die weigert om naar huis te komen.'

'Heeft zijn familie mijn vader uitgenodigd terug te komen?'

'Natuurlijk. Zoals ik al zei, zij zijn op de hoogte gebleven van zijn leven, al doet hij geheimzinnig over hen. En zoals je op de dag van onze ontmoeting al concludeerde, hoe had ik anders van je kunnen horen dan van mensen die je bestaan niet ontkennen?'

De familie van haar vader. Verwanten die naam en bloed van de Escotts deelden. Onbekenden... maar niet helemaal. En over twee dagen zou ze hen ontmoeten.

Familie, God. Mensen die U voor me hebt uitgekozen om te leren kennen. Laat me weten dat U elke stap bij me bent, en leid mij langs de weg. Uw weg. Weer viel Cosima's blik op Reginald, en ze voegde eraan toe: *En, Heer, leid me alstublieft naar de toekomst die U voor mij in gedachten hebt. Of sir Reginald daar nu bij hoort of niet.*

7

Natalie staarde naar de namen in de oude familiebijbel. Het waren per slot van rekening maar namen. Ze hoefde niet aan elke naam een verhaal te verbinden.

In zijn favoriete leren stoel legde Luke de krant opzij. 'Hoe gaat het?'

Ze keek niet op. 'Best.'

'Ik ben blij dat je daarmee bezig bent,' zei hij even later.

Nu keek ze hem wel aan. 'O ja?'

'Verbaast je dat?' Hij gebaarde met zijn hoofd naar de open plek aan de muur. 'Ik zei toch dat een familiestamboom daar mooi zou staan?'

'En jouw familie dan? Waar gaan we jouw stamboom hangen?'

Luke lachte. 'In mijn familie gaan geen familiebijbels rond met alle informatie binnen handbereik.'

Ondanks het gemak van de verzamelde namen en data van haar familie vond Natalie het een aantrekkelijke gedachte om Luke's erfgoed te gaan onderzoeken. Misschien ging ze dat maar doen, en dit allemaal vergeten. Het was toch eigenlijk veel leuker voor hem om zijn eigen familiestamboom op te hangen? Ze droegen allemaal zijn naam.

Ze staarde naar de lijst die voor haar lag. De namen van de mensen die omgekomen waren in de brand sprongen eruit. Was ze dwaas om te koop te willen lopen met het bewijs dat haar familie zo geleden had?

Ze verdreef de gedachte. Ze was niet gek.

Ze sloeg de bijbel dicht en dacht aan Cosima's dagboek, dat ze wederom verstopt had. Ze had weer een stukje gelezen nadat Dana vanochtend was vertrokken, maar Luke was binnengekomen en ze had het weggestopt voordat hij het zag. Ze moest het weghalen uit de logeerkamer, voor het geval Dana nog eens bleef slapen, wat goed mogelijk was, want ze was hun favoriete oppas. Misschien kon ze het in haar kleerkast stoppen, want Luke en zij hadden er elk een voor zichzelf.

'Ik ga naar bed,' zei ze, opstaand. 'Ga je mee?'

'Ik kom zo. Ben nog niet moe. Maar... lieverd?'

Natalie draaide zich om naar haar man. Ze had nu zijn volledige aandacht, waar ze normaal gesproken blij mee was.

'Zit het je echt dwars – die data, bedoel ik? Ik merkte dat je er niets over zei tegen Dana.'

Ze haalde onwillig haar schouders op, wilde er nog niet over praten. 'Ze ziet het vanzelf wel als we het nieuws aan de muur hangen.'

'Als je het niet wilt...'

Ze schudde haar hoofd. 'Net wat je zei, het is niet belangrijk wat er honderdvijftig jaar geleden is gebeurd. Nou, ik ben echt moe, dus ik zie je boven wel, als je tenminste komt voordat ik slaap.'

Natalie ging naar hun slaapkamer. Ze wist dat ze vroeg of laat over het dagboek moest praten, als ze het niet in zijn geheel weggooide. Het leek gewoon niet het juiste moment, als een huwelijk er zo'n onmogelijkheid in werd genoemd. Ze moest wachten tot Dana getrouwd was voordat ze erover praatte. Dana mocht dan volgens de wet volwassen zijn, maar ze was haar hele leven beschermd geweest. Daar ging Natalie nu geen verandering in brengen.

En Luke? Over hem maakte ze zich geen zorgen. Het was raar dat ze geen zin had om het hem te vertellen. Hij hield van haar.

Ze *zou* het hem binnenkort vertellen, zodra ze zeker wist dat er niets achter Cosima's verhaal zat. Daarvoor moest ze nog een stukje verder lezen, minstens de paar minuten voordat Luke naar boven kwam.

8

Ik voel me erg jong en naïef nu ik me klaarmaak voor mijn eerste nacht in Londen. Ik ben zo moe dat ik mijn pen haast niet vast kan houden, maar voordat ik mijn ogen dichtdoe, moet ik opschrijven welke onverwachte wending deze dag heeft genomen.
Londen is veel drukker dan elke stad waar ik ooit ben geweest, zelfs Dublin. De gebouwen staan zo dicht op elkaar dat ze naar elkaar toe lijken te buigen, en alleen de verschillende gevels geven aan waar het ene gebouw ophoudt en het andere begint. Ze werpen lange schaduwen in de smalle straten, zodat het er om vier uur 's middags al bijna donker is.
Geluiden en geuren komen overal vandaan. Zingen, lachen, schreeuwen en vloeken teisterden mijn oren toen we door de stad reden. En de geuren verschillen evenzeer, van afval en erger tot uiteenlopende etensgeuren: vertrouwde kool, geroosterd varkensvlees, vers brood, en andere minder makkelijk te herkennen aroma's, zoet en kruidig...

'Onze reis is bijna ten einde,' zei Reginald met voor het eerst een spoor van emotie in zijn stem. Hij klonk als een jongetje dat in de buurt van de speelgoedwinkel komt. 'Maar als je het niet erg vindt, wil ik een omweg maken om bij mijn vriend Peter langs te gaan. Zou je dat aanstaan?'

Cosima knikte, maar ze begreep dat hij het al besloten had voordat hij het vroeg, want even later minderde het rijtuig al vaart. Cosima hoorde meneer Linton de portier in het voorbijgaan een groet toeroepen.

'Dit is het Londense landgoed van de Hamiltons, Cosima,' zei Reginald, trots alsof het van hemzelf was.

En het was inderdaad een prachtig terrein. Weelderige groene gazons werden slechts onderbroken door groenblijvende bomen langs de laan die naar de binnenplaats voerde. Tussen het groen ving Cosima hier en daar een glimp op van een hoge stenen omheining, die ongetwijfeld de grenzen van het landgoed aangaf.

Ze naderden het huis – een schitterend bouwwerk met een deur hoog in het midden, te bereiken via de brede dubbele trap die aan weerskanten uitwaaierde. Een gietijzeren hekwerk in een ingewikkeld bloemmotief voerde naar boven. Overal lonkten bloemen, van bloembakken die aan het ijzerwerk hingen tot tuinbedden langs de binnenplaats.

Bijna onmiddellijk verscheen er een livreiknecht om de deur van het rijtuig te openen en de trap te laten zakken. Het was heerlijk om haar benen te strekken. Vanuit Ierland hadden ze een schip genomen over de Ierse Zee naar Bristol, waar snel paarden werden gehuurd en ze meteen vanaf het schip op weg gingen in het rijtuig, waar haar spullen nog op geladen waren.

Cosima droeg hetzelfde reispakje dat ze gisteren aan had gehad, maar ondanks het fijne Ierse linnen was het kreukelig en verwelkt, net als Millie's stevige rok en jasje van opengeweven mousseline. Cosima wenste ineens dat ze er niet in toegestemd had bij Reginalds vriend langs te gaan. Haar verreisdheid was voor anderen even zichtbaar als voor haarzelf.

Maar er was weinig tijd om daarbij stil te blijven staan. Reginald nam haar bij de hand en trok haar mee een van de brede stenen trappen op. Nog voordat ze boven waren, gingen de deuren open en werden ze binnengelaten door twee bedienden.

'Ha, Fisher,' zei Reginald vrolijk tegen de man die klaarblijkelijk het hoogste was in rang. Hij was langer dan Reginald en had grijs haar met een middenscheiding. 'Ik heb een heerlijke verrassing voor Peter. Wil je hem even halen?'

'Lord Peter is niet thuis, meneer,' zei de bediende met een lichte buiging.

Reginalds geanimeerde gezicht betrok. 'Is hij er niet?'

'Nee, meneer,' zei hij. 'Donderdag, weet u wel.'

Reginald sloeg tegen zijn voorhoofd alsof donderdag iets betekende. 'Ik heb de dagen door elkaar gehaald, Fisher. Ik dacht dat het vandaag woensdag was, zonder tot in de avond durende zittingen.' Hij wendde zich tot Cosima. 'Nou, we hebben een half uur verspild. Peter zit in het parlement, samen met zijn vader. We zullen tot morgen moeten wachten.' Hij wendde zich weer tot meneer Fisher. 'Tenzij... is mevrouw Hamilton thuis?'

De butler knikte met neergeslagen ogen en sprak aarzelend, alsof hij moest oppassen wat hij zei. 'Zal ik zeggen dat u er bent?'

Reginald glimlachte breed. 'Ja, Fisher!'

Zonder een woord maar met een nauwelijks merkbare draai van zijn pols gaf meneer Fisher de bediende naast hem een teken, en de jongere man snelde weg. Fisher draaide zich om en ging hen voor door de brede vestibule met walnoothouten lambrisering. Cosima ving Millie's onzekere blik, maar ze volgden allebei.

De salon aan de linkerkant was niet groot, maar de plafonds waren zo hoog dat ze een gevoel van ruimte gaven. Hier en daar stonden gestoffeerde stoelen, brede canapés en fauteuils, voornamelijk in de buurt van de open haard. Voor de hoge ramen die uitkeken op een andere binnenplaats stond een glanzende mahoniehouten piano. Het verbaasde Cosima dat er midden in de welvarende, dichtbebouwde stad van Londen zoveel buitenruimte te vinden was.

'Fisher,' zei Reginald, 'waarom neem je het dienstmeisje van mijn vriendin niet mee? Je kunt haar zelfs thee aanbieden.' Reginald keek van Cosima naar Millie en weer naar Cosima, alsof hij haar instemming afwachtte.

'Dit is Millicent O'Banyon, mijn gezelschapsdame,' zei Cosima. 'Ze zal graag een verfrissing gebruiken na onze reis.'

'Nou, ga dan maar jullie tweeën,' zei Reginald kordaat voordat Fisher kon antwoorden. 'Meteen.'

Reginalds ongeduld was duidelijk merkbaar, en nog iets anders in zijn ogen toen hij hen nakeek. Minachting – Cosima was er zeker van.

Cosima bleef zwijgend staan, onzeker wat Reginald van haar verwachtte. Hij had zichzelf een snob genoemd. Wilde dat zeggen dat zijn aanstaande vrouw dat ook moest zijn?

Toen ze alleen waren, verdween de ruwe blik in Reginalds vriendelijke blauwe ogen. 'Geen wonder dat ik me tot je aangetrokken voel, mijn beste. Je bent net zoals Peter en zijn familie. Zo vriendelijk voor iedereen, of ze nu boven of onder je staan.'

Ze vroeg zich af wat hij bedoelde, maar even later kwam er alweer een andere bediende hun handschoenen en hoed aannemen, terwijl iemand anders thee en koekjes bracht.

Te midden van al deze drukte kwam er een vrouw binnen die duidelijk geen bediende was, ondanks haar breedgerande strohoed, haar tuinhandschoenen en de grote, platte mand vol bloemen die aan haar arm bungelde. Gekleed in groene crinolinestof met geborduurde bloemblaadjes langs het wijde lijfje en de smal gesneden taille, paste de vrouw harmonisch in elke mooie tuin. Haar smetteloze, romig blanke huid glansde, met een tintje gezond roze op haar wangen. Helderblauwe ogen en koperrood haar streden om de grootste schoonheid. Maar voor Cosima was dat haar lach, met haar vriendelijke ogen en haar volle lippen uiteen om hagelwitte tanden te onthullen. Ze was het toonbeeld van hartelijkheid.

'Reginald, wat ben ik blij om je te zien! Peter zei dat je op reis was en dat je daarom laatst ons soireetje hebt gemist.'

'Jammer.' Hij gaf haar een kus op haar wang en trok Cosima met een hand aan haar elleboog dichterbij. 'Maar als ik u mijn nieuws vertel, zult u het begrijpen.' Reginald liet een korte stilte vallen waarin de twee vrouwen elkaar opnamen. In dat ogenblik kreeg Cosima het vermoeden dat de ander ouder was dan ze op het eerste gezicht had gedacht. Ze had kleine rimpeltjes om haar mond en ogen en beginnende in haar hals, dus ze moest dicht bij de leeftijd van Cosima's moeder zijn.

'Lady Hamilton,' zei Reginald langzaam, 'mag ik u voorstellen: Cosima Escott, mijn verloofde.'

'Verloofde...' Haar aanvankelijke verbazing veranderde onmiddellijk in genoegen. Lady Hamilton trok haar handschoenen uit en gooide ze met de bloemenmand op een bijzettafel, en trok Cosima in een hartelijke omhelzing tegen zich aan. 'Verloofde! O, wat heerlijk!' Met haar ene arm trok ze Reginald in de cirkel. Ondanks Reginalds glimlach voelde Cosima zijn stugheid even duidelijk als lady Hamiltons warmte.

'Kom bij me zitten en vertel me alles.' Ze nam hen mee naar de canapés, waar het dienstmeisje al thee aan het inschenken was. 'Ik wil weten hoe jullie elkaar hebben ontmoet, wanneer jullie van plan zijn om te trouwen, waar jullie gaan wonen en... o! Reginald, ik heb een geweldig idee. Waarom trouwen jullie niet hier, als jullie van plan zijn om in Londen te trouwen? We hebben de tuinen aan de achterkant, het tuinhuis en het uitspansel van de hemel zelf. Ik droom al tientallen jaren van een bruiloft hier en ik zou het prachtig vinden als mijn droom uitkwam.'

'Peter en de meisjes zullen die droom voor u laten uitkomen, lady Hamilton,' zei Reginald vriendelijk.

Ze knikte; ze glimlachte nog steeds maar keek niet meer naar Reginald, maar naar Cosima. 'Tjonge, wat bent u mooi, juffrouw Escott. Eens kijken, Escott... u moet bij de Londense Escotts horen, maar u bent niet van John, want ik ken zijn beide dochters. U bent familie van Merit Escott, nietwaar?'

'Merit Escott is mijn grootmoeder.' Cosima negeerde haar innerlijke onwil om de relatie toe te geven. Merit Escott mocht dan een bloedverwante zijn, maar in werkelijkheid vertegenwoordigde de naam niets van de familiaire titel 'grootmoeder'.

'Ja, Cosima is de dochter van Charles, uit Ierland,' zei Reginald. Als hij verwacht had dat lady Hamilton geschokt zou zijn, had hij het mis, want haar glimlach verflauwde niet.

Lady Hamilton klopte Cosima op de hand. 'Dus Reginald heeft u helemaal uit Ierland meegebracht. Wat heerlijk! Vertel eens, waar hebben jullie elkaar ontmoet?'

De duidelijke opwinding van de vrouw zou Cosima verrukt hebben, als ze meer enthousiasme had kunnen opbrengen voor de mogelijkheid van een aanstaande bruiloft. Maar hun 'engagement' was weinig meer dan een regeling, een ruilhandel omdat Reginald er beter van dacht te worden als hij met haar trouwde. En wat zat er voor haar in dit eventuele huwelijk? Een toekomst, zoals haar moeder het noemde.

Cosima veinsde verlegenheid en keek naar Reginald.

'Cosima's nicht Rachel Escott verdient alle eer, lady Hamilton.' Reginald nam het verhaal hoffelijk over. 'Als Rachel er niet was geweest, had ik nooit over Cosima gehoord. Maar Rachel vertelde me van een nichtje dat ze nooit had ontmoet – dat ze op een mooi oud landgoed woonde aan de overkant van de zee en dat Rachel haar graag eens wilde ontmoeten. U weet dat weinigen van ons in deze jongere generatie zich bekommeren om wat er gebeurd is voordat we geboren werden. Toen Rachel me vertelde dat ze tamelijk zeker wist dat Cosima niet getrouwd was, was mijn interesse onmiddellijk gewekt. Eerst stuurde ik natuurlijk Linton erheen om het verhaal te verifiëren, maar zo gauw hij bericht stuurde dat Cosima inderdaad nog vrij was, heb ik mijn koffers gepakt om haar te gaan halen.'

'Wat romantisch!' Lady Hamilton lachte en legde haar hand op Reginalds onderarm. 'Ik heb altijd gezegd dat je een man van de daad bent, Reginald. Dat zegt Peter ook.'

Hij straalde onder haar complimenten en Cosima kon het hem niet kwalijk nemen. Lady Hamiltons goedkeurende lach mocht dan vaak verschijnen, te zien aan de lijntjes om haar mond, maar dat scheen niets aan de waarde af te doen.

'Weet Peter het al?' vroeg ze.

Reginald rechtte zijn schouders en zijn ogen twinkelden alsof hij een geheim had. 'Nog niet. Daarom zijn we eigenlijk langsgekomen, zodat een blik op mijn mooie Cosima genoeg zou zijn om de rivaliteit zijn werk te laten doen. Binnen de kortste keren hebben we hem zover dat hij over trouwen gaat denken. Cosima en ik hebben onze reis niet eens afgemaakt. We zijn direct van de veerboot hierheen gekomen.'

Lady Hamilton keek Cosima ontsteld aan. 'Heeft Reginald u helemaal niet laten rusten na de reis uit Ierland?'

'Ik moet toegeven dat we een beetje verfomfaaid zijn,' zei Cosima. 'Maar Reginald heeft een comfortabel rijtuig en ik ben niet half zo moe als men zou verwachten na zo'n reis.'

'O, maar Reginald is nalatig geweest!' voer Lady Hamilton uit, overeind springend. 'U moet me toestaan u een kamer aan te bieden, juffrouw Escott. Uw verloofde gaat zo op in zijn dromen over de bruiloft dat hij elke vorm van beleefdheid is vergeten.'

Voordat Cosima tegenwerpingen kon maken, stuurde lady Hamilton het dienstmeisje weg om een kamer klaar te maken waarin Cosima zich kon opfrissen.

'Ik wil u niet tot last zijn, lady Hamilton,' zei Cosima. 'Heus, ik kan de rest van onze reis naar Reginalds huis best afmaken.'

'Maar u gaat daar toch niet logeren?' Er klonk afgrijzen door in haar stem.

'Ik reis natuurlijk met mijn gezelschapsdame. De verdere regeling hebben we aan Reginald overgelaten.'

Lady Hamilton nam Cosima bij de hand, trok haar overeind en haakte haar arm door de hare. 'Reginald is zo'n lieve, onschuldige jongen, maar jullie kunnen eenvoudig niet onder hetzelfde dak verblijven, kind! Wat zouden de mensen zeggen? Tenzij...' Ze wendde zich weer tot Reginald, die het gesprek volgde met een geamuseerde glimlach op zijn gezicht, ondanks het feit dat zijn plannen vlak onder zijn neus werden veranderd. 'Je had Cosima toch niet bij douairière Merit willen laten logeren?'

'Dat is een mogelijkheid. We zijn van plan daar aanstaande vrijdagavond te dineren, als Cosima hen voor het eerst zal ontmoeten.'

Lady Hamilton klopte Cosima op de hand. 'Kind, het moet overweldigend voor je zijn wat er allemaal gebeurt. Eerst sleept Reginald je weg van huis met de bedoeling te gaan trouwen, wat je leven voor altijd verandert. Dan wil hij de omvang van je familie met één simpel etentje verdubbelen. Nou, ik heb geen idee hoe flexibel je bent, maar ik denk niet dat je het prettig zult vinden om bij familieleden in huis te wonen die je net hebt ontmoet.'

'Ik had er eerlijk gezegd niet erg over nagedacht,' bekende Cosima. 'Tenminste, wel over de ontmoeting met mijn grootmoeder, maar ik had eigenlijk niet begrepen dat ik bij haar zou logeren.'

'Ik heb de perfecte oplossing,' zei lady Hamilton, 'en ik wil geen nee horen. Je logeert natuurlijk hier.' Ze voerde Cosima mee van de salon terug naar de grote hal. Onder het lopen zwaaide lady Hamilton met haar hand om te wijzen op de uitgestrektheid van het huis. 'We hebben kamers in overvloed, en mijn dochters zullen het heerlijk vinden om een logeetje te hebben van hun eigen leeftijd. Jullie zullen het reuze goed met elkaar kunnen vinden.'

Een nieuwe golf van onzekerheid rees in Cosima omhoog, om snel weer weg te zakken. Lady Hamiltons uitnodiging was inderdaad aantrekkelijk. Reginald was haast evenzeer een vreemde voor haar als deze vrouw, maar ze heette haar oprecht welkom. Reginald was misschien wel even hartelijk, maar hij had iets...

Als ze hier logeerde, kon Cosima Reginald vanaf een veilige afstand leren kennen. En deze minzame vrouw bood haar die gelegenheid.

'Reginald,' zei lady Hamilton, 'zeg tegen je dame dat ze moet blijven. Ik zie aan haar gezicht dat ze alleen nog daarop wacht.'

Reginald keek Cosima onderzoekend aan alsof hij haar gedachten wilde lezen. Maar er was nog iets anders, dacht Cosima. Het was bijna alsof hij blij was met deze ontwikkeling.

'Zeg maar wat je wilt, lieve,' zei hij, 'en ik zal ervoor zorgen.'

Opgelucht dat hij zo inschikkelijk was, glimlachte ze. Waarom had ze haar twijfels over hem? 'Ik vind dat lady Hamilton gelijk heeft. Misschien is het gepaster als Millicent en ik hier logeren.'

Hij keek opgelucht. 'Ik wil alleen wat het beste is, lieve. Voor jou en voor ons.'

'Dat is dan afgesproken,' zei lady Hamilton. 'O, wacht maar tot ik het aan de meisjes vertel!' Ze wendde zich tot Reginald en stuurde hem nagenoeg weg. 'Ga jij nu maar, Reginald. Ga naar huis en neem een bad na die lange reis; dat ga ik Cosima ook aanbieden. Als je opgefrist bent en uitgerust mag je terugkomen om haar gezelschap een poosje op te eisen. En nu wegwezen!'

Reginald lachte, pakte meteen Cosima's hand en kuste haar beleefd gedag. Toen snelde hij naar de deur.

Lady Hamilton nam Cosima mee de trap op naar een kamer die ingericht was in maagdelijk wit en vrolijk geel, met gebloemd behang dat paste bij het beddengoed en de gordijnen. Als gastvrouw was

Lady Hamilton kennelijk zeer ervaren; ze beval ieder comfort voor haar gast: thee met een lichte maaltijd, een bed, en een bad met warm, geurig water, fijne zeep en zachte, verwarmde handdoeken. Er kwam een dienstmeisje om de hutkoffers uit Reginalds rijtuig uit te pakken en niet veel later haalde hetzelfde meisje een japon uit een koffer om te strijken. Ook nam ze Cosima's verkreukelde reispakje mee.

Nadat Cosima een bad genomen had, kwam het dienstmeisje terug om Cosima te helpen met haar haar. Ze stak het op in een modieuze wrong. Dit alles verliep zonder Millie. Cosima kreeg te horen dat ze goed verzorgd was en boven bij de andere dienstmeisjes een bed had gekregen.

Later verscheen er weer een dienstmeisje aan de deur om Cosima de weg te wijzen naar het diner.

*

'Cosima,' zei lady Hamilton terwijl ze opstond uit haar stoel in de kleine zitkamer waar ze eerder hadden gezeten. 'Wat zie je er schitterend uit! Kom, dan kun je mijn gezin ontmoeten.'

Cosima voelde zich weer helemaal opnieuw verwelkomd toen lady Hamilton haar meenam verder de kamer in. Er zaten twee jonge vrouwen bij het vuur, met een lange man van middelbare leeftijd. Ze stonden op en kwamen op haar toe, allemaal met een sprekend op elkaar lijkende glimlach.

'Dit is mijn echtgenoot, lord Graham Hamilton. En deze knappe meisjes zijn onze dochters. Beryl en Christabelle, dit is Cosima Escott...' – ze zweeg even voor het dramatische effect – 'Reginalds verloofde.'

Lord Hamilton stak groetend zijn hand uit, maar zijn dochters drongen langs hem heen en pakten Cosima's handen in de hunne.

'Reginalds verloofde!' zei Beryl. Ze was langer dan het andere meisje, en misschien ouder. Ze had dezelfde romig blanke huid als haar moeder, maar donker haar als haar vader. 'O, moeder zei dat ze een verrassingsgast had voor het diner, maar we hadden geen idee!'

Christabelle, die blond en knap was maar aan de mollige kant, giechelde. Ze had een aanstekelijke lach en Cosima had zin om mee te lachen. 'Wie had ooit gedacht dat Reginald zo'n juweel zou vinden?'

De meisjes lachten en hun moeder verborg een glimlach gedeeltelijk achter haar hand, terwijl lord Hamiltons blik ergens tussen geamuseerdheid en ontzetting lag. Hij was donker waar zijn vrouw blank was, knap voor een oudere heer, met zware wenkbrauwen en een volle snor. Hoewel zijn huid door zijn leeftijd wat slap was, zag hij er fit en gezond uit. Het wit van zijn ogen stak des te sterker af bij de bruine irissen en verhullende wenkbrauwen.

'Aangenaam u te ontmoeten, juffrouw Escott,' zei hij, en eindelijk gingen zijn dochters uiteen zodat hij haar een hand kon geven. 'Mijn vrouw vertelde me dat u uit Ierland komt.'

'Ierland!' zei Beryl, die Cosima's hand weer pakte. 'O, je moet ons er alles over vertellen. Moeder en vader zijn zulke zeurpieten, Cosima. Nou ja, ze zijn erg lief, maar wel zeurpieten. Ze willen ons helemaal niet laten reizen, niet naar Ierland, zelfs niet naar het vasteland.'

Cosima glimlachte. 'Het is mijn ervaring dat bezorgde ouders vaak zeurpieten zijn, Beryl. Ik kreeg te horen dat de wereld een onvoorspelbare plaats is, vooral als je ver van huis bent.'

'Je praat net als moeder,' zei Christabelle.

'Het is gewoon niet eerlijk,' zei Beryl pruilend. Ze ving Cosima's blik en hield hem vast. 'Onze twee broers mogen zoveel reizen als ze willen. Een van onze broers zit zelfs in Afrika! Stel je voor dat je zo'n vreemd land kunt bekijken! Ik vind het vreselijk oneerlijk dat ik als vrouw geboren ben.'

'Ik heb zelf ook niet veel gereisd,' zei Cosima, 'maar ik kan er dit over zeggen: ik geloof dat het idee leuker is dan de werkelijkheid. Zeeziekte en hobbelige wegen, bedompte lucht in treinen en stof langs de weg zijn niet zo aantrekkelijk als het misschien klinkt.'

'En je bent hier om met Reginald te trouwen!' zei Christabelle ademloos. 'Ik kan het haast niet geloven. Je bent zo knap... en zei je niet dat je een Escott was?'

'Dat klopt.'

'Ik geloof dat Reginald altijd met een Escott heeft willen trouwen, zoals hij en Rachel...'

'Zo is het wel genoeg met die praatjes, Christabelle,' onderbrak lord Hamilton streng. 'Het is tijd om te gaan eten. Zullen we maar?'

Lord en lady Hamilton gingen voorop en de meisjes begeleidden Cosima, een aan elke kant. Maar zelfs toen Cosima de grote eetkamertafel zag, gedekt met kristal en porselein, zilver en verse bloemen, dacht ze nog na over Christabelle's woorden. Vreemd genoeg baarde het idee dat haar nicht Rachel wellicht meer was dan een gewone kennis van Reginald haar niet de minste zorgen.

Het diner verliep aangenaam en gezellig. Beryl, die door iedereen Berrie werd genoemd, bestookte Cosima met vragen over Ierland. Cosima gaf met alle genoegen antwoord. Ze was pas korte tijd van huis, maar het leek veel langer. Morgen zou ze een briefje naar huis sturen om haar familie te laten weten dat ze veilig was aangekomen.

Christabelle stelde vragen over hoe Cosima en Reginald elkaar ontmoet hadden. 'Het wordt een leuke bruiloft,' riep ze uit. 'En Peter zal natuurlijk getuige zijn. O! Je hebt onze broer Peter nog niet ontmoet, hè Cosima?'

Cosima schudde haar hoofd terwijl ze nog een hapje rundvlees nam. Vergeleken met de simpele kost waar ze thuis aan gewend was, had ze nog nooit zoiets heerlijks geproefd.

'O, je zult hem geweldig vinden,' zei Beryl trots.

Christabelle begon weer te giechelen. 'Natuurlijk, dat vindt iedereen. Het is maar goed dat je Reginald het eerst hebt ontmoet, anders had je liever Peter gehad.'

'Dat klopt,' bevestigde Beryl. 'Alle vrouwen vinden Peter leuk, met of zonder titel, al moet ik zeggen dat ze die twee eigenlijk niet kunnen scheiden, hè?'

'Meisjes,' zei lord Hamilton waarschuwend. 'Zullen we de conversatie een beetje stichtelijk houden?'

Beryl keek verbaasd op bij de milde vermaning. 'Reginald en Peter zijn beste vrienden, dus het is een feit dat Cosima Peter goed zal leren kennen. Dat is toch zo, vader?'

'Ja, dat zal wel waar zijn.'

'Dan moeten we haar toch iets over hem vertellen? Dat hij aardig is en knap en slim, al is hij soms een beetje een zeurpiet. Maar het is logisch dat Christabelle en ik hem een beetje een zeurpiet vinden, want wij zijn zijn zussen. We hoopten altijd dat hij knappe jongens voor ons mee naar huis zou brengen, maar vader houdt hem zo druk bezig met politiek en liefdadigheid dat hij nooit iemand anders heeft meegebracht dan Reginald.'

'Beryl!' zei lady Hamilton, met het eerste spoor van ergernis in haar stem. Ze keek Cosima treurig aan. 'Mijn dochters zijn soms erg openhartig, Cosima. Wie een comfortabel leven heeft geleid, komt makkelijk tot klagen.'

Beryl trok beledigd haar wenkbrauwen op.

'Ik klaag niet, moeder. Echt waar, ik dacht dat ik Cosima een prachtig portret schilderde van Peter.'

'Ja, en van Reginald?'

Beryl sloeg haar ogen even neer; toen keek ze Cosima lachend aan. 'Ik wilde er net aan toevoegen dat hij als een broer voor ons is en praktisch bij de familie hoort.'

'Dat is zeker waar,' zei lady Hamilton. 'Ik heb Reginald zelfs uitgenodigd om de bruiloft hier te houden.'

Die aankondiging bracht nieuwe kreten van verrukking en een overvloed aan ideeën voor versieringen en eten, gasten en muziek. Tegen het einde van de maaltijd had Cosima het gevoel alsof ze een pas ontdekt familielid was – precies zoals ze hoopte over een paar dagen bij de familie Escott te worden verwelkomd.

Toen de avond ten slotte om was en de meisjes voorgingen naar boven, vroeg Beryl Cosima mee te gaan naar haar kamer om een nieuwe japon te bekijken die net van de naaister was gekomen. Christabelle ging mee en met z'n drieën kletsten ze nog een uurtje over mode en trouwerijen, en bedachten reizen, dit keer zonder censuur van meeluisterende ouders.

Toen het eindelijk welletjes was, stond Cosima op en Beryl volgde haar naar de deur met het aanbod Cosima te helpen de kamer te vinden die de Hamiltons haar hadden verschaft.

'Is het deze?' vroeg Beryl terwijl ze de deur opende van de kamer die Cosima had beschreven. In dit middengedeelte van het huis waren twee gangen die vanaf de trap elk een kant op leidden. Ze was opgelucht geweest toen Beryl had aangeboden haar de weg te wijzen.

Cosima wilde naar binnen stappen, maar Beryl deed gauw de deur dicht. 'O, in die kamer staat zo'n vreselijk bed; daar doe je geen oog dicht. Moeder is het vergeten. Kom mee.'

'Maar mijn spullen...'

'O, ja,' zei Beryl, zich omdraaiend naar de kamer. Zoals verwacht was Cosima's bagage netjes uitgepakt, gestreken en opgehangen in de kleerkast in de hoek van de kamer. 'Morgenochtend kunnen we alles laten verhuizen, maar neem nu alleen maar mee wat je nodig hebt voor de nacht. En een jurk voor morgenochtend natuurlijk.'

Cosima keek naar het bed. Er lag een gele sprei overheen en een stuk of zes kussens met ruches erbovenop. 'Weet je zeker dat het geen lekker bed is?'

'Ja. Een lieve vriendin van mij logeerde hier pasgeleden een weekend en ik kan je verzekeren dat ze 's morgens nauwelijks kon lopen, zo'n pijn in haar rug had ze.' Beryl trok haar de kamer uit nadat Cosima haar nachtpon, jurk en handtas had gepakt.

Ze liepen door dezelfde gang naar een kamer dichter bij de trap. Beryl zwaaide de deur wijdopen en snelde naar een lamp op een tafel, die ze aanstak om een aangename inrichting van zilver en groen te onthullen. Deze kamer was iets kleiner dan de andere. Een hoog hemelbed was het voornaamste meubelstuk. Voor de open haard, waar al kolen in lagen alsof er een bezoeker werd verwacht, stond een comfortabele chaise longue. De houten vloer was net als in de andere slaapkamers vrij van stof en versierd met kleedjes in felle kleuren, een onder het bedopstapje en een voor de haard. Boven de schoorsteenmantel hing een afbeelding van een zeilschip, en het ruwe water glansde zilver in het lamplicht.

'Dit is een heerlijk bed,' zei Beryl trots. 'Ik zeg steeds tegen moeder dat ze de bedden moet laten verwisselen omdat de andere kamer groter is, maar ze vergeet het. Je zult het hier veel prettiger vinden, Cosima. De kleedkamer is achter die deur.'

'Dank je,' zei Cosima. Deze kamer was inderdaad bijna even mooi als de gele.

'Welterusten dan,' zei Beryl, maar ze bleef treuzelen bij de deur. 'Ik ben zo blij dat ik je ontmoet heb, Cosima. Ik heb altijd graag nog een zus gewild, iemand die niet zo dwaas is als Christabelle.'

Cosima was blij met de woorden, al maakten ze haar verlegen omwille van Christabelle. 'Ze is nog jong, Berrie. Door de jaren heen zal ze een fantastische vriendin blijken te zijn.'

'Ja, natuurlijk heb je gelijk. Nou, welterusten.' Ze deed de deur dicht.

Cosima drukte de kleren en de handtas tegen

zich aan en wenste dat ze Berrie had verteld dat ze ook altijd een zus had gewild. Morgen dan maar.

Maar vanavond... ze was blij dat ze haar dagboek had meegenomen. Cosima had meer dan genoeg om over te schrijven.

9

Vlak achter de hoofdingang van de North Shore Community Church borrelde een fontein van water vredig over een reeks aflopende platen van kalksteen. Verspreid langs de waterstroom groeiden mos en klimop, wat voor een buitenluchteffect zorgde. Vooral nu de heldere ochtendzon door de ramen naar binnen scheen.

Natalie keek naar Luke die voor haar uit liep met Ben op zijn schouders. Ze gingen naar beneden, naar de crèche, waar vrijwilligers voor Ben zorgden zodat Natalie en Luke – en degenen die om hen heen zaten – van de dienst konden genieten.

Gewoonlijk ging ze vast een plekje zoeken in hun favoriete gedeelte van de reusachtige kerkzaal, om te zwaaien naar Luke als hij naar boven kwam. Maar vandaag had ze met haar moeder afgesproken te wachten bij de fontein, een logische ontmoetingsplaats. Niemand kon de reeks deuren naar de kerkzaal bereiken zonder langs deze fontein te lopen, als je tenminste van het grote parkeerterrein kwam.

Ze keek op haar horloge. Kwart over negen. Haar moeder kon elk ogenblik komen. De koopflat waar ze binnenkort naartoe zou verhuizen, was nog geen vijftien minuten rijden, en al had ze haar hele leven een kleine kerk bezocht in de buurt, ze had tegen Natalie gezegd dat ze met hen mee zou gaan naar de grotere, modernere kerk als ze eenmaal zo dichtbij woonde.

Natalie speurde de rij deuren vanaf de parkeerplaats af, maar haar oog viel op een andere bekende gestalte. Daar liep Dana, maar niet in de gewone nonchalante katoenen broek die ze altijd droeg als ze met Natalie naar de kerk ging. Ze had een jurk aan waarmee Natalie haar wel eens had geplaagd. Hij was duidelijk bedoeld om aandacht te trekken. Hij was van donkere bloemetjesstof en streelde de vormen van haar lichaam, hoewel de driekwart lange mouwen en de wijde, ronde hals fatsoenlijk bleven. Maar net als de niet opgegeten pannenkoekjes van gisteren was het een zeker teken welke kant Dana's gedachten op gingen.

'Dana!' riep Natalie.

Dana trok even haar wenkbrauwen op en fronste.

Haar zus was toch niet verbaasd haar te zien? Inderdaad, soms gingen Natalie en Luke naar de dienst van elf uur, maar het was per slot van rekening háár kerk.

'Kom je voor mama en mij?' vroeg Natalie. 'Ik dacht dat je nu je verhuisd was wel even afstand zou willen nemen.'

'Nee,' zei Dana, om zich heen kijkend. 'Ik heb met iemand afgesproken... niet met ma. Ik wist niet dat ze kwam.'

Natalie glimlachte veelbetekenend. 'Dus Melody's aangetrouwde neef is gisteravond naar het feest van de vrijgezellengroep gekomen? Aidan heette hij toch? Heb je met hem afgesproken?'

Dana knikte, met gespeelde ergernis. 'Ik heb met hem afgesproken, Natalie, maar doe me een lol. Het is nog veel te vroeg om hem aan mijn hele familie voor te stellen. Wil je tegen mam zeggen dat ik...'

'Daar zijn mijn meisjes!' Val Martin dook op achter Dana en even duidelijk als de plotselinge ontstemming op Dana's gezicht verscheen, ontsproot er puur genoegen op het gezicht van hun moeder. Val Martin was midden zestig; ze was altijd ouder geweest dan de meeste moeders van Natalies vriendinnetjes, maar alleen op papier. Lichamelijk zag ze er minstens tien jaar jonger uit dan haar echte leeftijd, met het blonde haar dat ze aan haar beide dochters had doorgegeven, haar gladde huid en altijd glimlachende blauwe ogen. 'Ik was bang dat ik mijn oude kerk zou missen, maar dat hoeft niet als ik hier naast mijn kinderen kan zitten.'

Dana veegde de frons van haar gezicht en Natalie probeerde snel na te denken. Ze pakte haar moeder bij de arm. 'Kom, we gaan een plaatsje zoeken,' zei ze, in de hoop dat haar onderweg een plausibele verklaring in zou vallen voor het feit dat Dana niet bij hen kwam zitten.

Maar Val gaf geen krimp. 'Waarom zo haastig? Wat een mooie fontein! Elke keer als ik hem zie, moet ik aan die man van je denken, Natalie. Hij heeft toch zijn deskundigheid aangeboden om hem te ontwerpen?'

Natalie liet haar moeders arm niet los. 'Hij heeft zich aangeboden als adviseur. Hij heeft hem niet ontworpen, alleen zijn mening gegeven over de aannemers. Kom, mam.'

Val verroerde zich nog steeds niet. 'Tjonge, Dana, wat zie je er mooi uit vandaag. Niet dat jullie meisjes er niet altijd mooi uitzien, maar ik houd erg van die jurk. Natalie, waar is Luke?'

'Hij brengt de kleine naar de crèche. We moeten echt een plaats gaan zoeken.'

'Goed, goed. Lieve help, ik dacht dat de kerk een plaats was om rustig bij te komen en na te denken.'

Natalie trok haar moeder mee, maar ze waren nog niet ver gekomen toen haar moeder stilstond. 'Wat is er, Dana? Ga je niet mee?'

'Daan is hier gisteravond geweest voor de vrijgezellengroep en ze gaat tijdens de dienst bij hen zitten,' zei Natalie. Het was zo'n beetje waar.

Val keek teleurgesteld. 'O. Nou, kom je straks mee voor koffie? Nu we niet meer onder hetzelfde dak wonen, hebben we een hoop bij te praten.'

'Ik denk dat ze straks wel met iemand van de groep mee zal gaan, hè Daan?'

Dana knikte en keek een beetje onzeker. Onzeker omdat ze hun moeder lieten denken dat het een groep was, of onzeker over haar beschikbaarheid na de dienst?

‘Dan moet je volgende week een keertje komen eten.’

Dana knikte weer, dit keer toeschietelijker.

Natalie ging voorop, maar tegen de tijd dat ze drie open plaatsen naast elkaar had gevonden, stond Luke al achter hen.

‘Ik zag Dana in de hal,’ zei hij. ‘Ik wilde gedag zeggen, maar ik geloof niet dat ze zag dat ik zwaaide. Ze was met een kerel.’

‘Eentje maar?’ vroeg Val.

Luke keek van Natalie naar haar moeder. ‘Hoezo? Moeten het er meer zijn?’

‘Ze had afgesproken met de vrijgezellengroep,’ zei Val toen ze hun plaatsen innamen.

‘Ik weet eigenlijk niet goed hoeveel er komen,’ zei Natalie voorzichtig. Dit begon op regelrecht bedrog te lijken. ‘Misschien... maar eentje.’

‘O?’ zei haar moeder. ‘Werkte je me daarom zo vlug weg?’

Het klonk niet verstoord, al moest Natalie toegeven dat ze daar wel het recht toe had. ‘Ze heeft die jongen net ontmoet, mam. Ze wilde hem niet aan de hele familie blootstellen voordat ze weet of het ooit echt wat met hem wordt. Dat is alles.’

‘Een afspraakje voor de kerk is ook een afspraakje,’ zei Luke.

Dat was genoeg voor Natalie’s moeder om een visuele zoektocht te beginnen. Er konden drieduizend mensen in de enorme kerkzaal, maar het was mogelijk om de twee verdiepingen hoge ruimte goed te overzien zonder veel te missen. Toen zelfs Luke zich omdraaide om nog eens goed te kijken, kon Natalie zich niet meer inhouden. Ze wilde weten hoe die knul eruitzag.

Ze had Dana moeten waarschuwen niet aan deze kant van de kerk te gaan zitten. Nu ze alledrie reikhalzend zaten uit te kijken, konden ze hen moeilijk missen.

'Als ze wil dat we hem ontmoeten, brengt ze hem wel mee,' zei Luke, die het als eerste opgaf. Hij ging recht zitten en pakte zijn liturgie.

'Je hebt gelijk,' zei Natalie, die ook recht ging zitten.

'Daar heb je ze,' zei Val.

Het moet gezegd worden dat Luke niet opkeek. Natalie echter had er nog geen seconde voor nodig om weer om te kijken. Ze volgde haar moeders blik en zag dat Dana voorging naar de stoelen achterin. Die plaatsen werden altijd het laatst ingenomen. De rest van de kerkzaal was snel vol geraakt.

Natalie merkte het eerst op dat Aidan lang was, waarschijnlijk ongeveer even lang als Luke. Terwijl Luke licht was van haar en huid, was deze man donker. Zijn haar was bruin, zijn huid gebronsd. Ze vroeg zich af wat voor kleur ogen hij had, maar moest toegeven dat het eigenlijk niet belangrijk was. De jongen was zonder enige twijfel wat Dana's leerlingen een 'lekker ding' zouden noemen.

*

'Tja, we kunnen toch niet langs hen heen lopen alsof we ze niet kennen?' zei Natalie tegen Luke toen ze na de dienst in een rij de overvolle kerkzaal uit liepen.

'Natuurlijk niet,' zei Val in Luke's plaats.

'Jawel,' zei Luke. 'We gaan met z'n allen naar beneden om Ben te halen.'

Maar toen ze in de hal kwamen, zag Natalie Dana voor de fontein staan praten en lachen met de man die ze had ontmoet.

'Nee, ga jij maar, Luke,' zei Natalie. 'Misschien blijft Dana wachten omdat ze van gedachten is veranderd en wil ze hem wel aan ons voorstellen.'

Luke keek sceptisch en aarzelde. 'Een beetje rustig aan met die jongen, hè? Niet een heel kruisverhoor voordat ze zelfs maar een keertje uit zijn geweest.'

Natalie deed of ze beledigd was en jaagde Luke weg, voordat ze haar moeder achterna liep naar de fontein. Dankbaar merkte Natalie op dat Dana hen aan zag komen en niet geschrokken of afwerend keek. Voordat ze een woord hadden gezegd, legde Dana een hand op Aidans arm en stak haar andere uit naar Natalie en hun moeder.

'Ik zei al dat mijn familie er was,' zei Dana. 'Aidan, dit is mijn moeder, Val Martin, en mijn zus, Natalie Ingram. En mijn zwager moet ook ergens zijn... is hij Ben uit de crèche aan het halen?'

Natalie knikte.

Val gaf Aidan een hand en als Natalie het goed

zag, vond haar moeder Aidan op z'n minst knap. Het was onmogelijk om dat niet te vinden. Zijn ogen waren blauw, zijn tanden hagelwit tegen zijn gebruinde huid.

'Dit is Aidan Walker,' zei Dana.

'Hoe vond je de dienst, Aidan?' vroeg Natalie. Dat gold niet als kruisverhoor, al had ze bijbedoelingen met haar vraag. Als de man niet geluisterd had, was hij misschien alleen gekomen om Dana te bekijken.

'Geweldig!' zei hij. 'Ik had wel eens van deze kerk gehoord, maar ik was er nog nooit geweest. Het beviel me.'

'Ga je normaal gesproken ergens anders heen dan?' vroeg Val.

Natalie glimlachte, haar moeder kon altijd beweren dat ze Luke's vermaning niet had gehoord.

Aidan knikte. 'Een kleinere, meer traditionele kerk.'

Ze bleven nog even staan praten over de voors en tegens, overeenkomsten en verschillen van moderne versus traditionele kerken, een onderwerp waar Natalie's moeder in geïnteresseerd was omdat ze zelf op het punt stond een overstap te maken. Geen makkelijk besluit, wist Natalie, en een besluit dat ze alleen nam om Natalie, Luke en Ben elke zondag te zien.

Maar Aidan scheen weinig voorbehoud te hebben over het achterlaten van iets zo vertrouwds. Natalie moest toegeven dat hij echt belangstelling scheen te hebben voor de North Shore Community – en hopelijk niet alleen vanwege Dana of de vrijgezellengroep.

'We gaan thuis koffie drinken,' zei Val. Natalie wierp een bezorgde blik in Dana's richting, die bedekt ontsteld terugkeek. 'Hebben jullie zin om mee te gaan?'

Maar als Val de hoop had gekoesterd op een rustig samenzijn, kon ze dat even later vergeten toen Luke arriveerde met Ben in zijn armen. Ben was rood aangelopen en heel verdrietig. Natalie bood aan hem over te nemen, maar in plaats daarvan zette Luke Ben op zijn schouders. Soms was Bens favoriete positie genoeg om hem tot bedaren te brengen.

Vandaag niet.

Dana stelde Luke en Aidan aan elkaar voor boven het kabaal uit. Aidan wilde ook Ben een hand geven, kennelijk niet van zijn stuk gebracht door het gebrul, maar zoals gewoonlijk hield Ben zijn handjes strak tot vuisten geklemd en reageerde niet op een kalme stem, zelfs niet van een onbekende.

'Nu en dan heeft Ben zo'n stemming.' Natalie verhief haar stem om boven Bens gekrijs uit te komen. 'Dat noemen we een instorting. Het duurt even voordat hij rustig wordt, dus ik denk dat we hem beter mee naar huis kunnen nemen.'

'Ja,' beaamde Luke. Hij wendde zich tot Aidan. 'Leuk je te ontmoeten.'

Toen draaide hij zich om en Natalie wist dat ze

moest volgen. 'Ik bel je later, Dana, goed?' Ze keek haar moeder aan. 'Kom je, mam? Ga je mee naar huis? Dan flans ik een brunch in elkaar.'

Haar moeder knikte, nam afscheid van Dana en Aidan en volgde Natalie naar het parkeerterrein. Niet zonder nog een paar keer om te kijken.

Hoe graag Natalie haar zus ook gelukkig getrouwd wilde zien, ze voelde zich merkwaardig waakzaam nu er een potentiële echtgenoot ten tonele was verschenen. Ze hield zichzelf voor dat Dana hem gezien had op de avond van de vrijgezellengroep die Natalie haar zelf had aanbevolen, maar toch dacht ze na over een manier om elkaar allemaal te leren kennen.

Natalie vroeg zich af of de nieuwsgierige blikken van haar moeder betekenden dat ze het ook zo voelde. Misschien was ze bang dat Dana zich zou laten verblinden door het knappe uiterlijk van de man.

Toen Ben eenmaal in zijn stoeltje was vastgegespt en de motor draaide, bedaarde hij een beetje. Niettemin ging Natalie bij hem achterin zitten in plaats van voorin naast Luke.

Ze wist niet wat haar op het idee bracht. Was het bemoeiziek van haar? Maar iedereen kon er plezier van hebben. Waarom niet? Ze moest de gedachte in elk geval uitspreken.

'Zeg Luke, ben je al begonnen met de sollicitatieprocedure voor die vacature voor architect?'

*

'Ik zie niet in waarom je het niet minstens tegen hem kunt zeggen,' zei Natalie de volgende avond tegen Dana door de telefoon. 'Misschien hebben ze er allebei wat aan – Aidan en Luke.'

'Ik kan redenen genoeg bedenken om er niets over te zeggen. Een keertje samen uitgaan is geen levenslange verbintenis, Natalie. Stel dat het helemaal niks wordt? Dan werkt Aidan straks voor de zwager van een vroegere... weet ik het. Ik kan mezelf echt niet zijn vriendin noemen na één keertje samen brunchen en twee lange telefoongesprekken.'

'Ik zie niet in waarom dat pijnlijk zou moeten zijn, als hij het een leuke baan vindt. Als het niks wordt en hij blijft voor Luke werken, dan hoef je hem toch nooit meer te zien, of hij jou? Ik zie haast nooit iemand van Luke's werk.'

'Ik weet het niet...'

'Zeg het nou maar gewoon tegen hem, Daan.'

'Waarom wil jij eigenlijk zo graag dat hij voor Luke gaat werken?'

Natalie zat op de rand van haar bed, ze had het dagboek waarin ze weer had zitten lezen opzij gelegd. Met een vingertop streek ze over een bladzijde. Misschien kwam het door de manier waarop Aidan zondag in de kerk naar Dana had gekeken... of Dana naar hem.

Of misschien waren haar hormonen uit balans. Ze voelde zich de laatste tijd zo vreemd.

'Het was maar een idee,' zei Natalie. 'Laat maar zitten.'

'Nee, ik zal het zeggen. Hij zal me morgen wel bellen, dan kan ik erover beginnen.'

Natalie glimlachte. 'Zullen we dan maar afwachten wat God in petto heeft?'

10

Eerder vanavond zag dit bed er precies zo aanlokkelijk uit als Berrie had beloofd. Het is groter dan mijn bed thuis en staat beschut onder een hemel met bladeren erop. Doorzichtige stof is over de bovenkant gespannen en bungelt liefelijk langs de vier bedstijlen naar beneden, in guirlandes die in zachte plooien de grond raken.

Maar ik had niet kunnen voorzien hoe vreselijk weinig slaap ik in dit bed zou krijgen, hoe comfortabel het ook is vergeleken met mijn bed thuis of het bed in de gele kamer waarvan Berrie me heeft gered. Ik kan gewoon niet inslapen na wat er net is gebeurd.

Het begon allemaal onschuldig genoeg, toen ik het licht uitdeed en me opmaakte om naar bed te gaan...

Cosima doofde het licht naast de chaise longue en liep naar het raam om de lussen van de zware zilver met groene gordijnen los te maken. Het werd volkomen donker in de kamer, zonder sterren of maan die een schaduw konden werpen. Tastend langs de muur vond ze de rand van het bed en knielde neer. Haar gebed werd vanavond niet opgeschreven, maar dat maakte voor God geen verschil; daar was Cosima zeker van.

In de vertrouwde positie op haar knieën deed ze

automatisch haar ogen dicht om te bidden, maar even later deed ze ze weer open. Het was zo donker in de kamer dat het niet uitmaakte.

'Vader in de hemel,' zei ze hardop, en besloot toen verder te gaan zonder de stilte te verstoren.

Opnieuw vroeg ze om Gods leiding, maar ook om Zijn vergeving voor haar verdenkingen van Reginald, en haar terughoudendheid ten opzichte van haar lieve gastvrouw bij het bespreken van de trouwplannen. Ze vroeg weer om hemelse wijsheid om te weten hoe ze God het beste kon dienen: aan Reginalds zijde of alleen thuis, om het visioen van een school werkelijkheid te zien worden.

De deur klikte.

Cosima belandde met een schok weer op aarde. Nog op haar knieën schoot haar blik naar de drempel, maar ze zag niets in het donker. Ze had er niet aan gedacht de deur op slot te doen; thuis deed niemand dat ooit. Sterker nog, ze had niet eens gekeken of er een vergrendeling op de deur zat.

Langs haar ruggengraat kroop angst omhoog. Wie of wat er ook aan de deur stond, hij had vreemde bedoelingen. Er viel een streepje licht naar binnen uit de gang, maar de deur bleef een lang, roerloos ogenblik op een kiertje staan.

En toen bewoog hij weer. Cosima hield zich schuil in het donker, verstopt in de schaduw achter het hemelbed. Ten slotte zag ze een lange gestalte in donkere kleren, die een zware, onhandelbare tas vasthield.

'Het zijn er teveel dit keer,' zei de persoon, kennelijk tegen niemand in het bijzonder. Hadden de brede schouders niet al onthuld dat de bezoeker een man was, dan had zijn zware stem hem verraden. De gestalte deponeerde zijn last op de vloer voor de haard en haalde iets uit zijn zak. Een lucifer. Hij streek hem af en stak de klaarliggende kolen aan, zodat dat deel van de kamer verlicht werd en Cosima de zwavelgeur rook. Toen liep hij terug naar de deur en deed hem dicht. Er zat dus wel een slot op. Cosima hoorde het dichtvallen.

Met bonzend hart kroop ze helemaal onder het bed, te verlegen om te kijken. Als de indringer haar aanwezigheid niet vermoedde, was ze veilig. Maar wat voor een indringer bracht een volle zak met goederen *mee*?

Ze hoorde het geluid van rotsbrokken, bakstenen of keien die langs elkaar heen gleden. Van onder het bed wierp ze een steelse blik over de rand van de matras. Hij stond met zijn rug naar haar toe en ze kon niets meer zien dan een sterke hand die de ene steen na de andere uit de zak haalde en in een keurige rij in het licht van het kolenvuur plaatste.

Cosima had Royboy zoiets wel zien doen – stenen in een rechte rij neerleggen. Met stokjes had hij het ook gedaan en één keer met zijn eten, maar dat was pas nadat hij veel meer had gegeten dan iedereen dacht dat zijn maag aankon. Was deze indringer dan net als Royboy, probeerde hij op geheimzinnige wijze orde te scheppen in voorwerpen die voor niemand anders enige waarde hadden?

Ze had weinig zin om erachter te komen en zonk weer onder het bed. De onderkant was zo hoog van de vloer dat ze hem van daaruit geknield kon zien liggen en de rij die hij maakte langer zag worden, met stenen in alle soorten en maten. Nu en dan tikte hij er twee tegen elkaar, en er flakkerde stof op in het spaarzame licht, of een vonk lichtte op om meteen weer te verdwijnen.

Algauw nam Cosima's angst af en ze wenste alleen nog dat hij wegging. Maar hij keek naar de stenen alsof het een zeldzame schat was en gromde af en toe een onverstaanbaar zinnetje terwijl hij ze bestudeerde in de gloed van het vuur.

Uiteindelijk stond hij op; Cosima wist het omdat zijn knieën van de vloer verdwenen en ze zag alleen nog zijn schoenen, een paar stevige zwarte laarzen die net zo stoffig waren als de stenen. Ze zond een snel dankgebed omhoog, blij dat hij klaar was met het inspecteren van de schat die hij uit die zak had gehaald.

Maar hij ging niet naar de deur. Toen ze nog meer beweging hoorde, waagde ze nog een blik. De moed zonk haar in de schoenen toen ze zag dat de man zijn jas uittrok en hem over de rug van de chaise longue hing. Toen ging hij zitten om zijn laarzen uit te trekken.

Hij was toch zeker niet van plan om te blijven!

Ineens kwamen zijn kousenvoeten haar kant op

en even later zuchtten de beddenveren en zakten in onder zijn gewicht. O! Wat moest ze *nu* beginnen?

Ze moest weg. Ze zou wachten tot hij in slaap viel en dan naar een andere kamer gaan om de nacht door te brengen. Hopelijk kon ze de weg terugvinden naar Beryls kamer of misschien terug naar de gele kamer. Een hobbelig bed klonk nu niet meer zo onaantrekkelijk als daarstraks.

Algauw hoorde Cosima de man gelijkmatig ademhalen. Kruipend op haar knieën en handpalmen over het gewreven hout vond ze haar weg langs de donkere kant van het bed, nu en dan plukkend aan de lange katoenen nachtpon die haar hinderde. Vlak bij de deur dansten griezelige schaduwen van het licht van het kolenvuur, zodat de chaise longue voor de haard reusachtig leek. Zelfs de voor het vuur geplaatste stenen leken groter in de schaduw, als een levend landschap langs een kustlijn.

Ten slotte bereikte ze de deur en klemde zich vast aan de knop. Ze draaide hem om met haar vingertoppen en hij gaf mee – maar de deur bleef dicht. Ze zocht naar het slot en vond niets in de buurt van de knop waardoor de deur niet open zou gaan.

Toen zag ze het, hoog bij de hoek van de deur. Een schuif. Zachtjes kwam ze overeind, niet zeker of ze er zelfs op haar tenen wel bij kon.

'Wat is dat?'

In paniek rekte Cosima zich uit, maar ze kon net niet bij de schuif. De beddenveren knarsten weer, en te bang om achter zich te kijken, maakte Cosima een sprong. Ze raakte het mechanisme met haar vingertop, maar het schoof niet makkelijk open en ze kreeg het maar een klein stukje in beweging.

'Wie is daar?'

Ze sprong nog een keer toen ze de man hoorde aankomen. Dit keer viel ze achterover in de armen van de indringer. Meteen wurmde ze zich los, al had hij haar opgevangen.

'Hoe ben je hier binnengekomen? En wie ben je?'

'Ik wil weg – doe alstublieft de deur open.' Haar stem klonk bibberig en dwaas. Ze was bang en voelde zich kwetsbaar, waagde het niet hem aan te kijken.

'Niet voordat je me een paar dingen hebt verteld, zoals wie je bent en wat je in deze kamer doet.'

'Ik ben hier te gast,' fluisterde ze, en vouwde haar armen over haar borst om zich te beschermen. Haar hart bonsde zo dat ze het door haar onderarmen heen voelde.

'En hoe heet je?'

'Cosima Escott.'

De man wendde zich af en liep naar de haard, waar hij een lange lucifer pakte. Hij ging naar de lamp op de hoektafel.

Cosima raakte weer in paniek toen ze besefte dat haar ongeklede toestand duidelijk zou worden als hij het licht aandeed. De nachtpon bedekte haar weliswaar van top tot teen, maar hij was dun en volkomen ongepast om zich in voor te stellen.

'Alstublieft niet!' verzocht ze, ademloos van angst maar niettemin kordaat.

Hij draaide zich naar haar om. Met zijn rug naar het vuur leek hij groter en donkerder, en zijn schouders waren zelfs zonder overjas breed. Hij was veel langer dan zij – ruim boven de een meter tachtig, schatte ze – en had lange, sterke benen die de helft van zijn lichaam besloegen. Hij zag eruit als een boer of een soldaat of een Amerikaanse cowboy waar ze wel eens een tekening van had gezien, maar zijn gezicht en zijn kleren waren te donker om te onderscheiden of hij een heer was of een schurk.

'Ben je een Escott?'

'Cosima Escott,' herhaalde ze, als aan de vloer genageld. Het troostte haar dat hij geluisterd had naar haar smeekbede en de lamp niet had aangestoken.

'Cosima,' zei hij, alsof de naam ineens bekend zou klinken als hij hem hardop uitsprak. Dat was kennelijk niet het geval. Hij schudde zijn hoofd. 'Ik ken alle Escotts hier in Londen. Waar kom je vandaan?'

'County Wicklow.'

'Ierland?'

Hij klonk verwonderd, maar ineens vond ze dat dit gesprek wel lang genoeg had geduurd. Ze keek rond en haar oog viel op het bedopstapje, dat kon dienen om zonder hulp van de man het slot te bereiken.

'Laat eens zien,' zei hij, het gesprek volkomen vergenoegd voortzettend zolang als hij wilde, 'ik heb nog nooit gehoord van Escotts in Ierland. Maar je bent familie van John en Meg Escott, hier in Londen?'

Cosima trok het opstapje naar de deur en zei over haar schouder: 'Ja, dat zijn mijn oom en tante.'

'Waarom logeer je dan in vredesnaam hier en niet bij hen? Hebben ze een of andere feestelijkheid, dat het huis zo vol zit dat ze niet eens plaats kunnen maken voor hun eigen nichtje?'

Ze ging op het opstapje staan en reikte naar het slot, gaf antwoord zonder hem aan te kijken. 'Ik heb ze eigenlijk nog nooit ontmoet, maar dat gaat binnenkort gebeuren.'

Het slot gleed open en ze werd overspoeld door opluchting.

Alsof hij enigszins verlaat haar handelingen opmerkte, stond de indringer ineens naast haar en pakte haar hand om haar weer op de grond te helpen. 'Neem me niet kwalijk,' zei hij. 'Dat had ik moeten doen. Ik moet een paar spinnenwebben in mijn hoofd hebben van de schrik jou hier te vinden.'

'Ja, wel, u kunt niet erger geschrokken zijn dan ik toen u binnenkwam.' Ze trok haar vingers los, want hij was haar hand vast blijven houden, ook al stond ze veilig op de grond. Ze legde haar hand om de deurknop en trok hem naar zich toe.

'Waar was je toen ik binnenkwam? Ik zag niemand en het bed is onbeslapen. Ik dacht dat de kamer leeg was.'

‘Ik zat naast het bed.’

‘Op de grond?’

Cosima vouwde haar armen weer over haar borst; kou kroop naar binnen door de deur die ze net geopend had.

‘Als u het beslist wilt weten, ik lag op mijn knieen voor het bed.’

‘Op je knieën?’ zei hij. In het licht dat vanuit de gang naar binnen viel, kon Cosima nu zijn gezicht zien. Volle zwarte wenkbrauwen boven donkere ogen, gescheiden door de brug van een rechte neus, die nauwelijks breder werd vlak boven een besnorde mond. Hij had een knap gezicht, onder warrig haar dat net zo donker was als zijn ogen.

Hij keek haar aandachtig aan, alsof hij iets wilde zien dat zelfs in het sterkere licht moeilijk te onderscheiden was. ‘Zocht je iets op de grond?’

‘Omdat ik op mijn knieën lag?’ vroeg ze, een beetje ontstemd dat dat als eerste in hem opkwam. Ze schudde haar hoofd. ‘Nee, ik was aan het bidden. Knielen is de beste manier om mijn gedachten bij God te houden en niet in slaap te vallen.’

Zijn ogen lichtten op. Zijn wenkbrauwen gingen omhoog en zijn snor verbreedde zich samen met zijn lippen tot een gulle lach. ‘Dat doe ik ook altijd voordat ik naar bed ga.’

Ze verstrakte en sloeg haar armen steviger om zich heen. ‘Neem me niet kwalijk dat ik het zeg, maar daar heb ik niks van gemerkt toen u in *dat* bed stapte.’

Hij lachte. 'O, dat is mijn bed niet. Ik wilde alleen even gaan liggen omdat ik zo moe was dat ik niet wist of ik het wel zou halen. Het zag er zo aanlokkelijk uit. Maar als ik in mijn eigen kamer ben, raken mijn knieën bijna elke avond de vloer voordat mijn hoofd het kussen raakt.' Hij sloeg nu ook zijn armen over elkaar en leunde nonchalant tegen de deurstijl met een ontspannen glimlach. 'Kom op, Cosima, je denkt toch niet dat ik over zoiets zou liegen?'

Ze wist niet goed wat ze geloofde, zo laat op de avond en onder zulke buitengewone omstandigheden. 'Ik ken u helemaal niet, meneer, dus ik kan er niets over zeggen.'

'Nou, laat eens kijken,' zei hij en streek met zijn hand over zijn kin. Zo'n grote hand, merkte ze op, met vingers waarin de hare zouden verdwijnen. 'Hoe kan ik je overtuigen. Wat gaat er beter met gebed samen dan het bestuderen van de bijbel? Noem een bijbelboek en ik zal proberen een citaat te noemen. Ik zou graag zeggen dat ik elke specifieke passage zou kunnen aanhalen die je maar wilt, maar zo slim ben ik niet. Maar ik denk dat ik uit elk bijbelboek wel minstens één vers kan aanhalen.'

Ze trok sceptisch haar wenkbrauwen op. Iedereen die uit elk bijbelboek een tekst kon noemen, kon nooit erg dom zijn. Ze nam de uitdaging aan.

'Sefanja.'

Hij lachte weer en ze wilde wel meelachen, maar toonde zich gereserveerd tot ze hoorde of hij slaagde of niet.

'"Dan zal Ik tot de volken een reine spraak wenden; opdat zij allen de naam des Heren aanroepen..." Ik geloof dat het nog een stukje verdergaat, maar dat vergeet ik gauw na die woorden over een reine spraak. Wat een tekst! Ik heb eens een preek gehoord waarin verklaard werd dat dit het evangelie voorspelt.'

Cosima's ene sceptische wenkbrauw ging nog verder omhoog, klaar om te protesteren tegen zijn afleidingstactiek.

Hij stak een hand op. 'Ik zei dat ik een citaat kon noemen, maar ik heb niet gezegd dat ik een hele tekst kon opzeggen. Uit Sefanja? Kun *jij* hem afmaken?'

Eindelijk glimlachte ze en schudde haar hoofd. 'Nee, natuurlijk niet. De tekst was voor jou, niet voor mij. En je hebt hem zelf gekozen.'

'Nou ja, je had aardig kunnen zijn en iets uit een van de evangeliën kunnen vragen. Misschien de tekst "Jezus weende"? Die heb ik altijd goed, van begin tot eind.'

Ze lachte; verdwenen was elk spoor van de angst die deze man nog maar een paar minuten geleden in haar had gewekt. 'Zei je dat dit jouw kamer niet was?' vroeg ze.

'Dat klopt. Ik kom hier alleen als ik een zak met fossielen heb. Deze kamer wordt niet gebruikt...

nou ja, niet geregeld in elk geval. Meestal breng ik de fossielen eerst hierheen omdat ze hier dagenlang kunnen liggen zonder dat iemand er last van heeft, tot ik de gelegenheid heb om ze uit te zoeken. Er hoeven geen dienstmeisjes omheen schoon te maken als ze een poosje blijven liggen.'

'Waarom deed je de deur op slot?'

Hij hing nog steeds op zijn gemak tegen de deurpost alsof hij gezellig op bezoek was. 'Ben je enig kind, Cosima?'

Ze schudde haar hoofd, verward door zijn tegenvraag.

'Dan heb je niet zulke lastige zusjes als ik. Als ik een zak mee naar huis breng, zitten ze er al met hun vingers in voordat ik mijn vondst fatsoenlijk heb kunnen onderzoeken. Niet dat ze veel belangstelling voor fossielen hebben, helemaal niet. Ze noemen me zelfs een drakenjager en meestal lachen ze me uit. Maar ze moeten beslist elke steen zien, alsof ik per ongeluk goud mee naar huis zou kunnen brengen. Daarom heb ik dat slot geïnstalleerd, zo hoog dat mijn nieuwsgierige zusjes er niet bij kunnen. En ik gebruik het, op elk uur van de dag. Uit gewoonte, denk ik.'

Cosima's blik ging naar de stenen voor de haard. 'Fossielen? Ze zien eruit als stenen.'

'Het zijn ook stenen. Er zijn nieuwe wetenschappen, geologie en paleontologie. Heb je daar weleens van gehoord? Die bestuderen de rotsen. Als je de stenen die ik net gebroken heb van dichtbij bekijkt, zie je de omtrek van schepsels.'

'Schepsels?'

'Geen levende schepsels – niet meer. Nou ja, afgezien van een paar spinnen die in de zak gekropen zijn. Fossielen zijn een verbazingwekkend bewijs van het bestaan van God, Cosima. Hij heeft veel wonderlijke dingen geschapen. Wij zijn de kroon, geloof ik. De kroon van Zijn schepping, en dit alles...' hij gebaarde naar de stenen, die veel meer dan stenen waren, voor hem in elk geval, 'dit alles voor ons.'

Cosima keek hem onderzoekend aan.

Toen maakte hij een buiging en stapte de gang in. Toen de deur bijna dicht was, stak hij nog even zijn hoofd om de hoek en zei: 'Ik zal de stenen morgenochtend weghalen, als je het niet erg vindt. Maar vroeg, voordat de dienstmeisjes kunnen vermoeden dat ik hier geweest ben.'

'Ik sta altijd vroeg op,' zei ze.

'Ik ook.' Hij hield haar blik nog even vast, maar toen deed hij zachtjes de deur achter zich dicht.

Cosima draaide zich om naar het bed; ze kon makkelijk zien waar ze liep bij de gloed van het vuur. Vanaf het kussen bekeek ze het landschap van stenen. Zelfs de gedachte aan een verstopte spin kon haar blijdschap niet wegnemen om de ontmoeting met deze late bezoeker.

11

'En, hoe ging het?'

Luke had nauwelijks een voet over de drempel gezet. Het eten was klaar, maar Natalie kon niet wachten tot ze zaten om dit onderwerp aan te snijden.

Het sollicitatiegesprek met Aidan was die ochtend geweest, twee weken nadat Luke gebeld had. Ze had al geduld betoond door Luke die middag niet op kantoor te bellen. Dat was natuurlijk omdat ze niet wist hoe lang het gesprek zou duren. Hoe langer, hoe beter, had ze gedacht.

Luke legde zijn jasje en zijn aktetas neer in de buurt van de tafel en liep naar Ben toe, die in zijn kinderstoel zat. Natalie had hem al gevoerd en hij was tevreden. Terwijl Luke hem kietelde, schonk zij de waterglazen vol.

'Luke!' Natalie noemde zijn naam lichtelijk geërgerd toen haar man naar de gootsteen liep om zijn handen te wassen voordat hij aan tafel ging.

Hij keek op en lachte. 'Ik neem hem aan.'

Natalie trok haar wenkbrauwen op. 'Ja?'

'Ik heb al op hem gestemd en mijn baas ook. Aidan moet nog een keer op gesprek komen, maar alleen om de eigenaar te ontmoeten, en dan bieden we hem officieel de baan aan. Aidan heeft een indrukwekkend cv. Hij heeft het goed gedaan als freelancer, maar hij zei dat hij nu een vaste baan wil op één plek. Ik denk dat we geluk met hem hebben.'

'Zou hij zich willen vestigen?'

Luke haalde zijn schouders op. 'Misschien.'

'Hoe is hij?'

'Het is een aardige vent,' zei Luke verbaasd.

'Is het zo moeilijk te geloven dat Dana met een aardige vent uitgaat?'

'Ik vond hem alleen een beetje te knap om te zien, maar hij gedraagt zich niet alsof hij het weet.' Luke keek naar de tafel, die gedekt was en waar tot nu toe alleen knoflookbrood op stond. 'Gaan we nu eten of straks?'

Natalie holde naar het fornuis, waar ze de spaghetti had laten staan. 'Ik weet dat je niet een hoop persoonlijke vragen kunt stellen tijdens een sollicitatiegesprek, maar kreeg je enig idee wat voor man het is? Qua geloof... qua vrouwen?'

Luke fronste. 'Ik ga niet de mannen doorlichten met wie Dana besluit uit te gaan, Natalie. Of verantwoordelijk zijn voor een breuk als ik het verkeerd heb gezien, hoe dan ook. Ik heb ermee ingestemd de kerel te laten solliciteren omdat hij echt architect is en ik er toevallig eentje nodig heb. Hij heeft goeie diploma's en hij is intelligent. Dat is het enige dat ik weet; dat is het enige dat ik hoef te weten.'

'Maar wat was je indruk?' hield Natalie aan. 'Ik bedoel, soms krijg je een idee van iemands levensstijl door alleen maar met hem te praten.'

'Laten we maar zeggen dat er geen rode vlaggen in mijn hoofd gingen wapperen, oké? Dana kan best zonder onze hulp alles uitzoeken wat ze moet weten over hem.'

Op dat moment begon Ben te huilen en Natalie pakte hem uit zijn stoel. Het zou niet voor het eerst zijn dat ze hem onder het eten op schoot hield, en misschien wilde hij wel een beetje pasta proeven.

Toen Luke vroeg hoe haar dag was geweest, wist ze dat ze niet moest aandringen op meer details over Aidan. Misschien maar goed ook; ze was op zoek geweest naar iets om over te tobben, en Dana's liefdesleven kwam goed van pas. Maar Luke had gelijk: Dana moest zelf maar uitzoeken of Aidans geloof oprecht was. Het zag er wel naar uit.

Nu hij voor Luke ging werken, kregen ze allemaal volop de gelegenheid om hem te leren kennen. Dana en Aidan te eten vragen om zijn nieuwe baan te vieren, was wel het minste wat ze kon doen.

'Ik heb besloten een plakboek samen te stellen van die oude ansichtkaarten die mijn vader verzamelde toen hij al die reizen maakte, voordat hij mijn moeder had ontmoet. Dat wordt nog een heel project, want ik zal de pagina's moeten insnijden en verstevigen zodat je de voor- en de achterkant kunt zien, maar het lijkt me leuk. Ik geef het aan mijn moeder met Kerst, zodat ze alle aantekeningen kan lezen die mijn vader maakte over de verschillende plaatsen, en wat hij er deed.'

'Leuk. Dus de informatie voor de familiestamboom heb je laten liggen? Of is het klaar zodat ik ermee kan beginnen?'

Natalie voerde Ben een lepel vol spaghetti die hij hoestend inslikte. Ze pakte een handvol servetjes en veegde zijn gezicht en zijn truitje af.

'Natalie?'

'Wat?'

'De familiestamboom?'

'Ik heb het zo druk gehad met dat nieuwe project, maar ik zal het doen.'

Ze voelde zijn ogen op haar rusten, maar ze bleef naar Ben kijken. De voorouderlijke lijn deed haar denken aan Cosima's dagboek. Al ging het niet meer zo nadrukkelijk over de veronderstelde vloek, de onderliggende werkelijkheid bleef... iets wat Natalie nog steeds niet onder ogen wilde zien. Het was moeilijk om te lezen zonder zich zorgen te maken.

Ze kon maar beter weer gaan tobben over Dana's liefdeleven.

*

Om vier uur 's nachts, toen ze Ben weer in slaap had gezongen, verliet Natalie zijn kamertje met een merkwaardig bekend gevoel van misselijkheid. Maar dit was geen griep; daar was ze zo goed als zeker van. Morgen zou ze naar de drogist gaan. Er was maar een manier om uit te vinden of deze misselijkheid haar terecht bekend voorkwam.

12

Vandaag heb ik eindelijk kennisgemaakt met de zeer bewonderde lord Peter Hamilton. We hadden elkaar natuurlijk al ontmoet voordat we officieel werden voorgesteld, maar van die indiscretie mag niemand ooit iets weten. En niemand zal er ooit iets van weten, zolang dit dagboek in mijn bezit blijft...

Na een onrustige nacht stond Cosima op toen de zon net een aarzelende lichtstraal door de kier in het midden van de gordijnen liet vallen. Ze plensde vlug het koele water over zich heen uit de kan in de kleedkamer, trok haar nachtpon uit en stapte in de onderrok, hemdje en jurk die ze gisteravond had meegenomen uit de gele kamer. Ze had wat moeite met de strik op de rug, maar het lukte. Ze kamde haar haar, gebruikte tandpoeder uit haar handtas en stapte in haar schoenen. Toen maakte ze het bed netjes op. De fossielenverzamelaar kon haar beter zien als iemand uit het gewone volk die huishoudelijk werk deed, dan dat hij haar beslapen bed zag.

Met de gordijnen wijdopen en de zon die naar binnen stroomde, zag de kamer er fris en aanlokkelijk uit met zijn zilver met groene inrichting. De chaise longue voor de haard was versierd met groene bladeren en zilveren takken, op een licht roomkleurige achtergrond. Ze ging erop zitten en staarde naar de stenen aan haar voeten. Ze pakte een gebroken steen op en streek met haar vinger over de randen die een beeld vormden van een klein, hagedisachtig wezentje.

'Ik weet niet waarom U zulke bewijsstukken voor ons hebt achtergelaten, God,' zei ze, 'maar het is inderdaad een wonder.'

Er werd zacht aan de deur geklopt en haar hart begon te bonzen. Ze sprong op, deed de deur open en gluurde om de hoek.

De bezoeker van gisteravond vulde de deuropening. Hij was langer dan haar vader, had een slank middel en gespierde benen die gestoken waren in rijlaarzen. Hij leek op haar voorstelling van de reus met wie David eeuwen geleden had gevochten, een sterke soldaat die elke vijand kon intimideren.

Maar Cosima voelde zich niet bepaald een vijand, al was het riskant voor haar reputatie dat hij zo vroeg in de ochtend zijn collectie stenen op kwam halen. Zijn besnorde mond lachte naar haar terug en zonder een woord stapte ze opzij om hem binnen te laten. Maar ze deed de deur niet dicht, ondanks haar wens dat niemand hen zou zien.

'Ik zie dat je de fossielen hebt bekeken,' zei hij.

Cosima keek naar de steen die ze nog in haar hand had. 'O ja,' zei ze, en gaf hem de steen. 'Ik hoop dat je het niet erg vindt.'

'Helemaal niet. Daarvoor verzamel ik ze – zodat mensen ernaar kunnen kijken. Als ik ze heb schoongemaakt en gedocumenteerd, schenk ik de mooiste meestal aan de historische afdeling van het museum. Op die manier kan iedereen ze zien.'

Ze hielp hem een paar stenen in te pakken vanaf het uiterste eind van de rij die hij gisteravond had gemaakt. 'Ik geloof dat we nog veel te leren hebben over Gods schepping,' zei ze, 'maar ik denk dat het allemaal zal wijzen op hetzelfde waar Christus' dood aan het kruis op wijst: hoeveel God van ons houdt.'

Op dat moment hield hij op met waar hij mee bezig was en Cosima voelde dat hij haar onderzoekend aankeek, terwijl ze hem een van de fossielen toestak om weer in de zak te stoppen. In plaats van hem aan te nemen, hield hij haar blik vast. Ze wilde opzij kijken, de samensmelting verbreken van gedachten en interesses, maar ze was niet in staat deze plotselinge affiniteit te verkoelen. Ze *moest*, maar ze wilde gewoonweg niet.

Uiteindelijk nam hij de aangeboden steen aan, stopte hem bij de andere en stond op met de volle zak in zijn hand.

Precies op dat moment klopte er iemand op de openstaande deur. Bang dat een dienstmeisje hen had ontdekt, keek Cosima met grote ogen op, om Beryl Hamilton voor hen te zien staan met een brede grijns op haar knappe gezicht.

'Goedemorgen, Cosima. Ik zie dat je mijn broer Peter al hebt ontmoet.'

Cosima keek nog eens naar de man naast haar.

Dus dit was Peter Hamilton. Op de een of andere manier was zijn identiteit een beetje een verrassing. Hij was de broer die Berrie en Christabelle zo hoog geprezen hadden – en de beste vriend van Reginald.

'Goedemorgen, Berrie,' zei Peter terwijl hij de zak dichtknoopte. 'Ik wilde net vertrekken voor een ritje in het park en zou deze stenen hier neerleggen, maar de kamer was bezet.'

In plaats van hem achterdochtig aan te kijken, wat best had gekund want hij maakte de zak net dicht en er lag een cirkel van stof aan zijn voeten in de slaapkamer, lachte Beryl. Geen giecheltje, maar een schaterlach zodat ze haar hand voor haar mond moest houden voor het fatsoen.

'Beryl,' zei Peter, en er klonk een nieuwe toon door in zijn stem, bijna alsof hij een vaderfiguur was en niet een oudere broer. Hij zette twee grote stappen in de richting van zijn zus. Ze kwam nauwelijks tot zijn borst en Peter, met in zijn ene hand nog de zak, pakte met zijn vrije hand de hare. 'Dit was een streek van je, hè?'

'En hij heeft gewerkt!' Ze lachte weer, dit keer weliswaar ingetogener met Peter zo dichtbij. Uiteindelijk keek ze van haar broer naar Cosima en zette een stap de kamer in, dichter naar Cosima toe.

'Ik ben je een excuus schuldig, Cosima,' zei ze, en hoewel haar woorden oprecht klonken, lachten haar ogen. 'Ik wist best dat mijn broer gisteravond thuis zou komen en ik hoopte dat hij hierheen zou gaan, zoals zo vaak als hij fossielen verzamelt. Daarom heb ik je deze kamer gegeven. Zeg eens, jullie hebben elkaar gisteravond ontmoet, hè?'

Peter gaf Cosima geen kans om antwoord te geven. 'Beryl, als ik juffrouw Escotts belangen niet voor ogen had, zou ik je nu meteen naar beneden sleuren om je verachtelijke streek aan moeder op te biechten.' Peters stem klonk strenger dan Cosima had verwacht. 'Weet je wel dat ze het doodsbang op een gillen had kunnen zetten vannacht?'

Beryl pakte Cosima's hand in de hare. Ze had nog steeds een recalcitrante glimlach op haar gezicht, maar de blik in haar ogen toonde het eerste spoortje boetvaardigheid. 'Daar heb ik niet aan gedacht. Ik dacht gewoon dat het een leuke manier was voor jullie tweeën om elkaar te ontmoeten. Ben je niet boos?'

Cosima klopte op Beryls hand. 'Nou, als ik geweten had dat het door jouw toedoen was toen ik in een hoekje weggescholen zat te wachten tot je broer wegging, was ik wel een beetje chagrijnig geweest. Maar ik ben niet echt boos.'

Beryl lachte weer. 'Maar het *was* leuk, hè? Zelfs schuilen in een hoekje?'

'Je bent al net zo erg als Christabelle,' zei Peter beschuldigend. 'Ik dacht altijd dat zij de grappenmaker was.'

'Nee, zij is alleen degene die wordt betrapt.'

Cosima nam Peter nogmaals op terwijl hij de zak

over zijn schouder hees. Ze wist dat hij op het punt stond te vertrekken, maar iets zei haar dat ze hem niet kon laten gaan zonder hem te vertellen waarom ze hier was. Ze moest het hem vertellen, want er was iets in zijn ogen geweest... of misschien had ze het zich verbeeld omdat ze het *wilde* zien. Hoe dan ook, ze voelde zich gedwongen te spreken.

'Dus u bent Reginalds vriend, lord Peter.'

Hij keek haar verbaasd aan toen hij Reginalds naam hoorde. 'Reg? Ken je Reginald?'

'Hij heeft me meegenomen uit Ierland... om met hem te gaan trouwen.'

'Met hem trouwen,' zei lord Peter zacht. Herhaalde hij haar woorden met enige teleurstelling, of was dat alleen haar eigen domme, gretige verbeelding?

Hij hing de zak over zijn schouder recht en keek van Cosima naar zijn zus. Toen glimlachte hij naar Cosima, zo snel dat Cosima dacht dat ze zich zijn onbehagen had ingebeeld. 'Gefeliciteerd, zou ik zeggen. Reginald is een kampioen, een geweldige vriend en een goeie kerel. Slim is hij. En ik moet zeggen,' voegde hij er zacht aan toe, 'dat zijn smaak in het kiezen van een verloofde onberispelijk is. Als jullie me willen excuseren, dames, ik smeer hem voordat iemand Berrie's kattenkwaad ontdekt. Goedendag.'

En hij vertrok.

Beryl lachte weer en draaide zich helemaal om naar Cosima. 'Zeg eens, wat vind je van hem?'

'Nou... hij is heel aardig...'

‘Aardig?’ herhaalde Beryl, duidelijk teleurgesteld. ‘Is dat alles?’

Vast van plan elk spoor van haar verwarrende gevoelens te verbergen, legde Cosima een hand op haar heup. ‘Nou Berrie, dat had je echt niet mogen doen. Ben je soms vergeten waarom ik hier eigenlijk ben? Om met Reginald Hale te trouwen?’

Beryls gezicht vertrok alsof ze op een citroen beet. ‘O, Reginald. Dat is niks voor jou, Cosima.’

‘En waarom niet? Hij is heel aardig voor me geweest en bovendien...’ Cosima zweeg abrupt. Ze wilde niet op de reden ingaan waarom ze zo weinig gegadigden had. Beryl zelf zou betreuren dat ze geprobeerd had Cosima aan haar broer te koppelen als ze wist van de vloek.

Beryl nam de conversatie op alsof ze niet had gemerkt dat Cosima haar zin niet had afgemaakt. ‘Cosima, kom je even bij me zitten? We kunnen hier praten zonder gestoord te worden, zeker op dit uur van de dag.’

Ze namen plaats op de chaise longue. Cosima boog naar voren, gretig om te horen wat Beryl te vertellen had, vooral als het met lord Peter te maken had.

‘Mijn broer is een fantastische man,’ zei Beryl. ‘Ik weet dat ik bevooroordeeld ben, want hij is natuurlijk mijn broer, maar misschien kan ik hem daarom juist beter beoordelen. Wie kent hem beter dan iemand die onder hetzelfde dak woont? Twee jaar geleden was hij verloofd, en die vrouw heeft hem diep gekwetst door ontrouw te zijn. Daarom toont hij opmerkelijk weinig belangstelling voor vrouwen; hij ontwijkt zelfs de balavonden waar zo veel begeerlijke meisjes zijn die maar al te graag door hem opgemerkt willen worden. Maar ik geloof dat het lang genoeg geleden is om over Nan heen te zijn. Mama en papa willen natuurlijk ook allebei dat hij trouwt – hij is de erfgenaam. Maar ik wil gewoon dat hij gelukkig is.'

'Dat wensen we allemaal voor iemand van wie we houden,' zei Cosima vriendelijk. 'Maar ik kan hem niet helpen, Berrie. Dat weet je toch wel.'

'Waarom? Je engagement met Reginald is nog niet bekend. Het is niet afgekondigd. Van wat ik gisteravond heb begrepen, geloof ik dat Reginald een betrekkelijke vreemde voor je is. Je moet je op geen enkele manier verplicht voelen om met hem te trouwen.'

Cosima schudde haar hoofd. Hoe snel zouden Beryls wensen bekoelen als Cosima simpelweg haar familiegeschiedenis onthulde. Maar ze kon het niet. Of het dezelfde trots was die in haar moeder werkte of iets anders, wist Cosima niet, maar op dat moment kon ze Beryl niet alle redenen vertellen waarom ze ongeschikt was voor haar broer.

'Ik ben hier gekomen met de afspraak Reginald beter te leren kennen, Berrie. Daar kan ik niet op terugkomen.'

'Nou, als je hem eenmaal beter kent, betwijfel ik of je nog wel met hem wilt trouwen.'

Nieuwsgierig vroeg Cosima: 'Is er iets met Reginald dat je me zou willen vertellen?'

Beryl veegde haar handpalmen af aan de lichtroze zijde van haar ochtendjas. 'Ik weet dat mijn broer en mijn ouders dol op hem zijn. Hij kan charmant zijn, dat moet ik toegeven. Maar er is iets aan hem... ik heb hem eigenlijk nooit vertrouwd.'

'Vertrouwd?'

Beryl stond op. 'Ik moet niets meer zeggen als je hem beslist beter wilt leren kennen. Ik wil je indruk niet vertroebelen en eerlijk gezegd, geloof ik dat Reginald niet anders kan dan zijn ware ik aan je onthullen. Ik hoop alleen dat het eerder vroeg is dan laat.'

Cosima glimlachte vriendelijk, in de verleiding om door te vragen, maar er kon maar één reden zijn voor Beryls woorden. 'Niet iedereen kan tippen aan het voorbeeld van je broer, Berrie.'

Zelfs Cosima wist dat, en ze had hem nog maar net ontmoet.

13

Natalie was de hele dag bezig zich te concentreren op haar verantwoordelijkheden en haar hobby's, om maar niet vol verwachting te denken aan het product dat ze die ochtend bij de drogist had gekocht. Ze werkte aan haar nieuwe idee voor het plakboek met haar vaders reisherinneringen en ontwierp steeds elke bladzijde voordat ze begon te snijden. Ze speelde met Ben, danste op hun favoriete kindermuziek en wervelde met hem in het rond tot hij lachte. Ze kookte het avondeten en stak zelfs kaarsen aan, maar Luke belde en zei dat de eigenaar Aidan de baan wilde aanbieden tijdens een etentje in het Chop House, dus hij kwam niet naar huis. Natalie voerde Ben en at haar eigen maaltijd toch bij kaarslicht op. Hij leek de vlammetjes mooi te vinden.

Toen ze net haar eten op had, ging de telefoon.

'Hoi, Daan,' zei Natalie toen ze het bekende nummer op de display zag staan.

'Je weet zeker wel waar je man is.'

'Absoluut. Bij die vent van jou.'

Dana's lach klonk als een kind op kerstochtend, opgewonden en blij. 'Wist je dat ze hem de baan gingen geven?'

'Alleen dat Luke dacht dat het zo zou gaan. De

uiteindelijke beslissing was aan de eigenaar, dus ik wilde niets zeggen voordat het een feit was.'

Dana zuchtte. 'Ik kan het niet geloven. Als je me toen we een paar weken geleden bij mam de zolder aan het opruimen waren, had gevraagd of ik had gedacht dat ik binnen een maand serieus verkering met iemand zou hebben, was mijn antwoord een heel droevig nee geweest.'

'Dus... het is serieus?'

Waarom die behoedzaamheid? Dana wist wat ze deed; ze was volwassen.

'Ik denk dat het nog een beetje vroeg is, maar eerlijk gezegd, als we op onze leeftijd nog niets geleerd hebben over verkering, dan hebben Aidan en ik een ernstig probleem.'

'O ja, jullie zijn allebei zo oud.'

'Hij is dertig; ik bijna. En ik zal je dit zeggen: we zijn het allebei zat om op jacht te gaan.'

'Dus de reserve die je had over wat je vriendin zei – dat Aidan een rokkenjager was – die is verdwenen?'

'Hij is veranderd, Naat. Zelfs Melody's man vindt dat, en hij kent Aidan al zijn hele leven. Weet je wat we hebben gedaan op de avond voor zijn sollicitatiegesprek bij Luke?'

'Wil ik het weten?'

Dana lachte weer; haar voorraad was tegenwoordig kennelijk onuitputtelijk. 'We hebben samen gebeden. Er is niets intiemer dan dat.'

'Klopt,' beaamde Natalie. Haar hart zou moeten

dansen. Natalie wilde dat haar zusje gelukkig was. Als ze blij deed, zouden de emoties misschien vanzelf volgen. 'Ik ben blij voor je, Daan. Echt waar. Ik bid dat God deze relatie voor jullie voor ogen heeft.'

'Dat doet Hij, Naat! Echt!

*

Toen het tijd was om Ben in bed te stoppen, trok Natalie hem zijn makkelijkste pyjamaatje aan en legde hem in het ledikantje. Ze liet de mobile boven zijn bedje terugglijden naar het midden, waar hij hem makkelijk kon zien. Waarom had ze hem eigenlijk opzij geduwd? Het was een leuke, kleurige verzameling eendjes met petjes, maar het ding had niet veel aandacht gekregen.

'Zie je, mannetje?' zei Natalie met een glimlach. 'Zie je de eendjes? Kom, pak ze dan. Voel maar hoe lekker zacht.'

Natalie liet een eendje naar Ben toe waggelen en hij keek ernaar en stopte zijn lievelingsvinger in zijn mond. Toen ze kwaakte en het eendje liet dansen, liet hij zijn vinger los voor een lachje.

'Zie je hoe zacht hij is, Ben?' lokte Natalie. Ze trok het eendje naar beneden, het plastic koordje uitrekkend.

Maar Ben zoog alleen maar op zijn vinger en stak zijn handje niet uit.

Natalie streelde zijn haartjes en vroeg zich af

waarom hij niet deed wat de andere kindertjes van de speelgroep als vanzelf deden. Maar er was niets mis; daar was ze zeker van. Hij glimlachte altijd en hij at zo goed. En hij zag er zo gezond uit. Natuurlijk huilde hij weleens, misschien vaker dan anderen om twee uur 's nachts, maar daar had hij zijn redenen voor. Bovendien kon niets vandaag haar goede stemming verstoren. Ze was er bijna zeker van dat ze reden had om te stralen.

'Ik houd van je, mannetje, weet je dat?' Natalie dekte hem toe met een dekentje met eendjes erop en liet de mobile in zijn gezichtsveld hangen. Ze keek om en zag Luke bij de slaapkamerdeur staan.

'Hij is blij dat hij lekker in zijn bedje ligt.' Luke kwam naar het ledikantje en gaf Ben een kus op zijn voorhoofd.

Natalie keek toe, met een brok in haar keel om de golf van liefde die ze voor hen beiden voelde.

'Misschien slaapt hij vannacht door,' merkte Luke op.

Ze knikte. 'Ik hoop het.' Natalie stak haar arm door die van Luke toen ze de kamer uit gingen. 'Hoe ging het etentje? Ik ga ervan uit dat Aidan de baan heeft aangenomen, anders waren jullie niet verder gekomen dan het voorgerecht.'

Luke maakte zijn das los. 'Alles is geregeld; hij begint volgende week.'

'Geweldig.'

'Wat, geen geschreeuw en gejuich? Jij bent degene die het hele geval in gang heeft gezet.'

'Niet. Ik opperde alleen dat je zou uitzoeken of hij belangstelling had voor de positie. De rest was aan jou en Aidan.'

Hij schudde zijn hoofd. 'Je spionagesysteem heeft goed gewerkt, lieverd. Ik dacht dat je wel een beetje enthousiaster zou zijn.'

Ze gaf het stilzwijgend toe; niettemin voelde ze een element van behoedzaamheid dat ze niet kon kwijtraken.

Natalie grijnsde. 'Ik heb denk ik wat anders aan mijn hoofd. Ik wilde er eigenlijk morgen met je over praten, maar ik weet niet of ik wel kan wachten.'

'O? Wat dan?'

'Ik heb vandaag iets gekocht.'

'O-o.'

Ze lachte. Normaal gesproken raadpleegde ze hem over grote aankopen, maar deze had niet veel gekost. 'Kom mee, dan laat ik het je zien.'

Hij volgde haar naar de slaapkamer. 'Toch niet in je sieradendoos, hoop ik? Je verjaardag is...'

Ze schudde haar hoofd. 'Nee, hoor. Het is in de badkamer.'

Hij keek perplex, maar dat duurde niet lang. Zijn wenkbrauwen schoten omhoog. Ze kon nooit lang iets voor hem verborgen houden; hij was te slim.

Natalie haalde de zwangerschapstest uit het zakje dat aan de deurknop hing. 'Ik heb hem gekocht om morgenochtend te gebruiken. Ik ben over tijd. En je weet dat ik nooit over tijd ben... behalve als...'

Luke nam haar breed grijnzend in zijn armen.

Ze lachte tegen hem aanleunend. Over zijn schouder zag ze Cosima's verlaten dagboek onder het bed uit piepen, maar zelfs dat kon haar stemming niet drukken.

Natalie had een plan om haar dwaze zorgen te verjagen. Ze was van plan om te kijken of er echt honderdvijftig jaar tussen haar en Cosima's zogenaamde vloek zat. Het was tijd om contact te zoeken met haar familie aan de East Coast om een en ander over hen te weten te komen. Als ze allemaal gezond waren, zou ze weten dat ze niets te vrezen had.

Misschien kon ze dan het dagboek laten lezen aan Luke en Dana.

14

Het spreekwoord zegt: 'Het bloed kruipt waar het niet gaan kan,' maar dat gaat niet altijd op. Ik geloof dat God vrienden tot familie kan maken, maar soms zijn familieleden helaas niet altijd vrienden. Vanavond heb ik mijn Escottfamilie ontmoet en ik was zo zenuwachtig dat ik zeker wist dat ik geen hap door mijn keel zou kunnen krijgen...

'O, mama, het wordt veel te vol!'

'Ja, ik geloof dat je gelijk hebt, Beryl,' zei lady Hamilton. Ze stonden in de koele avondwind vlak voor hun voordeur. Ze keek naar haar man. 'Het is wel waar wat Berrie zegt. Als we met ons vieren bij jou komen zitten, zijn we één grote berg onderrokken.'

Lord Hamilton was niet van zijn stuk gebracht. 'Peter is nog niet beneden. Beryl, rijd jij maar met hem mee naar de Escotts. Kom mee, schat,' zei hij tegen zijn vrouw.

'Papa, mag Cosima met mij op Peter blijven wachten? Dat vind ik zo gezellig.'

Cosima keek van Beryl naar lady Hamilton. Beryls vrolijke aanwezigheid tijdens de rit zou een prettig begin van de avond zijn. Cosima stond zichzelf niet meer dan een vluchtige gedachte toe over de vraag of meerijden met lord Peter iets te maken had met haar bereidwilligheid om Beryls uitnodiging aan te nemen.

'Ik zal het tweede rijtuig voor laten rijden. Maar,' voegde lord Hamilton eraan toe, en zijn zwarte cape zwaaide open toen hij zich op de derde trede naar hen omdraaide, 'als Peter niet over precies vijf minuten beneden is, moeten jullie zonder hem vertrekken. Hij kan beter te paard gaan dan dat Cosima te laat komt.'

'Goed, papa,' riep Beryl hem na, met een brede lach naar Cosima.

Toen ze weg waren, fluisterde Cosima tegen Beryl: 'Dit is toch niet weer een ideetje van je om je broer en mij in contact te brengen, hè?'

Beryls ogen twinkelden. 'Al was het zo, je hebt geen moeite gedaan om er onderuit te komen, toch?'

Het vroege avondlicht was nog helder genoeg om de blos te tonen die Cosima naar haar wangen voelde stijgen. Beryl legde een arm om Cosima's schouders en lachte.

'Wachten jullie op mij?' zei een diepe stem achter hen.

Cosima keek om en zag een livreiknecht een stap opzij doen om lord Peter de deur uit te laten. Met zijn donkere haar en lange gestalte stond hij in de deuropening, hij was zo knap dat hij meer ontzag dan angst inboezemde. De zwarte cape die voor zijn borst met een gesp sloot, viel open. Eronder droeg hij een zwarte broek, vest en rokkostuum. Witte handschoenen en das vormden het enige contrast.

'Ik dacht dat vrouwen mannen hoorden te laten wachten, niet andersom?' plaagde Beryl terwijl ze de trap afliepen naar het rijtuig.

Een livreiknecht trok een opvouwbaar trapje uit het chique lichte rijtuigje. Beryl stapte als eerste in, gevolgd door Cosima, die naast haar ging zitten.

'Is het niet verstandiger als jij daar gaat...' begon Beryl, maar ze zweeg midden in haar zin toen Cosima fronsend haar hoofd schudde.

'Ik dacht alleen maar aan onze jurken,' zei Beryl pruilend.

Nu lord Peter zijn plaats tegenover hen al had ingenomen, had Cosima geen tijd meer om antwoord te geven. Toen de livreiknecht de deur gesloten had en op de treeplank was gewipt, gaf de koetsier de paarden een teken en ratelden ze over de laan van verpulverde stenen.

'Dit is je eerste bezoek aan Londen, toch?' vroeg lord Peter.

Cosima knikte.

'Je moet Reginald vragen je een rondleiding te geven,' opperde hij.

'Westminster Abbey, de Tower, St. James' Palace. Je kunt het lopen als je een goede conditie hebt.'

'Ik vind het heerlijk om in beweging te zijn.'

'Eerst moet hij je meenemen door Hyde Park. Daar.' Hij wees uit het raam.

'Ben je daar vanochtend wezen rijden?' vroeg

Cosima, die zich te laat realiseerde dat ze beter niets kon zeggen over hun vroege ontmoeting, al was die geen geheim voor Beryl.

'Ja. Er is een damesruiterpad, als je wilt rijden. Beryl gaat vaak halverwege de ochtend.'

'Ik zou het heerlijk vinden,' zei Cosima.

'Je grootmoeder woont dichter bij het oude centrum van Londen.' Peters stem klonk hartelijk, alsof hij de gids was op haar door hem voorgestelde rondleiding.

'O ja... grootmoeder Escott.' Cosima voelde Peters blik op zich rusten en vroeg zich af of hij haar zenuwen opmerkte.

'Laat eens zien,' zei Beryl. 'Als alle Escotts vanavond aanwezig zijn – en het lijkt me logisch dat ze allemaal kennis met je willen maken – dan is het een hele drukte. Allereerst douairière gravin Merit Escott, je grootmoeder. Als familiestammoeder regeert ze met ijzeren vuist. Je oom John zal er zijn – hij is nu de hertog – en zijn vrouw, lady Meg. Dan tantes, ooms, neven en nichten. Het zal nog moeilijk zijn om ze uit elkaar te houden. Voor mij in elk geval wel. Heb ik je al helemaal in de war gebracht?'

Cosima probeerde te lachen. 'Ja, maar ik hoop dat het beter zal gaan als ik ze eenmaal persoonlijk heb ontmoet.'

'Als je maar geen neef voor een butler aanziet, is er niks aan de hand,' zei lord Peter met zijn diepe, volle stem, waar ze meteen rustiger van werd. 'Bij ons thuis is het aanvaardbaar om een bediende aan te spreken alsof het een mens is. Zo niet bij de familie Escott.'

'Ik heb nog een hoop te leren, hè?'

'Helemaal niet,' zei hij. 'Jij hebt één ding voor dat wij geen van allen hebben.'

'En dat is?'

'Je bent een Escott, of ze het leuk vinden of niet.'

Terwijl het rijtuig een keienstraat insloeg die langs een rij brede herenhuizen liep, bad Cosima zwijgend: *God, ik mag dan een Escott zijn, maar in de afgelopen negentien jaar ben ik in cultuur en gewoonte een Kennesey geweest. Help me vanavond de ene familie recht te doen zonder de andere te schande te maken.*

Toen ze haar ogen opendeed, zag ze dat lord Peter naar haar keek en hij glimlachte ten teken dat hij vermoedde dat ze gebeden had – en het goedkeurde.

'Zo hoort het,' zei hij zacht.

'Wat?' informeerde Beryl, die van de een naar de ander keek of ze iets gemist had.

En dat had ze ook.

*

'Juffrouw Cosima Escott,' kondigde de butler aan toen ze binnen werd gelaten in een grote salon. Ze stond alleen op de drempel, onzeker van de volgende stap. Gelukkig werden even later lord Peter en Beryl aangekondigd, dus Cosima deed een paar stappen opzij om ruimte voor hen te maken.

'Ik breng je naar je grootmoeder, want Reginald is er nog niet.' Lord Peters volle, rustige stem en zijn warme hand op haar arm bemoedigden haar onmiddellijk. Ze liet zich door hem tussen de sierlijke meubels door leiden. Ze liepen langs met brokaat beklede ottomanes en met kanten kleedjes bedekte bijzettafels, waarop lampen en schitterend gouden prulletjes en keramische luciferdozen stonden.

Cosima probeerde alles in zich op te nemen, maar er drong niet veel tot haar door vanwege de twaalf of meer gezichten die haar nieuwsgierig aanstaarden.

'Douairière Merit,' zei lord Peter toen ze een bejaarde dame bereikten die in een oorfauteuil zat als op een troon, 'mag ik u voorstellen: juffrouw Cosima Escott, uw kleindochter.'

Merit Escott leek op het eerste gezicht precies op Cosima's voorstelling van de koningin. Klein van gestalte, maar waardig. Cosima's grootmoeder was natuurlijk veel ouder dan koningin Victoria, van een leeftijd die zich niet liet verbergen met een beetje poeder. De hartvorm van haar gerimpelde gezicht met de fijne botstructuur werd geaccentueerd door twee precies dezelfde wolkjes haar die uit een plekje midden op haar hoofd ontsproten. Haar mond vormde een strenge streep, als een testament van haar meest vertrouwde mimiek. Driehoekige ogen met oogleden die aan de buitenste hoeken naar beneden zakten, onthulden bruine irissen en maar een klein stukje van het vertroebelde wit.

Cosima voelde dat haar grootmoeder haar van top tot teen opnam alsof ze een bedriegster was die haar de erfenis probeerde af te troggelen.

De douairière boog naar voren en haar trillende handen met ouderdomsvlekken grepen de gouden bol boven aan haar stok.

'Je lijkt op hem,' zei ze.

Cosima wist wie haar grootmoeder bedoelde.

'Zitten,' gebood de douairière, en onmiddellijk verscheen ergens van achter een livreiknecht die een stoel bracht. Peter was achteruit weggelopen.

'Heb je een gelukkig leven gehad in Ierland?' vroeg douairière Merit.

Cosima vroeg zich af wat ze in alle eerlijkheid kon antwoorden. Gelukkig om grootgebracht te zijn in een gezin dat anderen als vervloekt beschouwden? En toch had het Cosima nooit aan iets ontbroken. Haar vader en moeder hadden haar hele leven van haar gehouden, en ook van Percy en Royboy. Ze had nooit iets anders gekend; dat moest beslist een rol spelen in haar antwoord. Haar leven was niet ongelukkig geweest.

'Ja, ik ben gelukkig geweest,' zei ze.

'En je vader?'

Opnieuw knikte ze. 'Hij is een goede vader voor me geweest, en een goede echtgenoot voor mijn moeder.'

'Ja.' De douairière leunde achterover. Cosima zag een traan in haar ene oog en vroeg zich af of het door ouderdom of emotie kwam. 'Dat dacht ik wel.'

Cosima had talloze vragen die ze wilde stellen, maar ze wist dat dit niet het juiste moment was. Ze zou haar grootmoeder laten bepalen hoe deze avond – en wellicht hun relatie – verliep.

Even later kondigde de butler sir Reginald aan, die plichtsgetrouw naast Cosima kwam staan en formeel voor hen beiden boog.

'Reginald Hale?' zei douairière Merit, alsof haar gezichtsvermogen afnam en ze niet zeker wist of hij het was die voor haar stond. 'Ik weet weinig van u, meneer. Ik heb begrepen dat het uw wens is om met mijn kleindochter te trouwen.'

Cosima merkte op hoe ze genoemd werd. Het klonk alsof ze in bezit was genomen.

'Ja, *milady*,' zei Reginald. 'Het zou me een grote eer zijn om met een Escott – met Cosima – te trouwen.'

'Sir Reginald en ik zijn bezig elkaar te leren kennen, *milady*,' zei Cosima. Ze wilde niet dat iedereen dacht dat de bruiloft vaststond, zoals hij deed voorkomen.

Haar grootmoeder trok één wenkbrauw op, wat de driehoekige vorm van dat oog enigszins afzwakte. 'In zaken van een huwelijk dat geen verband houdt met Engels land of titel, zoals voor jullie geldt, wordt het meestal overgelaten aan de ouders of de individuen zelf. Maar omdat we zo weinig over jullie beiden weten, is in dit geval voorzichtigheid geboden. Ik stel voor dat het huwelijk nog niet afgekondigd wordt, tot ik de kwestie heb overwogen.'

Reginald boog opnieuw. 'Natuurlijk, mevrouw.'

Cosima keek Reginald aan. Als hij teleurgesteld was over alweer een nieuwe reden om hun mogelijke bruiloft uit te stellen, dan liet hij dat niet merken.

Toen werd het diner aangekondigd, en elk paar verplaatste zich naar de eetzaal, te beginnen met de huidige hertog en zijn echtgenote. De rest volgde volgens positie.

De maaltijd was overvloediger dan Cosima ooit had meegemaakt, zelfs vóór de aardappelkoorts in Ierland. Tomatensoep en schelpdieren, kruidig gebraden vlees, wild, groenten en zeebliek, kaas, gebak en vruchtenijs, dat maar een heel klein beetje zacht was, de warmte in de kamer door een razend haardvuur in aanmerking genomen. Alle smaken kwamen aan bod, van zout en kruidig tot zuur of zoet. Tien gangen, telde ze aan het eind, en had ze meer dan een beetje van alles genomen, dan was ze nu misselijk geweest.

Cosima zat tussen twee nichten in, dochters van haar vaders zusters. Geen van beiden had tot gisteren van haar bestaan geweten, dus ze waren begrijpelijk nieuwsgierig.

Eindelijk was de maaltijd afgelopen en douairière Merit stelde voor de jonge mensen te excuseren om naar de muziekkamer te gaan, om de tijd door te brengen zonder de oudere generatie in de buurt. Bijna meteen nodigde Reginald Peter uit om mee te gaan met Cosima en de rest van de neven en nichten.

Koffie en thee werden in de muziekkamer geserveerd. Even later kwam er een groep jongere kinderen binnen, kennelijk neefjes en nichtjes die in de kinderkamer hadden gegeten. Hun leeftijden lagen tussen iets meer dan een peuter tot een jaar of tien, elf. Ze werden vergezeld door twee kinderjuffrouwen, die elk klaarblijkelijk de leiding hadden over bepaalde kinderen.

'Vertel eens wat je ervan denkt, jongen,' zei Reginald tegen Peter terwijl hij in Cosima's richting lachte. 'Heb ik mezelf niet overtroffen door Cosima te vinden?'

Lord Peter glimlachte en keek naar Cosima. Kon ze maar doen alsof haar hart niet begon te bonzen en iets warms zich roerde in haar borst als ze hem zag. Maar ze dwong zichzelf naar Reginald te kijken. Hij scheen volkomen op zijn gemak, en vrolijk in hun gezelschap.

Alsof hij Cosima's gedachten kon lezen, legde Reginald een hand op Peters schouder en de andere op Cosima's onderarm, zodat ze met z'n drieën verbonden waren. 'Jullie zijn de twee belangrijkste mensen in mijn leven. Ik wil graag dat we met elkaar optrekken.'

Van achter Peter kwam haar nichtje Rachel met haar verloofde naast haar staan. Hij was een beetje langer dan zij, maar Peter torende boven alle aanwezige mannen uit. Rachel, stelde Cosima vast, leek op haar grootmoeder. Geen klassieke schoonheid, maar aantrekkelijk met hoge jukbeenderen, een volle mond en een hartvormig gezicht. Haar smalle neus was haar enige mindere trekje, maar dat zag je makkelijk over het hoofd als ze eenmaal glimlachte.

'Nicht.' Rachel nam Cosima's handen in de hare en kuste haar op de wang. 'Eindelijk ontmoeten we elkaar.'

Reginald boog dichter naar Cosima toe. 'Als Rachel er niet was geweest, had ik nooit de kans gekregen je te ontmoeten, Cosima.'

Cosima keek Rachel aan. 'Ja, daar was ik nieuwsgierig naar, want het schijnt dat geen van mijn andere neven en nichten van mijn bestaan afwist, tot een paar dagen geleden.'

Rachel lachte. Haar lach was niet aanstekelijk zoals die van Christabelle, noch spontaan zoals die van Beryl, maar eerder bestudeerd.

'Je zult merken, Cosima, dat ik van al je Engelse neven en nichten de rijkste bron ben. In de hal hangt een portret van jouw vader met mijn vader, en ik heb me altijd afgevraagd wat er geworden was van dat jongetje dat zo veel op onze opa leek. En ik ben het te weten gekomen.'

Cosima wilde weten hoe, maar er kwamen anderen naar haar toe en de kans op een persoonlijk gesprek was verkeken.

Algauw ging Rachel achter de piano zitten; ze begeleidde zichzelf in een reeks populaire liedjes. Reginald bleef bij Cosima, maar hij praatte meer met Peter dan met haar. Ze was blij dat Beryl bij haar kwam, die haar zachtjes hielp van een afstand namen bij gezichten te zoeken.

Iedereen klapte toen Rachel haar repertoire had afgerond – tot ze opstond en vlak voor Cosima kwam staan. Hoewel ze glimlachte, was er iets in haar ogen dat Cosima nooit op zich gericht had gezien. Een vaste, strakke blik die vriendelijk leek en tegelijkertijd uitdagend was.

'Het is jouw beurt, nicht,' zei ze. 'Wil je ons laten zien wat ze de jonge vrouwen van Ierland leren?'

Ergens in de kamer klonk gegniffel, en Cosima wilde kijken waar het onbeleefde geluid vandaan kwam, maar ze durfde haar blik niet los te maken van Rachel.

Rachel nam Cosima's hand in de hare en nam haar mee naar de piano. 'Je speelt toch zeker wel? Ik kan me geen Escott voorstellen die ongeschoold is in de muziek. Al heeft je vader dan de familie in de steek gelaten, hij zal de juiste omgangsvormen toch niet hebben laten vallen. Kom, ga zitten en laat ons horen wat Ierland kan.'

Had Cosima geweten dat ze op moest treden, dan was haar avond al bedorven geweest voordat hij begon. Ze ging zitten en nam even de tijd om een keuze te maken. Ze dacht meteen aan ingewikkelde stukken om de beste leerling van haar Ierse leraar uit te hangen, maar een andere gedachte, niet van haarzelf, kwam in haar op toen ze langs Rachel heen naar lord Peter keek, die niet ver achter haar stond. *Trots dient niemand.* Zeker niet de Ene die ze dienen moest.

En dus koos ze een eenvoudige oude ballade met een pakkende melodie, die geleidelijk aan een vrolijke toon kreeg. Cosima sloot haar ogen en stelde zich voor dat ze weer thuis was, gezellig in de woonkamer met haar ouders en Royboy. Royboy bleef zelden lang naast haar zitten, behalve wanneer ze piano speelde. Het was een van de weinige dingen waar hij stil van werd.

Toen Cosima uitgespeeld was, begon iedereen te klappen, zodat ze weer in Engeland terugkeerde. Ze glimlachte en keek het eerst naar Peter, die blij keek. Een beetje laat keek ze naar Reginald, die uitbundig stond te applaudisseren.

Ze wilde opstaan, maar Rachel kwam weer naar voren en wuifde haar terug naar de pianokruk. 'Je publiek is verrukt, Cosima! Natuurlijk moet je nog iets spelen. En kun je zingen?'

Onwillig om nog langer in het middelpunt van de belangstelling te staan, nam Cosima de plaats niet meteen in. In plaats daarvan keek ze weer in de richting van Peter en Reginald. Ze wist dat een verstandige vrouw de goedkeuring zou zoeken van de man die met haar wilde trouwen, maar haar blik ging eerst naar Peter. Op dat moment zag ze alleen maar warmte, een verlangen om meer muziek te horen.

Cosima ging weer zitten en Rachel boog zich over haar heen met een arm om haar schouder. 'Wie had kunnen denken dat Ierland zo'n pianiste kon voortbrengen?'

'Ierland heeft haar niet voortgebracht,' zei een andere stem van achter Cosima. Ze hoefde dit keer niet te kijken; de stem was van Walter, Rachels oudere broer, de toekomstige hertog. 'Ze is half Engels, hoor.'

Rachel glimlachte alsof de woorden luchthartig en onschuldig waren, maar Cosima voelde de hatelijke sneer naar haar geboorteland. Meteen wist ze welk lied ze moest zingen.

Haar stem was helder en vast, zuiver de melodie volgend die van haar vingertoppen over de pianotoetsen vloog. Als ze zich meer tijd had gegund om te overwegen welk lied ze ging uitvoeren, had ze een ander gekozen. Maar de Gaelic woorden zeiden deze mensen niets, dus ze zong vol overtuiging.

Het applaus aan het eind leek luider dan daarstraks en toen Cosima opkeek, zag ze dat de rest van de dinergasten zich bij hen had gevoegd. Ze stond op en vermeed oogcontact met Rachel, die haar weer zou kunnen vragen om te zingen.

'Cosima.'

Hoewel er in de ruimte druk werd gepraat, naderde ze haar grootmoeder toen ze geroepen werd.

'Je hebt een prachtige stem,' zei haar grootmoeder. 'Ik zou graag willen dat je nog eens op bezoek kwam om voor me te zingen. Maar dat lied... in de taal van je vaderland. Wij horen liever Engels, want uit Ierland kan niet veel goeds voortkomen.'

Cosima slikte moeilijk. 'Ik geloof dat die woorden eens gezegd zijn over een Nazarener.'

Achter zich hoorde ze iemand naar adem happen. De douairière trok een wenkbrauw op en verstrakte in haar stoel. 'Wat betekenden de woorden van je lied?'

Cosima vouwde haar handen en keek naar de grond. Heel even stond ze in de verleiding om te liegen, te zeggen dat ze de woorden wel had geleerd, maar niet de betekenis. Ze had dat lied niet moeten kiezen, en nu moest ze de prijs betalen.

'Het is een klaagzang, *milady*.'

'Een klaagzang? Waarom zou iemand van jouw leeftijd een klaagzang willen zingen?'

'Het lied is een gebed: het smeekt onze liefdevolle God te denken aan de verworpenen, de onderdrukten, omdat onze Heiland zelf werd verworpen door degenen die aan de macht waren.'

De politieke impact ontging de douairière niet. Haar driehoekige ogen gingen heel even wijdopen, alsof ze schrok. Maar het lied had voor Cosima nooit een politieke lading gehad. Het was eerder een smeekbede om Gods bescherming voor haar broer Royboy en anderen zoals hij, tegen die gezonde leden van de maatschappij die misbruik van hen probeerden te maken. Al had de dichter een verborgen politieke agenda gehad, voor Cosima was de tekst meer een persoonlijke expressie.

'Wie heeft je zo'n lied geleerd, kind?' wilde douairière Merit weten.

'De dichter zelf, *milady*.'

'Een dissident natuurlijk. Wie was het, meisje?'

Cosima rechtte haar schouders. Een dissident, inderdaad. 'Mijn vader.'

De zware oogleden gingen heel even helemaal dicht en toen ze weer opengingen, keek douairière Merit vermoeid. 'Ik had gedacht je hier bij mij te laten logeren. Maar ik zie wel dat je erover moet nadenken wat het voor je zou betekenen om het voorrecht te hebben om hier te logeren. Voorlopig is het beter als alles blijft zoals het is, totdat ik je ontbied. Dit bezoek is afgelopen.'

De douairière stond op, zwaar leunend op haar stok, en liep de kamer uit, een pijnlijke stilte achterlatend.

Eerst werden de capes van de familie Hamilton gebracht. Het moest voor de anderen even duidelijk zijn als voor Cosima: ze had de avond bedorven.

'Gaan we net zo naar huis als we gekomen zijn?' vroeg Beryl toen ze naar de hal liepen. Haar stem was luchtig als altijd, alsof er niets onaangenaams was gebeurd.

'Nee, Beryl,' zei haar vader. Lord Hamilton keek naar Cosima. 'Ik zou je graag even willen spreken, Cosima. Beryl, jij en je zus nemen het rijtuig waarmee Peter en jij gekomen zijn. Ik wil Peter ook graag bij ons hebben.'

Cosima werd in een rijtuig geleid naast lady Hamilton. Ze kreeg nauwelijks de kans om Reginald gedag te zeggen, die beleefd op haar hand klopte, maar zijn toon onthulde zijn teleurstelling.

In het rijtuig werd de stilte alleen onderbroken door het bonzen in Cosima's oren, haar bloed pompte te snel en te hard. Ze besefte dat ze haar grootmoeder geërgerd had, maar voelde weinig berouw. Maar als ze ook de Hamiltons geërgerd had, dan zou ze het *wel* betreuren. 'Het spijt me erg als mijn handelingen u of uw familie in verlegenheid hebben gebracht, lord Hamilton.'

De punt van zijn snor trilde. 'Nee, Cosima,' zei hij vriendelijk. Hij keek meer verdrietig dan beledigd. 'Jij bent degene die een slechte dienst bewezen is. Eerst door je eigen vader en toen door Reginald en tot slot door mijn familie.'

Cosima was verrast en zei niets. Hoe hadden zoveel mensen haar in de steek kunnen laten terwijl zij het was die de verlegenheid had veroorzaakt?

'Ik kan alleen maar gissen dat je vader zijn redenen had om je de details te besparen van zijn leven hier in Engeland. Reginald kan natuurlijk geëxcuseerd worden dat hij je niet heeft gewaarschuwd omdat hij wellicht niet bekend is met je familie, wat ik beslist wel ben, evenals mijn vrouw. Hoewel ik mijn vrouw moet verschonen, want zij durft niet goed ernstige onderwerpen aan te snijden. Daarom

Cosima, ben ik degene die zich moet verontschuldigen. Ik heb je slecht voorbereid het hol van de leeuw binnen laten gaan.'

'Ik ben bang dat ik u niet begrijp,' zei ze.

'Mijn zoon en ik,' zei lord Hamilton, met een blik naar Peter naast hem, 'zijn lange tijd een paar muggen geweest in je grootmoeders oor.'

Lord Peter, die recht tegenover Cosima zat, lachte haar toe. 'We hadden je moeten vragen wat je van je familie wist, je niet simpelweg in hun midden mogen gooien en verwachten dat je er zonder kleerscheuren vanaf kwam. Je familie is...' Ineens zweeg hij, keek van Cosima naar zijn moeder, toen naar zijn vader en ten slotte weer naar Cosima. 'Daar heb je het, Cosima – de reden dat niemand van ons iets heeft gezegd. Het is moeilijk om informatie in een vriendelijk licht te stellen als je weinig vriendelijke woorden te gebruiken hebt.'

'Mijn grootmoeder kan moeilijk zijn?'

Lord Hamilton lachte. 'Jouw lied, al was het alleen om te vermaken, *kon* politiek geïnterpreteerd worden. En de douairière is sterk vóór Engelse overmacht, overal waar de vorstelijke macht ook maar reikt.'

'Je grootmoeder,' kwam lord Peter tussenbeide, 'heeft mijn vader eens – even kijken of ik het me correct herinner – een enkele, irritante steile haar in een weelderige bos krullen genoemd. Ze had in zoverre gelijk dat mijn vader staat voor wat hij gelooft, ook wanneer het niet populair is, maar dat ze het in het openbaar zei, overschreed een duidelijke grens. Ze zal wel denken dat een van ons ketterse Hamiltons je ertoe heeft aangezet een lied te zingen dat in haar opvatting ons glorieuze Engeland in een slecht daglicht stelt.'

'O... het spijt me zo dat ik...'

Lady Hamilton gaf een kneepje in haar hand. 'We zijn niet uit op een verontschuldiging, kind. We hadden moeten beseffen dat het je in een ongemakkelijke positie heeft geplaatst dat je bij ons logeert.'

Cosima zuchtte. 'Als ik in een ongemakkelijke positie verkeer, dan zou ik zeggen dat mijn vader de basis daarvoor heeft gelegd.'

'We hoeven het er verder niet over te hebben,' zei Peters vader. 'Morgen geeft iemand anders de mensen weer iets om over te praten.'

Lady Hamilton knikte. 'Ja, zet het uit je hoofd, kind.'

Dat was makkelijker gezegd dan gedaan, dacht Cosima.

15

Natalie en Luke ontbeten die ochtend feestelijk voordat hij met een bijzonder gulle glimlach naar zijn werk verdween. Over ongeveer acht maanden zouden ze gezinsuitbreiding krijgen. Toen Luke weg was, maakte Natalie een afspraak met haar verloskundige, en ging vervolgens aan haar dagelijks werk: Ben voeden en aankleden, een paar kamers schoonmaken, hem een boekje voorlezen en een wandeling met hem maken in de zon.

Toen ze halverwege de ochtend terugkwamen, verschoonde ze zijn luier en zette klassieke muziek op voor Ben om van te genieten vanaf zijn dekentje op de grond. Zoals gewoonlijk omringde ze hem met duur speelgoed en rammelaars, maar hij zoog liever op zijn vinger.

Het was tijd. Tijd om iets te doen wat ze al dagen van plan was, maar had uitgesteld.

Natalie had er niets over tegen Luke gezegd en had zelfs een paar smoesjes bedacht om het telefoonnummer op de kop te tikken dat ze op het punt stond te kiezen. Haar moeder dacht dat Natalie alleen een paar namen uit de familiebijbel wilde controleren en een paar data verifiëren.

Dat was inderdaad waar.

Toen ze het stukje papier met het nummer uit de

keukenla haalde, zag ze dat haar handen beefden. Waarom zenuwachtig zijn? Dit was het telefoonnummer van tante Virg. De schoonzus van haar vader, de vrouw die meer dan veertig jaar getrouwd was geweest met Natalie's oom Steve, tot zijn dood bijna vijftien jaar geleden.

Het contact tussen de twee familietakken bleef beperkt tot een kerstkaart. Van zo'n kerstkaart had Natalie's moeder tante Virgs telefoonnummer opgeschreven.

Hoewel Natalie tante Virg en oom Steve als kind bij enkele gelegenheden had ontmoet, herinnerde ze zich hen maar vaag. Haar vader scheelde twaalf jaar met zijn oudste broer, en leeftijd en afstand hadden Natalie en Dana ervan weerhouden hen, of hun neven en nichten, goed te leren kennen.

Natalie slikte en zag lichtelijk geërgerd dat haar handen nog steeds trilden, ondanks haar kalmerende gedachten. Ze wilde echt een paar namen en data verifiëren. Bovendien had ze tante Virg iets te bieden als Luke de familiestamboom had gemaakt. Natalie kon haar een exemplaar toesturen.

Dus waarom was ze zo zenuwachtig?

Er was geen twijfel aan. Ze had één vraag voor haar tante en ze wist niet zeker of ze het antwoord wel wilde horen. Had ze kleinkinderen die... traag waren?

Hoe kon Natalie zo'n vraag stellen?

En toch, met haar hand op haar platte buik waar het wonder van nieuw leven al groeide, wist ze dat het precies was wat ze vragen moest... hoe dan ook.

Natalie geloofde niet in een vloek, maar ze geloofde wel in erfelijkheid. Als er honderdvijftig jaar geleden iets in Cosima's genetische opbouw had gezeten, kon dat dan al die jaren overleefd hebben?

Natalie schudde haar hoofd. Natuurlijk niet. Dana en zij waren het levende bewijs dat er genetisch gezien niets mis was. Haar vader was ook volkomen gezond geweest, en zijn broer ook. En hoewel Natalie haar neven en nichten als kind maar een paar keer had ontmoet, kon ze zich niet herinneren dat een van hen een cognitief probleem had gehad. Allemaal waren ze het bewijs dat Cosima's zogenaamde vloek lang geleden gestorven was.

Tante Virg zou het vast heerlijk vinden om over haar familie te praten. En ze zou waarschijnlijk elke informatie verwelkomen die Natalie haar kon verschaffen over de familielijn van haar echtgenoot... mits Natalie de details wegliet over Rowena en wat ze had gedaan.

Natalie koos het nummer.

'Hallo?' De stem klonk broos, maar luid.

'Tante Virg? Met Natalie Ingram... maar u kent me misschien als Natalie Martin, uw nicht uit Chicago.'

'Chicago? O, Natalie... ben jij dat?'

Opgelucht sloot ze haar ogen. Ze zou zich in elk geval niet hoeven voorstellen alsof ze een vreemde was.

'Ja, met mij. Hoe gaat het met u?'

'O, matig tot redelijk, zoals ze zeggen. Ik mag niet klagen, ik ben achtenzeventig en nog springlevend.'

'Ik ben blij dat te horen. Mijn moeder zei dat ze uit uw laatste kerstkaart had begrepen dat u het naar uw zin had in uw nieuwe huis. Nog steeds, hoop ik?'

'Ja, hoor. Je moet het aan niemand vertellen, maar eigenlijk is het een bejaardentehuis.' Ze lachte en die lach klonk meteen vertrouwd. 'Pas maar op, kind; het is zover voordat je het weet. De ouderdom! Maar toch is het hier wel aardig. Als ik geen zin heb om te koken, ga ik naar beneden naar het restaurant. Het eten is natuurlijk niet zo best, maar dat maken de mensen weer goed. We klagen samen. Gedeelde smart is halve smart, zie je.'

Natalie lachte. Dit was toch niet zo moeilijk? Tante Virg was even vriendelijk als altijd.

'Ik bel omdat ik bezig ben een familiestamboom samen te stellen van mijn vaders kant. Ik heb heel wat namen van vroegere geslachten, maar ik weet niet veel van de tak van oom Steve. Ook ben ik op zoek naar de geboortedata van uw kinderen en hun echtgenoten en de namen van hun kinderen.'

'Allemensen! De namen ken ik wel, maar ik weet niet of ik alle data op een rijtje heb. Ik zal mijn dochter Elizabeth moeten vragen me daarbij te helpen, dan kunnen we je een lijstje sturen. Is dat goed?'

Natalie verdrong haar teleurstelling, het was een redelijk verzoek, maar ze wilde het gesprek op gang houden. 'Dat zou geweldig zijn... maar zou u me iets over uw familie willen vertellen zodat ik weet hoeveel ruimte ik ongeveer nodig heb? Ik weet dat u en oom Steve vier kinderen hadden – twee dochters en twee zoons. Zijn ze allemaal getrouwd?'

'Ja, alweer een heel tijdje geleden.'

Als haar neven en nichten verantwoordelijk genoeg waren om te trouwen, waren ze stellig even gezond als Dana en zijzelf. Dat was een goed begin. 'En hebben ze kinderen gekregen?'

'O, ja. Ik heb zeventien kleinkinderen, volgens de laatste telling.' Ze lachte weer en Natalie hield de telefoon een eindje van haar oor, om hem weer terug te leggen toen tante Virg weer begon te praten. 'Maar dat zal niet meer gaan veranderen, want mijn kinderen zijn zelf al opa en oma.'

'Dus van die zeventien kleinkinderen zijn sommigen achterkleinkinderen?'

'Nee, nee. Ik heb vier achterkleinkinderen en eentje onderweg.'

Natalie tekende een rechthoek om tante Virgs telefoonnummer om haar vingers bezig te houden, al trilden ze niet meer. Ze werd met de minuut kalmer. 'Dus de Martin-tak is groter dan ik verwacht had. Wilt u een exemplaar van de informatie als ik alle gegevens verzameld heb?'

'Dat zou ik enig vinden. De familie zal het ook graag willen bekijken.'

Er viel Natalie een nieuwe gedachte te binnen. 'Misschien kan ik een soort notitieboek samenstellen, met een lijstje van beroepen van de volwassenen en activiteiten waar de kinderen zich mee bezighouden. Ik kan hobby's noemen... gewonnen prijzen... dat soort dingen.'

'Prachtig, Natalie! Wat enig voor het nageslacht. Elizabeth kan je op dat gebied ook helpen. Tjonge jonge, het is veel te moeilijk voor mij om alles te onthouden wat mijn kleinkinderen doen. Ze zijn natuurlijk allemaal dol op sport, de meisjes evengoed als de jongens. Honkbal, basketbal, voetbal – noem maar op. Ze spelen allemaal wel wat.'

Natalie's hart nam een vlucht. Hand-oog coördinatie ging niet bij iedereen als vanzelf. 'Een gezond stelletje dus.'

'Ja, hoor. Onze familie is gelukkig gezegend met een uitstekende gezondheid. Ik geloof dat één kleinzoon astma had, maar hij is eroverheen gegroeid en nu speelt hij in het universiteitsvolleybalteam.'

'De universiteit, ja...' Gretig om in deze geest verder te gaan, probeerde ze de opwinding uit haar stem te weren. 'Eens kijken... ik zou een lijst kunnen maken van de verschillende opleidingen. Hebben uw kleinkinderen allemaal gestudeerd?'

'Op eentje na, die komt dit jaar van de middelbare school af.'

'Gaat hij ook studeren?'

'Ja, hij is aangenomen op de Universiteit van New York. Het wordt wel een heel familiegrootboek als je dat er allemaal bij wilt zetten! Erg aardig van je, Natalie. En hoe zit het met het stel van oom Henry? Weet je nog dat je vader een oom Henry had?'

Natalie's hersenen werkten op volle toeren bij die onverwachte hulp. Misschien kon ze zichzelf nog een telefoontje besparen. 'Ik heb hem nooit ontmoet, maar er wordt inderdaad een Henry Grayson genoemd. Ik had willen vragen of u iemand kende die ik zou kunnen bellen. Hij is een tijd geleden overleden.'

'Ja, meer dan dertig jaar geleden. Hij had drie kinderen voor zover ik weet. Nou, die zijn ook niet jong meer! Wist je dat een van zijn kinderen lid van het huis van afgevaardigden is geworden? Een neef van je vader. Hij is nu met pensioen.'

'Misschien kan Elizabeth me wat informatie over hen sturen, als u dat hebt.'

'Vast wel. Ze zijn niet zo talrijk als mijn troepje, maar met de politiek en grote zakenondernemingen zullen ze het wel te druk hebben gehad om veel kinderen te krijgen.'

'Maar zijn ze allemaal gezond, voor zover u weet?'

Tante Virg aarzelde. Misschien was Natalie te ver gegaan, had ze te veel laten merken.

'Ja, hoor. Nou ja, behalve dan die arme Abigail, je vaders nicht van Henry. Longkanker. En jong toen ze stierf – achtenvijftig pas.'

Nooit eerder had Natalie het woord *kanker* zo prettig in de oren geklonken. 'Er is nog één naam die mij onbekend is, tante Virg. Hebt u Ellen Dana gekend?'

'Hmm... ja, natuurlijk. Een heel droevig verhaal.'

Natalie weigerde haar opgeruimde stemming te laten bederven. Een droevig verhaal? Hoe droevig kon het zijn als alle andere leden van haar verre familie gezond waren?

Maar tante Virg was aan het woord en Natalie dwong zich weer te luisteren. 'Ellen Dana was de zus van je grootmoeder. Toen hun moeder stierf, was je oma een jaar of zeventien en ze had plannen om te gaan studeren. Ellen Dana was jonger, een jaar of tien of zo; ik weet het niet precies. Hun vader vond dat hij niet zo'n jong meisje in huis hoorde te hebben zonder moeder. Het was een andere tijd, zie je. Toen je oma ging studeren, stuurde hij Ellen Dana naar kostschool. Ik weet echt niet meer precies hoe het zat, en ze is tamelijk jong gestorven. Aan longontsteking, geloof ik. Of was het nou polio? Dat was voordat ik in de familie kwam. Ik heb haar nooit ontmoet. Heeft je vader nooit iets over zijn tante Ellen gezegd?'

'Alleen dat mijn zus, Dana, naar haar genoemd is.'

'O ja, dat was ik vergeten. Dat was een erg mooie gedachte.'

'Dus u hebt Ellen Dana nooit ontmoet? Weet u niet waar ze naar school ging?'

'Nee, het spijt me. Steve heeft nooit over die tante gesproken. Eerlijk gezegd weet ik niet of hij haar zelfs maar ontmoet heeft.'

Natalie keek naar haar lijstje. 'Ik heb haar geboortedatum... 1941. Dat is hetzelfde jaar waarin mijn vader is geboren.'

'Je hebt gelijk, Natalie. Hij was twaalf jaar jonger dan mijn Steve, en die is geboren in 1928.' Ze zuchtte. 'Ik denk dat Martha daarom de naam Ellen Dana noemde tegen je vader. Misschien vond ze dat ze een soort verband hadden... omdat zij stierf in het jaar waarin hij geboren werd.'

'Misschien wel.' Natalie wist dat ze voorlopig alles te weten was gekomen wat ze kon. Ze schraapte haar keel. 'Het zal een hoop werk zijn voor Elizabeth om die informatie te vergaren. Heeft ze daar wel tijd voor?'

Tante Virgs schaterlach doorboorde Natalie's trommelvlies weer. 'Als je Elizabeth kende, zou je dat niet vragen. Die is zo georganiseerd, ze heeft vast en zeker alle namen en data, hobby's en studies in die computer van haar staan. Wat ze eventueel niet zomaar weet, stuurt ze wel via die e-mail die jullie jongelui almaar gebruiken.'

'Prima,' zei Natalie.

'Ik zal je adres opschrijven en Elizabeth alles op laten sturen wat je zoekt. Wat een aardig gesprekje, Natalie! Elizabeth zal dolgelukkig zijn dat ze je kan helpen.'

Natalie wilde zichzelf niet dolgelukkig noemen, maar *buitensporig opgelucht* kwam aardig in de buurt.

16

Ik heb onder vrienden en familie lange tijd bekend gestaan als iemand die een hekel heeft aan geheimen. En nu heb ik reden om er zelf een paar te bewaren. Snel en makkelijk groeit de fantastische vriendschap met Berrie, maar ik heb haar weinig over mezelf verteld. Maar hoe kan ik ooit de waarheid bekendmaken? Over Royboy, Percy, oom Willie? Ik zie al voor me hoe ontzet Berrie zou kijken. Ze is misschien te aardig om me heel anders te gaan behandelen, maar hoe zou haar mening over mij niet kunnen veranderen? Ik ben ongewoon in mijn omstandigheden. Als zo'n geheim eenmaal bekend is, is het voor altijd bekend, onmogelijk te vergeten of te negeren. Eerst zal ze zich misschien afvragen of mijn vloek besmettelijk is. Daarna zal ze zich afvragen of ik zelf naar onevenwichtigheid neig. En het ergste is dat ze misschien medelijden met me zal hebben.
En daarom houd ik mijn mond...

Cosima volgde Beryl door de gang. Was haar stap ongewoon snel, haar stem ongewoon geanimeerd? Maar Cosima overtuigde zichzelf dat ze Beryl niet goed genoeg kende om te weten of er iets aan de hand was. Ze was vaak levendig, dat maakte haar gezelschap zo aangenaam.

'Ik wil je het enige interessante ding aan dit huis laten zien.'

'Het enige?' herhaalde Cosima, die Beryl verbaasd aankeek. 'Maar er zijn hier zoveel interessante dingen, Beryl. De terrastuinen, het geschilderde plafond in de eetzaal, de volière...'

'Goed, voor iemand die niet *elk* Londens seizoen van haar leven hier heeft doorgebracht, is het niet de saaiste plek op aarde. Misschien druk ik me verkeerd uit. Er zijn eigenlijk twee interessante plekken. De ene ga ik je nu laten zien, de andere is beneden. Hoewel ik die kamer beneden niet bepaald *interessant* zou noemen... eerder fascinerend, zoals een ongeluk waar je je ogen niet van af kunt wenden. Maar dit...'

'Weet je wel dat je nu net als Christabelle klinkt, zoals je doordraaft?'

Beryl glimlachte, maar zei: 'Je hoeft me niet te beledigen, liefje. Hoe laat is het?'

Die merkwaardige vraag verraste Cosima, maar niettemin keek ze op de horlogespeld die op het lijfje van haar beige met wit gestreepte japon was vastgemaakt. 'Bijna vier uur.'

'Bijna, maar nog niet helemaal?' vroeg ze, alsof dat verschil maakte.

Cosima knikte.

'Perfect. Kom dan mee naar de bibliotheek.'

Cosima schudde haar hoofd om Beryls eigenaardige, maar luchthartige gedrag. Ze kon zich niet voorstellen waarom Beryl haar meenam naar de bibliotheek. Ze was er al geweest met Beryl en Christabelle, en hoewel het een prachtige, goed gevulde ruimte was, was hij niet bepaald nieuw voor Cosima.

De bibliotheek lag aan de achterkant van het grote huis. Net als de rest van het huis was hij lang en smal, en de hoogte van het plafond gaf een gevoel van ruimte. Zelfs de planken rezen omhoog tot bovenin, een ladder gaf toegang tot de boeken op de bovenste planken.

De deur stond uitnodigend open, maar toen ze binnen waren, deed Beryl hem stijf dicht. Ze draaide zich naar Cosima om met een opgewonden, ernstige blik. 'Je moet me beloven dat het geheim blijft wat ik je ga laten zien.'

'Wat doe je toch geheimzinnig, Beryl!'

Beryl pakte Cosima's hand vast. 'Beloof het, Cosima.'

Cosima keek haar vriendin aan en bespeurde haar ernst. 'Natuurlijk, Berrie. God is mijn getuige; meer hoef ik niet te zeggen zodat je weet dat ik woord zal houden.'

'Ik ga je iets laten zien waar alleen mijn familie van afweet. Ik weet niet of mijn vader het wel goed zou vinden dat ik het aan je laat zien, althans nog niet, maar hij heeft niet zo'n vooruitziende blik als ik en hij begrijpt niet helemaal dat ik je als een zus beschouw.'

'Je bent voor mij ook als een zus, Berrie.'

'Kom mee.'

Beryl bleef Cosima's hand vasthouden en liep naar een van de planken achterin. Ze raakte een fors boekdeel aan, maar in plaats van het van de plank te pakken, kantelde ze het opzij en reikte erachter om iets opzij te laten glijden. Het klonk als steen, helemaal niet als het eenvoudige hout dat daar hoorde te zitten. Hetzelfde deed ze met een boek aan de andere kant van dezelfde plank.

Even later deed ze een stap opzij en duwde tegen de omlijsting. Tot Cosima's verbijstering zwaaide het hele schap, dat zo breed was dat ze er met z'n tweeën tegelijk in konden staan, open alsof het een deur was in plaats van een houten paneel met boeken.

'Mijn opa heeft deze kamer aan laten bouwen na de opstand in Frankrijk in '89,' fluisterde Beryl, alsof haar ouders haar konden horen.

Cosima merkte het en zei: 'Berrie, als dit echt een soort familiegeheim is, moet je het me niet laten zien. Laten we weggaan, ik zal vergeten dat ik het ooit gezien heb.'

Beryl trok aan Cosima's hand, die ze nog in de hare had. 'Het kan geen kwaad, heus niet. Ik wil het je laten zien.'

'Maar...'

Maar Beryl liep al door en Cosima had weinig keus dan te gehoorzamen, zeker toen Beryl een kaars van de muur pakte, hem aanstak en het paneel achter hen dichtdeed. Cosima had geen idee hoe het paneel weer open moest. Ze was blij dat ze niet bang was voor opgesloten zijn, want dan was dit precies de juiste plek om in paniek te raken.

Ze daalden een trap af langs een smalle stenen gang die opmerkelijk stofvrij was, maar wel een beetje bedompt. Cosima kon niet zeggen hoe diep de gang was, aangezien het kaarslicht niet verder dan een paar stappen naar voren reikte. Ze bleef dicht bij Beryl en kon haar nieuwsgierige opwinding niet onderdrukken. Ze voelde zich net een kind dat een plaats verkende die alleen bedoeld was voor een club waar zij beslist geen lid van was.

'Buiten de familie weet alleen Claude Seabrooke, mijn vaders persoonlijke bediende, van deze ruimte. Zijn familie werkt al vijf generaties lang als lijfknechten voor de Hamiltons, dus hij is te vertrouwen. Claude gaat eens per maand naar beneden als de andere bedienden naar bed zijn, om op te ruimen en vers water in de urnen te doen.'

'Maar... waarom?'

'Mijn grootvader vreesde een opstand hier, net als in Frankrijk. Ik herinner me de verhalen, hoe hij veel edellieden die op de vlucht waren, in huis nam. Ze vertelden zulke vreselijke verhalen dat mijn grootvader besloot deze geheime kamer te bouwen. Eigenlijk heeft hij een originele geheime ruimte laten vergroten... daar hoor ik ook niet over te praten, maar ik zal het je vertellen.'

Cosima was geboeid, maar ze onderbrak Beryl. 'Je hebt me al teveel verteld, dus bewaar in elk geval één familiegeheim!'

Beryls lach weerkaatste tegen de kale, donkere muren. 'De originele ruimte was een priesterruimte. Het is dom om niet te erkennen dat onze vroege voorvaderen wellicht katholiek waren, of in elk geval welwillend stonden tegenover de priesters die zo lang geleden door ons protestantse koninkrijk werden verbannen. Door deze ruimte te bouwen, werd alle bewijsmateriaal of wat het geweest kon zijn, vergeten. Opa sloeg twee vliegen in één klap, zogezegd.'

De trap leidde naar boven tot ze eindelijk een kamer binnen stapten, compleet met een lamp die Beryl ontstak en die een comfortabele sofa onthulde, dekens en kussen op een matras aan de zijkant. In een hoek stonden de urnen waar Beryl het over had gehad en een grote tinnen kist.

'Daar stopt Claude brood in en hij sluit hem stevig af tegen de muizen die de weg naar binnen zouden kunnen vinden. Volgens mij zou ik ervan griezelen om iets te eten waar eerst een muis aan geknabbeld had, maar vader zegt dat je alles kunt eten als je maar genoeg honger hebt.'

'Het is inderdaad een interessante plek, Berrie,' gaf Cosima toe. 'En ik zal altijd woord houden en er niemand iets over vertellen. Maar ik geloof dat we moeten gaan voordat iemand ontdekt dat je hem aan me hebt laten zien.'

'We hoeven ons niet te haasten. Ik heb tegen mama gezegd dat we vanmiddag iets voor onszelf gingen doen en dat ze ons niet moest gaan zoeken.

Christabelle zou er nooit aan denken om hier te kijken.'

Cosima trok onwillekeurig een wenkbrauw op. 'Natuurlijk niet; zij is een gehoorzame dochter.'

Beryls mond viel open. 'Dat is helemaal niet waar! Ze zou helemaal geen gewetensbezwaren hebben om je hier mee naartoe te nemen. Ik heb haar alleen buitengesloten om te zorgen dat zij er geen last mee krijgt als we ontdekt worden.'

Cosima keek rond. 'Ik betwijfel of iemand ons hier kan horen.'

'Klopt precies. Kom mee; er is nog meer.'

Beryl liep naar de muur waar ze een deurknop vond die Cosima nog niet had gezien. Ze trok een nieuwe deur open, die een trap onthulde die weer naar boven leidde, hoewel hij niet half zoveel treden had als de trap die ze afgedaald waren. Boven aan de zesde tree was weer een deur, die Beryl openduwde. Het was alsof ze een zegel had verbroken. Daglicht stroomde naar binnen, samen met frisse lucht en vogelgezang.

Alles wat Cosima zag, was groen. Hoge taxusbomen in alle richtingen.

'Deze uitgang komt direct uit in de doolhof in onze tuin. Het is maar een kleintje, aangezien we zo weinig ruimte hebben hier in de stad, maar groot genoeg om iemand van de wijs te brengen die vluchtende leden van de aristocratie op het spoor is.'

Misschien vond Beryl het maar een kleine doolhof, maar Cosima had een paar stappen gezet en was al helemaal in de war. Beryl niet, die liep door alsof het pad aanwijzingen bevatte.

'Ik ben blij dat je zo goed de weg weet,' merkte Cosima op.

'Mijn ouders speelden een spel toen Christabelle en ik nog klein waren. Wie het eerste in het midden was, kreeg snoep. Natuurlijk was Christabelle altijd de eerste van ons tweeën. Ik ben ervan overtuigd dat ze daarom zo'n zoetekauw is geworden en tegenwoordig dik is. Maar uiteindelijk heb ik de weg geleerd. Nu kan ik hem vinden met mijn ogen dicht.'

'Ik ben blij dat te horen, want ik ben nu al volkomen verdwaald.'

'Wees maar niet bang.' Even later kwamen de groene bomenrijen uit op een open plek met bloemen in alle kleuren en een ronde bank op een cirkelvormig mozaïek van gladde witte en paarse stenen. 'Ga zitten, wil je?'

Cosima deed het met alle genoegen. De kleurrijke plek was schitterend, met een zachte wind en een symfonie van vogelgezang uit alle richtingen.

Maar Beryl kwam niet bij haar zitten. 'O, help, ik geloof dat ik de lamp in de geheime kamer heb laten branden.'

Cosima wilde opstaan.

'Nee, ik ga wel. Blijf jij maar hier; het is zo'n heerlijke dag.'

Cosima stond meteen op. 'Misschien kan ik beter met je meegaan. Ik heb geen idee waar ik ben.'

'Ik kom zo terug, rare.' En ze rende weg.

Cosima was half in de verleiding om haar toch te volgen, maar besloot dat als Beryl haar zo vertrouwde dat ze haar de geheime kamer liet zien, het minste wat zij kon doen, was erop te vertrouwen dat Beryl terugkwam. Dus ze nestelde zich weer op de bank, deed haar ogen dicht en rook de lavendel die langs de rand van de tuin was geplant.

Even later hoorde ze het knerpen van Beryls voetstappen op het keienpaadje. Zonder haar ogen open te doen, glimlachte Cosima en zei: 'Als ik hier zo zit, met de zon op mijn gezicht en de verrukkelijke geur van bloemen, kan ik me voorstellen dat ik waar dan ook ben. Thuis of in de hemel of gewoon hier... wat stellig bijna de hemel moet zijn.'

'Alleen zouden de paden dan geplaveid zijn met goud en niet met stenen,' zei een verrassend diepe stem, 'als dit echt de hemel was.'

Cosima's ogen schoten open en ze zat stokstijf rechtop. Peter Hamilton stond voor haar, zonder overjas maar schitterend in zijn donkere broek en een wit overhemd met das.

'Ik... dacht dat je Berrie was.'

Hij glimlachte ontspannen, alsof het hem niet verbaasde dat hij haar had gevonden. 'Zoiets vermoedde ik al. Het is duidelijk dat ze ons weer bij elkaar heeft gebracht. Ze stuurde me een briefje dat ik om vier uur hier moest zijn.'

Cosima stond op, vouwde haar handen in elkaar

en maakte ze weer los. 'Wat een grappenmaker, hè?'

Peter verroerde zich niet; hij stond maar naar haar te kijken terwijl ze heen en weer beende en haar handen wrong. Ze voelde zich dwaas vergeleken met zijn kalme analyse. Ze stond stil en dwong zichzelf haar handen en voeten stil te houden.

En toch hielp het niet. Ze kon niet anders dan hem aankijken, en terwijl haar lichaam op het oog rustig leek, was in haar hoofd alles overhoop gehaald. Kon hij naar binnen kijken, door haar ogen heen, en vermoeden welk effect hij op haar had?

'Ik... ik zal met Berrie praten.' Ze was opgelucht dat haar stem vaster klonk dan haar hartslag. 'Zeggen dat ze geen grappen meer met ons uit moet halen. Ze komt zo terug.'

Peters glimlach werd langzaam breder. 'Misschien niet, nu ze ons hier heeft achtergelaten.'

Al te vlug verdween de gedachte aan Beryl. Ze bestudeerde Peters gezicht. Hij was inderdaad knap. Bij een ander zou zijn neus misschien scherp hebben geleken, maar zijn snor verzachtte dat. En zijn ogen, overschaduwd door net zulke wenkbrauwen als zijn vader had, waren intelligent en keken haar aandachtig aan. Maar het was zijn mond die haar het meest fascineerde, nauwelijks zichtbaar onder die snor, maar genoeg om een glimp van zijn glimlach te laten zien.

'Ik ben bang dat ik geen flauw idee heb hoe ik de weg terug moet vinden,' zei ze. Haar stem was nauwelijks meer dan een fluistering, al was dat niet haar bedoeling geweest.

'Het is niet moeilijk. Ik zal het je laten zien.'

Ondanks het beleefde aanbod, kwam geen van tweeën in beweging.

Hij deed een stap naar haar toe. 'Ik wilde je zeggen hoe ik gisteravond genoten heb van je muziek. Van *beide* liederen, ondanks de reactie van je grootmoeder.'

'Dank je.' Haar stem klonk nog steeds zacht, alsof de afzondering in het doolhof niet intiem genoeg was. 'Ik zong thuis altijd graag.'

'Ik hoop dat je je vrij voelt om het hier ook te doen.'

'Ja, graag.'

Voor het eerst keek hij van haar weg, achterom naar het pad waarlangs hij gekomen was, misschien op zoek naar Beryl als hij dacht dat die langs dezelfde weg zou komen.

'En hoe gaat het met de laatste fossielen, lord Peter?' Cosima wist even goed als hij dat ze moesten gaan, maar toch stelde ze de vraag.

'Voortreffelijk.' Zijn toon zei dat hij de conversatie met alle plezier gaande hield. 'Ik ben een type tegengekomen dat ik al een hele tijd niet heb gezien. Een vis, geloof ik, die verslonden is door iets groters. De curator van het museum zal er blij mee zijn.'

Ze wenste dat ze nog iets kon bedenken om te zeggen, dat ze enige kennis van fossielen had zodat ze een intelligente vraag kon stellen. Maar er viel haar niets in.

'Misschien kunnen we een bezoek brengen aan het museum,' opperde hij.

Ze wilde onmiddellijk en onstuimig ja roepen, maar hield zich in en zei zedig: 'Dat zou ik prettig vinden. Ik was zo verrast door de fossielen die uit die zak kwamen. Verbijsterd dat iets zo lang verborgen kon blijven. Hoeveel wonderen denk je dat de Schepper voor ons heeft?'

Peter deed nog een stap naar haar toe, zodat hij binnen armbereik stond. 'Ik geloof dat we de volle omvang van Gods scheppende kracht nooit zullen kennen – aan deze kant van de hemel tenminste.'

Haar blik werd naar de zijne getrokken. 'Je hebt gelijk.'

'Je interesse in fossielen is verfrissend, Cosima,' zei hij. 'Iedereen begint altijd gauw ergens anders over als ik het onderwerp aansnijd.'

'O, maar waarom, als ze God laten zien in zichzelf?'

Hij glimlachte. 'Kennelijk ziet de rest van de wereld het anders dan jij en ik.'

Ze hadden het over iets veel minder diepzinnigs dan God kunnen hebben, en Cosima zou evenzeer geboeid zijn geweest. En hij voelde hetzelfde. Ze zag het, hoewel zijn wenkbrauwen zijn ogen wilden verbergen en de snor zijn glimlach.

Dat kon ze natuurlijk niet toestaan. Ze keek van hem weg, met tegenzin bewust van wat ze moest doen. 'Ik neem aan dat Reginald net zo geboeid wordt door de natuur als jij?'

'Reg?' Meteen toen hij aan zijn vriend herinnerd werd, veranderde er iets. Cosima ving een glimp op van een sluier die over die donkere ogen trok, een sluier die uitwiste wat ze daarvoor zo graag had willen zien.

Peter deed een stap naar achteren tot de rand van het cirkelvormige mozaïekpatroon. 'Reginald is praktischer dan ik,' zei hij bruusk. 'Hij heeft niet veel tijd voor Gods schepping. Zijn belangstelling ligt in het zakenleven, en een goed uitgevoerde klus.'

Cosima wenste dat ze zich niet gedwongen had gevoeld om Reginalds naam te noemen, want het verjoeg de intimiteit die zojuist was ontstaan, dezelfde intimiteit die was opgekomen op de avond van hun ontmoeting. Maar hoe kon ze aanmoedigen wat zo graag tussen hen gestalte wilde krijgen? Daar was Reginald... en nog veel meer. Zo veel dat lord Peter niet wist.

Peter veegde iets van zijn onderarm, een bloemblaadje dat van de magnolia was gevallen. 'Het verbaast me dat Reginald er vanmiddag niet is.'

'Ik denk dat hij zakelijk een en ander moet inhalen, omdat hij vrij heeft genomen om... mij te halen.'

Peter keek haar weer aan; misschien merkte hij dat haar stem gestokt had bij het noemen van de reden waarom ze hier was. Even hield hij haar blik vast, en ze liet het toe. Hoe kon ze het niet toestaan? Als hij in de buurt was, scheen ze niets anders te kunnen doen dan naar hem kijken.

'Cosima...'

Ze verlangde ernaar te horen wat hij zou zeggen, zo erg dat ze een stap naar voren deed en er in stilte bij hem op aandrong verder te gaan.

Maar op dat moment werd hun aandacht getrokken door een uitroep.

'O! Ik heb het verprutst!' En daar stond Beryl, opgewonden met roze wangen en wijdopen ogen. 'Papa zoekt jou, Peter, en nu vraagt Christabelle zich af waar jij bent, Cosima. Het had niet zo moeten gaan. Jullie hadden een vol uur moeten hebben om elkaar in afzondering te leren kennen.'

Peters donkere wenkbrauwen zonken naar beneden in een frons, en er stond een spoor van boosheid in zijn ogen. En toen verrassing. 'Waar... kwam je vandaan, Beryl?'

Beryl probeerde te glimlachen, maar het leek meer op een zenuwtrek. 'Daarvandaan.' Ze wees in de richting van het doolhof dat naar de geheime kamer voerde.

Peter keek van de een naar de ander.

Cosima voelde een steekje van schuld, ondanks het feit dat ze aanvankelijk Beryls openbaring niet had willen bekijken. 'Het... het spijt me, lord Peter, maar ik weet van de kamer,' zei Cosima. 'Ik heb uiteraard mijn woord gegeven om het aan niemand te vertellen.'

'Je hoeft niet te verontschuldigen, Cosima. Mijn zuster is consequent in één ding: haar impulsieve dadendrang. Kan ik je even spreken, Berrie? *Alleen*?'

Beryl keek allesbehalve bereidwillig. Ze wees naar de groene gang die naar de rest van de tuin voerde, de weg waarlangs Peter was gekomen. 'Ik moet Cosima echt meenemen naar Christabelle, en vergeet niet dat papa op je wacht.'

'Dit duurt niet lang.'

Hij nam Beryl mee, maar ze stonden stil op het pad met taxusbomen vlak naast haar, want Cosima hoorde duidelijk zijn stem.

'Beryl, ik ben teleurgesteld in je. Ik kan je niet laten...'

'Je glooft toch niet dat ze de geheime kamer zou verraden?'

'Daar heb ik het niet over, Berrie. Je hebt vast wel gelijk en wat doet het ertoe? We hebben dat antieke idee van veiligheid niet nodig. Ik vertrouw liever op God. Waar ik teleurgesteld in ben, is het feit dat je mij weer voor schut hebt gezet door haar mijn gezelschap op te dringen.'

Cosima besefte dat ze weg moest lopen, buiten gehoorafstand moest gaan. Ze was aan het afluisteren. Maar ze kon niet in beweging komen.

'Voor schut! Zo zie ik het helemaal niet, zeker niet als ik naar jullie kijk. Het is duidelijk dat jullie *allebei* genieten van elkaars gezelschap.'

'Dat doet er niet toe. Denk je dat ik Reg aan wil

doen wat mij is aangedaan? Ik wil het niet, Berrie, en je moet zulke dingen niet nog eens organiseren.'

Stilte. Cosima zag levendig voor zich hoe Beryl pruilde. Maar ze moest echt luisteren naar haar broer, niet om de intrigerende reden die hij opgaf, maar om een veel belangrijker reden, een reden die Cosima niet van plan was te onthullen.

Beryl mocht dan alle Hamilton-geheimen met Cosima willen delen, maar Cosima was er nog niet aan toe om haar vertrouwen te beantwoorden.

17

Drie weken later gluurde Natalie om de hoek van de studeerkamer. Luke zat gebogen over zijn tekentafel, verlicht door de lamp die aan de bovenste richel hing. De tafel was oud en zwaar, haast een dinosaurus in de wereld van de tekentafels. Luke's vader had hem voor zijn zoon aangeschaft op een veiling toen hij acht jaar oud was. Misschien had dit geschenk nog wel het meest zijn droom gevoed om bouwkundig ingenieur te worden.

'Wil je koffie?'

'Graag.'

Een paar minuten later kwam Natalie terug met een dampende beker. Zelf nam ze genoegen met een glas magere melk, denkend aan de nieuwe baby.

'Je bent nog laat aan het werk?'

Luke zette zich een eindje af van de tafel en wenkte haar dichterbij. Toen hij de beker aannam, liet hij zijn arm om haar middel glijden. 'Het is jouw familiestamboom. Zie je?'

Ze had de familiebijbel op zijn bureau laten liggen. Luke was het project begonnen zonder het haar te vertellen. Ze wist dat ze er uiteindelijk aan toe zouden komen – dat had ze tante Virg zo'n beetje beloofd. Ze had alleen niet gedacht dat het al zo gauw zou zijn.

'Vind je hem niet mooi?'

Misschien had hij haar voelen verstrakken of misschien zag hij iets aan haar gezicht toen ze bepaalde namen onderaan herkende: Willie, Royboy, Rowena... Cosima.

'Nee... Luke, het is... ongelofelijk. Hij is prachtig, echt. Ik had alleen niet gedacht dat je eraan zou beginnen zonder het tegen me te zeggen.'

'Ik wilde je verrassen.'

Het was duidelijk dat hij er trots op was. En hij had meer dan genoeg reden om trots te zijn. Natalie verwonderde zich over het talent van haar man, ondanks haar aversie tegen het onderwerp. Voor haar lag een kunstwerk, een sterke en levendige boom met nauwkeurig geplaatste bladeren en stevige takken. De namen waren netjes opgeschreven langs diepe nerven van gebladerte en takken, te beginnen met *Kennesey* bij de sterke wortels.

Luke streek de rand van het bovenmaatse papier glad toen het omkrulde bij de klemmen die het plat hielden. 'Ik heb gehoord van een oude traditie om mannelijke nakomelingen die de familienaam dragen op de takken te schrijven en de vrouwelijke namen op de bladeren.'

De potloodkleuring was op zichzelf al vernuftig. Hij had donkerbruin gebruikt voor de namen van oudere mannen tussen de contouren van de schors. Diep dennegroen voor de vrouwennamen uit vorige eeuwen. Geleidelijk werden de kleuren lichter naar geelbruine takken en lindegroene blaadjes om een recenter tijdperk aan te geven, hoop op nieuw leven in de knop en leven dat nog moest komen.

'Daar sta jij,' zei Luke. Hij wees naar een zacht getint blad bovenaan. In krachtige, duidelijke letters stond daar haar volledige naam: Natalie Martin Ingram. Een blad van gelijk formaat en kleur vlakbij haar was Dana. Hij had zelfs alle neven en nichten van Elizabeths lijst aan de takken van oom Steve en oom Henry erin verwerkt, die ze laatst had ontvangen. Toen die kwam met de post had Natalie hem in de oude bijbel gestopt en was hem vergeten.

Onder de volledige boom en aan één zijkant stond een traditionelere geslachtslijn met namen van echtgenoten en kinderen, met data van geboorte, huwelijk en overlijden erbij.

'De overlijdensdata kan ik weghalen,' zei hij zacht, 'als je dat wilt.'

Het was volkomen duidelijk dat hij dat liever niet deed. En wat voor reden kon ze hem er eigenlijk voor geven? De waarheid?

Toen ze haar naam en die van Ben niet alleen verbonden zag met Cosima, maar ook met Royboy en Willie, voelde Natalie ineens een rilling over haar rug lopen. Verlegen hief ze haar glas melk op naar Luke, alsof ze huiverde door de koude melk. 'Nee, Luke, je moet niets veranderen. Ik zal hem meenemen naar de printshop om een kopie te laten maken op zo'n machine die dit formaat aan kan. Mijn tante Virg zal hem prachtig vinden.' Ze glimlachte.

‘Je hebt de klus fantastisch geklaard. Dankjewel. Het is een... eerbetoon.’

Ja, een eerbetoon. Als ze maar niet wist wat dat eerbetoon met zich meebracht. Ze moest blij zijn dat haar afkomst bewaard was gebleven door voorouders die informatie hadden bijgehouden en doorgegeven. Ze moest alleen maar aangegrepen zijn door de creativiteit en de finesses die Luke in het project had gestopt, met al die kleuren en symmetrie. Hij wilde – nee, *verwachtte* – dat ze trots was op haar erfgoed en op zijn werk.

Kon ze maar aan die verwachting voldoen.

18

Dit keer voelde ik me een samenzweerder, al verzekerde Beryl me dat Peter ons zelf in zijn speciale kamer uitgenodigd zou hebben – zij noemt het zijn laboratorium – als hij thuis was geweest. Misschien was dat wat me zo dwarszat – dat hij niet thuis was, en dat hij niet degene was die het me liet zien, maar Beryl...

'Ik heb je toch al verteld dat hij naar de avondzitting is.' Beryls fluistertoon hielp niet echt om Cosima gerust te stellen toen ze op hun tenen verder door de keldergang liepen.

'En tot hoe laat duren die avondlijke parlementaire zittingen normaal?' hield Cosima aan.

Beryl slaakte een luide, duidelijk geërgerde zucht. 'Tjonge! Je doet of we aan het inbreken zijn in de koninklijke kluis met al je vragen. Peter vindt het heus niet erg, al liep hij vlak achter ons.'

Cosima legde haar hand op Beryls arm en hield haar tegen. 'Ik wil dat je me verzekert dat dit niet weer een streek van je is.'

Beryl lachte. 'Ik zal de hele tijd bij je blijven als we beneden zijn. En hij is *niet* thuis.'

'Ik moet je iets vertellen, Berrie. Ik heb gehoord wat hij vorige week in de tuin tegen je zei. Je broer is vastbesloten Reginald niet aan te doen wat hem is aangedaan.'

'Ahum,' zei Beryl, die weer doorliep.

'En dat is alles wat je erover te zeggen hebt?'

Beryl stond stil, draaide zich naar Cosima om en hield de kaars omhoog om het voorwerp van haar nauwkeurige onderzoek beter te kunnen zien – Cosima's gezicht. 'Ik zal je alles vertellen. Alleen heeft het een nogal onaangename kant en ben je niet blij met wat ik te zeggen heb.'

'Ik wil de waarheid, Berrie.'

'Weet je nog dat ik je vertelde over Peters verbroken verloving?'

Cosima knikte.

'Ik denk dat Peter niet wil dat Reginald gekwetst wordt door de mogelijkheid dat zijn verloofde liever een ander heeft. Peter zal niet geloven wat hem in werkelijkheid is overkomen. We gingen Nan allemaal uit de weg nadat men had gezien dat ze door een ander werd gekust, maar ze klampte me aan op een ochtend toen ik aan het rijden was in het park. Ze was radeloos en wilde me alleen spreken, om uit te leggen wat er was gebeurd.'

Cosima wachtte.

'Nan zei dat ze voor de gek was gehouden door een man wiens enige bedoeling was om haar in Peters ogen in een slecht daglicht te stellen. Hij werd door iemand betaald om de rol te spelen van een heer, Nan te versieren en te proberen haar af te pikken. Natuurlijk blijft het een feit dat ze te verleiden *was*... maar iemand wilde opzettelijk een eind maken aan Peters verloving. En ik denk dat ik weet wie.'

Opnieuw wachtte Cosima. Ze wist niet of ze wel moest luisteren naar zulke praatjes, maar haar nieuwsgierigheid was haar de baas.

'Reginald.'

Cosima kon haar oren niet geloven. 'Maar waarom?'

Beryl haalde haar schouders op en liep door. 'Soms, als ik Reginald naar Peter zie kijken, denk ik dat hij geen greintje genegenheid voor hem voelt. Ik denk dat hij mijn broer gebruikt, omdat hij van adel is. En natuurlijk om er zakelijk beter van te worden.'

Cosima was zo verrast door Beryls woorden dat ze niet meteen in beweging kwam; toen snelde ze achter Beryl aan. 'Maar... ze zijn vrienden!'

'Dat schijnt iedereen te denken.'

'Weet je wat ook waar zou kunnen zijn, Berrie?'

Ze minderde genoeg vaart om Cosima aan te kunnen kijken.

'Dat je Reginald gewoon niet mag en dat je graag het ergste van hem wilt geloven. En die Nan kan wel niet hebben gewild dat je slecht over haar dacht en een heel verhaal hebben verzonnen over iemand die zogenaamd werd betaald om haar zwart te maken.'

Beryl humde weer en liep door. 'Je bent net zo goed van vertrouwen als Peter, blind voor andermans fouten. Kan ik het helpen dat God mij meer onderscheidingsvermogen heeft gegeven dan anderen?'

De kaars in Beryls hand flakkerde tot ze vaart minderde en ze een kleine kamer binnengingen. Met de kaars stak ze de lont aan van een olielamp op een ruwhouten tafel in het midden van de kamer, die de kleine kelderruimte verlichtte.

Wat Cosima zag, verjoeg haar verlangen het gesprek voort te zetten. Aan één kant reikten planken van vloer tot plafond, vol stenen, merkwaardig gevormde voorwerpen, en iets nogal sinisters zoals botten of skeletten. Aan alles was een wit kaartje gehecht. Aan de andere muur reikten de planken minder hoog; ze lagen vol boeken, papieren en tekeningen van skeletresten.

'Ik ben niet bang om hier te komen,' zei Beryl, al sprak ze nog steeds erg gedempt. 'Het is Peters laboratorium in ons zomerhuis dat me niet bevalt.'

'Waarom niet?' Tot haar ontzetting begon Cosima zelf ook te fluisteren. Er was iets in de kamer, die onmiskenbaar verbonden was met de dood, dat haar raakte. Ze voelde geen angst, maar eerder ontzag om van zo dichtbij omringd te worden met het onvoorstelbare.

'Het stinkt bijvoorbeeld afgrijselijk in Peters laboratorium. Hier zijn alleen fossielen, die stinken niet.'

'Waar komt de stank in het andere laboratorium vandaan?'

Beryl had de kaars naast de lamp gezet en sloeg haar armen over elkaar tegen de kilte in de ruimte. 'Je hebt me beloofd dat je niet slecht over Peter zou gaan denken als ik je meenam naar beneden. Houd je die belofte, wat ik ook zeg?'

Cosima raakte almaar meer verbijsterd. 'Hoe kan ik dat beloven, Berrie?'

Beryl stapte naar de plank en pakte een bot op van de poot van de grootste kip die Cosima ooit had gezien. Ze stak het Cosima toe, die het met een vingertop aanraakte. Het was donker en hard, bijna als steen. Beryl legde het terug en veegde haar handen af aan de rok van haar japon.

'Om *deze* botten te identificeren, moet Peter versteende skeletten vergelijken met skeletten van dieren die nu leven. Hoe kun je beter weten of een dier oud is of anders, dan door te bestuderen hoe dierenbotten er vandaag de dag uitzien?'

Cosima knikte. Ze vond het logisch en veel minder dramatisch dan Beryl had gesuggereerd. Waarom zou ze slecht over Peter denken omdat hij dierenbotten analyseerde? Tenzij er meer was.

'En dat is alles wat hij onderzoekt... dierenbotten?'

'Is dat niet genoeg? Hij betaalt jagers en oppassers in de dierentuin om hem *karkassen* te sturen!'

'Je verwacht dat ik het walgelijk vind. Als hij nou kadavers opgroef, *dat* zou ik walgelijk vinden.'

Beryl lachte. 'Je hebt een sterk gestel, Cosima Escott. Ik geloof dat je tante Meg en nicht Rachel zouden bezwijmen in deze ruimte. Lady Meg wil niet eens een zwijnenkop op haar tafel laten serveren; ze kan de aanblik niet verdragen.'

'Dat kan ik eigenlijk wel met haar eens zijn.' Cosima keek naar de planken vol voorwerpen, van de ene kant naar de andere, van boven naar beneden. 'Wat staat er op die kaartjes?'

'Wat het is,' zei Beryl. 'Peter brengt hier niets voordat hij er een kaartje aan heeft gehangen, omdat hij bang is dat de boel door elkaar raakt. Daarom wist ik dat hij de eerste nacht dat jij hier was naar de slaapkamer boven zou gaan als hij fossielen bij zich had.'

'Je weet nogal wat van zijn werk,' zei Cosima. 'Ben je ook geïnteresseerd in fossielen?'

'Ze fascineren mij niet zo als Peter. Hij ziet elk fossiel als een soort bewijs van Gods liefde. Zo denkt hij over de hele schepping. Ik natuurlijk ook wel, maar ik dank God veel eerder voor een prachtige, onvoorstelbaar heerlijk geurende roos dan voor een lelijk oud bot.'

Cosima's hart werd warm toen ze nadacht over de verscheidenheid van Gods gaven. 'Maar is het niet geweldig, Beryl, zoals God dingen heeft geschapen die elk van ons op een andere manier aantrekken?'

Toen moest ze aan Royboy denken, ze kon er niets aan doen. Met zijn traagheid vonden veel mensen hem niets anders dan een afwijking, een vergissing. Maar in zijn glimlach en zijn gewilligheid om een ander een genoegen te doen als hij kon, zag Cosima de weerspiegeling van onschuldige goedheid. Ja, hij maakte vaak troep of hij scheurde bladzijden uit haar boeken, maar Royboy handelde nooit uit kwaadaardigheid. Dat had hij gewoon niet in zich.

'Heb ik visite?' zei een diepe stem vanaf de drempel. Cosima schrok en Beryl ook, want ze hapte naar adem en begon toen te lachen als een betrapt kind.

'Ik liet Cosima zien waar je je fossielen brengt,' zei Beryl. 'Ik hoop dat je het niet erg vindt dat we niet op een uitnodiging hebben gewacht?'

Peter stapte in het licht en zijn gestalte wierp een reuzenschaduw schuin over de planken achter hem. 'Helemaal niet.' Hij glimlachte breed naar Cosima, maar even later keek hij zijn zusje fronsend aan. 'Je was toch niet van plan haar hier beneden alleen achter te laten tot ik toevallig een keer langskwam? Want in dat geval had je een hele tijd kunnen wachten. Ik had geen idee dat ik zo vroeg thuis zou zijn, of dat ik hierheen zou gaan.'

'Ik ook niet, lieve broer, en daarom beweer ik deze keer volstrekt onschuldig te zijn.' Ze glimlachte. 'Echt waar, ik wilde Cosima alleen maar je fossielen laten zien. Ze vindt het helemaal geen saai onderwerp.'

Peter wendde zich tot Cosima. 'Ik ben blij dat je genoeg belangstelling had om een kijkje te komen nemen.'

'Cosima zei net hoe goed God is dat hij ons een brede sortering verschaft in de schepping, dingen die zelfs jou aantrekken, met je volkomen onverschilligheid voor schoonheid.'

'Onverschilligheid voor schoonheid!' De melodramatische beledigde toon maakte dat Beryl Cosima een knipoog gaf. Hij draaide zich om naar de planken en pakte een van zijn fossielen. Het midden vertoonde een ingewikkeld bladerpatroon, volmaakt in symmetrie en dessin. 'Welke kunstenaar zou zoiets kunnen scheppen? En dit...' Hij zocht even op de planken en pakte een soort vreemd gebogen bot. 'Dit is schitterend. Dit dier had een of ander gebrek. Of het is zo geboren, of er is hem een ongeluk overkomen waarna het niet goed genezen is. Ik ben niet deskundig genoeg om het verschil te zien. En toch weet ik dat dit dier lang heeft geleefd met zijn gebrek. Het is een verbazingwekkende getuigenis van de kracht van het leven, je behelpen met wat je gekregen hebt; een bewijs dat het leven zelfs met zijn beperkingen productief is.'

Cosima staarde hem aan. Ze snakte ernaar hem over haar broer Royboy te vertellen. Peter zou het stellig begrijpen. En toch hield ze de woorden binnen, ze herinnerde zich maar al te goed de blikken, de gefluisterde opmerkingen, de afkeer die gepaard ging met te veel 'afwijkingen' in één familie.

'Waar heb je zoveel fossielen gevonden?' vroeg ze toen maar. 'Toch niet hier in Londen?'

Hij legde het bot terug. 'De meeste heb ik van steenhouwers gekregen. Ik ken er een paar die contact met me opnemen als ze iets interessants vinden. Over een paar dagen ga ik naar de kust van Bristol om een van mijn beste leveranciers te treffen.'

Beryls wenkbrauwen schoten omhoog. 'Ga je naar zee?'

Peter knikte.

'Dan moeten we allemaal gaan! Jij en ik en Cosima.' Beryl wende zich tot Cosima en nam haar beide handen in de hare. 'O, wat zal dat heerlijk zijn... vakantie.'

'Ik wilde maar een dag of twee gaan – meer tijd heb ik niet,' waarschuwde Peter. 'En je wilt op tijd terug zijn voor de regatta.'

Beryl lachte. 'Nee, *jij* wilt op tijd terug zijn voor de regatta. Ik ga alleen om naar de mensen te kijken, niet naar het roeien.'

'In elk geval kan ik niet lang weg van het parlement.' Peter keek Cosima aan. 'De kust is een paar uur met de trein en een rijtuig, als we tenminste de sneltrein kunnen nemen. In het verleden hebben we wel een huisje gehuurd, maar het is weinig meer dan dat. Je moet een kamer delen met Berrie en waarschijnlijk ook met Christabelle. Die blijft niet alleen achter. Maar,' voegde hij eraan toe, en onder zijn snor schemerde een nieuwe glimlach, 'ik kan je een grot laten zien die ik verkend heb. Bij laagtij kunnen we tot vlak voor de ingang lopen.'

Cosima was nog nooit in een grot geweest. Ze kon zich niet herinneren dat ze er ooit naar verlangd had, maar toen ze naar Peter keek, klonk het ineens zo aantrekkelijk dat ze wist dat ze moest gaan. 'Lijkt me fascinerend.'

Beryl klapte in haar handen alsof ze haar opwinding nauwelijks kon inhouden. 'Kom, dan gaan we mama vertellen over onze plannen.' Ze trok Cosima mee.

'Zij zal ook mee willen,' riep Peter hen na, en hij voegde eraan toe: 'En Reginald ook.'

Cosima, die zich door Beryl liet leiden, keek over haar schouder toen Peter Reginald noemde. Peter stond naar haar te kijken en zijn glimlach van daarstraks was nu verdwenen.

19

Natalie keek toe hoe het nieuwste lid van hun speelgroepje in Natalie's woonkamer haar dochter van de grond oppakte. Misschien waren het de zwangerschapshormonen, maar de zwaarte die een paar weken geleden in Natalie's hart was gezonken, was nog niet verdwenen. Een nieuwe buurvrouw, Kenna, had haar dochter Addison naast Ben neer laten ploffen en had gelachen om het feit dat Ben bijna twee maanden ouder was, maar onmiskenbaar achterliep met het spelen met blokken en zelfs kiepauto's.

Natalie hield zichzelf almaar voor dat Kenna het niet beledigend had bedoeld. Kenna was jong en een flapuit. Vaak had ze al iets gezegd voordat ze nadacht over het effect van haar woorden, zoals alle groepsleden op het ene of andere moment hadden opgemerkt. Of ze nu verkondigde dat een heel aardige film een belediging voor haar intelligentie was, of dat een politieke figuur te extreem was om effectief te zijn, ze had een mening over alles en iedereen en aarzelde geen moment om die te berde te brengen.

'Ik moet ervandoor, meiden,' zei Kenna. 'We hebben een afspraak bij de dokter om te kijken of Addisons oorontsteking is genezen.' Ze liep langs

Natalie heen, die was opgestaan uit haar stoel. ‘Bedankt voor de koffie en het lekkers, Natalie. Volgende week bij mij, hè?’

Jennifer, de onofficiële coördinator op grond van het feit dat zij de groep had opgericht, antwoordde voor Natalie: ‘We zullen er zijn.’

‘Zeg, Natalie,’ zei Kenna, ‘ik heb Addisons arts over Ben verteld, en ze zei dat je hem misschien eens moet laten nakijken. Om te kijken waarom hij sommige dingen niet doet die de andere kindertjes wel kunnen.’

‘O?’ Meer kon Natalie niet uitbrengen.

‘Zoals “klap es in je handjes” en “zóóó groot”. Je wilt het toch weten, als er iets mis zou zijn?’

Het ontging Natalie niet dat Kenna deed of het net zo gewoon was als naar het weerbericht luisteren. Ook Jennifer keek vervuld van afschuw, zoals Natalie zich vanbinnen voelde.

‘Aardig van je om aan Ben te denken, Kenna,’ zei Jennifer die achter haar opstond. ‘Ik zal je even uitlaten.’

Dankbaar voor Jennifers tussenkomst draaide Natalie zich om naar de tafel waar de andere twee buurvrouwen zaten. Tot haar opluchting waren ze in hun eigen gesprek verdiept en hadden ze de korte woordenwisseling met Kenna waarschijnlijk niet eens gehoord.

Natalie’s blik ging naar Ben, die nog op de grond in de woonkamer zat. Hij speelde niet met het speelgoed zoals de andere kindertjes. Hij zat op zijn duim te zuigen en stelde zich ermee tevreden naar de anderen te kijken, die naast elkaar zaten te spelen.

Wie probeerde Natalie voor de gek te houden? Jennifer zou niet zo ontsteld zijn geweest door Kenna's woorden als ze niet dacht dat er een kern van waarheid in zat. Ineens wilde Natalie alleen zijn, om alles en iedereen om haar heen te vergeten. Vooral andere kindertjes en hoe ze waren, vergeleken met Ben.

Jennifer kwam even later terug en schonk zichzelf in Natalie's keuken een kop thee in. 'Natalie, Ben is de meest tevreden baby die ik ooit heb gezien. Je hebt geluk met zo'n gelijkmatig kind.'

Natalie vertelde maar niet over de instortingen die Ben regelmatig had. In de speelgroep had hij er nog nooit een gehad... nog niet tenminste.

'Laten we hopen dat de volgende net zo rustig is,' zei Lindy.

Wat was het makkelijk om over iets anders te beginnen, om met hoop en liefde aan de nieuwe baby te denken. Om geen acht te slaan op wat Jennifer net zo graag wilde negeren als Natalie: Kenna's woorden.

Maar algauw duwde Natalie haar zorgen weg toen ze spraken over het volgende boek dat ze als groep wilden lezen. De speeltijd van de kinderen ontwikkelde zich geleidelijk aan tot een boek- en filmclub, een therapiegroep voor de klachten van het leven, een kookclub om recepten te introduceren en uit te wisselen.

Niettemin knaagde er iets aan Natalie, terwijl ze met de anderen mee lachte. De onderliggende angst in Cosima's dagboek. Vloeken, en volwassen mensen met de geest van kleine jongens. Mensen die haar bloedverwanten waren.

Ze dacht dat ze haar zorgen gesust had. Ze had niemand gevonden in deze generatie, of in de generatie daarvoor, of in de komende, die had aangegeven dat er iemand was getroffen zoals Cosima's familieleden zo lang geleden.

Zelfs als Cosima's verhaal waar was, dan was het wel honderdvijftig jaar geleden. Iets wat zo ver in het verleden was gebeurd, kon vandaag geen invloed hebben op Natalie. Als ze iets van haar vader had geërfd, dan was het intelligentie en redelijkheid. Hij had haar echt niets anders gegeven dan dat om aan Ben door te geven.

Eindelijk was het speeluurtje afgelopen en bleef Natalie alleen achter met Ben. In de stilte nam ze haar zoon in haar armen en liep terug naar de keuken.

Ben maakte zijn typische babygeluiden, geluiden die Natalie nooit moe werd om te horen. Ze haalde kleingesneden aardbeien uit de vriezer, trok een banaan van de tros op het aanrecht, en koos een potje peutervoedsel uit het keukenkastje.

Ben was meestal zo'n volgzaam, vrolijk jongetje. Maar hoe kon ze negeren dat andere baby's naar het gezicht van hun moeder opkeken alsof ze de zon, de maan en de sterren was? Ben keek haast niet naar Natalie, zelfs niet nu ze probeerde zijn aandacht te trekken met een vrolijke beschrijving van zijn lunch.

Bij Bens laatste controle had Natalie terloops haar bezorgdheid aan de arts gemeld, dat Ben laat was met bepaalde dingen, zoals het oppakken van cornflakes om in zijn mond te steken. De arts had haar op haar schouder geklopt en gezegd dat ze niet moest tobben, dat baby's hun eigen schema hadden. Elke keer als ze met Ben op controle kwam, had hij de vorderingen bijgehouden. Ben hield zijn hoofd rechtop, kon zitten en omrollen. Bovendien was hij een vrolijk kindje met zo'n subtiele achterstand dat de dokter haar verzekerde dat hij niet ver achter was. Ben haalde het wel in. De arts beweerde dat zijn eigen zoon een laatbloeier was geweest en nu als middelbareschoolleerling alleen maar goede cijfers haalde en in het schoolbasketbalteam zat.

Zo'n toekomst wilde Natalie voor Ben.

Ze maakte tjoektjoektreintjes en vliegtuigen van de lepeltjes vol fruit en groente. Ten slotte ebde haar sombere stemming weg. Als ze alleen waren, kon ze makkelijk vergeten hoe Ben vergeleken met anderen was. Hij was een en al glimlach en schattig, en ze genoot van elke minuut dat ze voor hem zorgde. Natuurlijk haalde Ben het in en werd hij een perfecte grote broer voor zijn kleine broertje of zusje. Natalie kon haast niet wachten tot ze de volgende in haar armen hield. Bij de conceptie moest er een hormoon losgelaten worden dat moederliefde garandeerde. Het werkte nu al, net zoals het bij Ben had gedaan.

Toen Ben zijn laatste hap fruit net binnen had, ging de telefoon.

'Hoi,' zei Natalie, die Luke's nummer herkende.

'Hoi. Ik had je eerder willen bellen, maar ik dacht dat je zei dat je de speelgroep had vandaag.'

'Ja.'

'Ik dacht dat je misschien te moe zou zijn, omdat Ben vannacht heeft liggen spoken.'

'Was ik ook.' Ze veegde ondertussen Bens kin af. Hij kwijlde. 'Maar ik heb het toch door laten gaan.'

'En?'

'En wat?' Als er hormonen waren voor babyliefde, dan waren ze er ook voor kattige gevoelens, vooral als het ging om nietsvermoedende echtgenoten.

'Ik dacht dat je niet meer mee wilde doen met de groep, omdat je je daarna altijd voelt zoals nu. Hoeveel ik ook van je houd, schat, je bent chagrijnig en dat weet je best, vooral op donderdagochtend.'

Het feit dat hij het onderwerp niet had laten varen toen haar toon scherp was geworden, irriteerde haar, al wist ze dat hij gelijk had. Hij was tenslotte alleen maar bezorgd om haar. Maar ze hoefde niet met haar neus op de feiten te worden gedrukt.

Die gedachten ten spijt, slaakte Natalie een diepte zucht en ze liet de boosheid varen die zo graag naar boven wilde komen. Waarom zou ze Luke's stemming bederven? Bovendien was het na vanmorgen een prettige gedachte om de speelgroep de rug toe te keren.

'Je hebt gelijk,' bekende ze. 'Ik zal Jennifer bellen om haar te vertellen dat ik een tijdje niet kom. Gewoon tot... je weet wel... tot Ben de andere kindertjes heeft ingehaald.'

'Ja,' zei Luke op vrolijke toon. 'Binnen niet al te lange tijd schiet dat kleine mannetje ze allemaal voorbij.'

Natalie hoopte dat het waar was.

Nu de zorgen over Bens ontwikkeling weer boven waren gekomen en er een nieuwe baby op komst was, moest ze haar angst niet langer negeren, hoe verleidelijk dat ook was. Het was zo makkelijk geweest om haar zoektocht te laten eindigen met tante Virgs goede nieuws.

Maar het was niet genoeg.

Er was nog één persoon die een aanwijzing kon verschaffen.

Ellen Dana Grayson. Het geheimzinnige familielid naar wie Dana was vernoemd.

20

Ik heb er vaak over nagedacht of reizen ons meer leert over onszelf. Het zou best eens waar kunnen zijn.
Vanmorgen heeft ons reisgezelschap Londen verlaten en de sneltrein in westelijke richting naar Bristol genomen. De treinwagons, althans voor de eerste klas, waren lange, comfortabele rijtuigen. De reizigers zitten op met kussens beklede banken met brede ramen met gordijntjes, waardoor je naar buiten kunt kijken. Ik zag een geelachtige wolk van koolstof hangen boven de stad die we achterlieten.
Onze groep vulde bijna een van de eersteklaswagons. Lord Hamilton had beleefd geweigerd met ons mee te gaan, maar lady Hamilton en haar twee dochters zijn meegereisd, plus lord Peter, sir Reginald, en ikzelf. Verscheidene bedienden van de Hamiltons reizen met ons mee in tweedeklaswagons. Millicent is achtergebleven vanwege de beperkte ruimte in de huurhuisjes.
Ik merkte dat ik naar Reginald en Peter zat te kijken, die tegenover me zaten. De twee lijken soms intiem als broers, zoals Reginald eens beweerde. Ze gaan kameraadschappelijk met elkaar om, maar Reginald kijkt eerst naar Peter voor zijn mening en niet andersom...

Toen de trein stopte voor brandstof en water, stormde iedereen naar de toiletten in de dichtstbijzijnde herberg, Cosima inbegrepen. Ze was een van de eersten die weer instapte en trof Peter die zijn plaats alweer had ingenomen.

Nu ze even met hem alleen was, vroeg ze zich ineens af of Reginald Peter had geraadpleegd of hij zijn plan om met haar te trouwen al dan niet moest doorzetten. Was het niet logisch dat de ene vriend de andere raadpleegde over zo'n belangrijk besluit? Vooral gezien haar omstandigheden.

Ze besloot Reginald te vragen of hij het had gedaan en zo niet, dan zou ze hem de raad geven volkomen eerlijk te zijn tegen Peter over alles wat een huwelijk met haar kon inhouden. Als ze zag hoe Peter genoot van de gezelligheid van de mensen om hem heen, voelde ze geen angst om hem de waarheid te laten weten. Ze was vervloekt, zei men. Wat zou Peter daarvan zeggen? Ze wilde het absoluut weten.

Algauw arriveerden ze op hun bestemming, waar een drietal tweewielige huurrijtuigjes klaarstond om hen naar de huisjes te brengen. Het land tussen het station en het dorp was laaggelegen moerasland, met het water van het Bristolkanaal en de grijsblauwe kust van Wales in de verte. De plattelandsgeuren van vers gemaaid hooi en het geluid van blatende schapen in de velden deden Cosima aan thuis denken.

Dichter bij de rand van het water stond een rij huisjes, de meeste geel geschilderd en met spanen daken. De huisjes zelf stonden vlak achter het zand op steviger, hogere grond. Het strand lag vol kiezelsteentjes, bijna talrijker dan het zand.

Tegen theetijd waren ze opgefrist en nuttigden ze thee met sandwiches op de veranda die uitkeek over het Bristolkanaal.

'Ah,' zei lady Hamilton met een diepe zucht. 'Ik weet dat Peter hier komt voor de wetenschap, maar ik vind het zo heerlijk om hem te vergezellen en deze frisse, zilte lucht te ruiken.'

'Als er tenminste geen zuidwesterstorm staat en hoge zee,' zei Beryl. 'Weet u nog, mama, dat we hier waren met zo'n storm?'

Lady Hamilton pakte haar theekopje op en knikte. 'Ja, en Peter vond het geweldig. Hij kon haast niet wachten om de volgende morgen langs de geulen en krijtrotsen te lopen met zijn hamer en beitel, om te kijken wat er boven was gekomen.'

'Daar heb je hem,' zei Beryl.

Cosima weerstond de aandrang om zich om te draaien in haar stoel, gretig om Peter te zien. In plaats daarvan bleef ze stil zitten en wachtte tot ze zijn zekere voetstappen hoorde op het trapje naar de veranda. Toen keek ze om, om hem met een glimlach te begroeten. Ze merkte onmiddellijk op dat hij een donkere vrijetijdsbroek droeg; een wit linnen overhemd, los aan de boord, stevige laarzen, en een buideltje over zijn schouder geslingerd. Hij scheen op weg ergens heen; hij kwam vast geen thee drinken in zulke sportieve kleren.

'Ik zei dat jullie al geïnstalleerd zijn.' Peter stond stil achter zijn moeder en legde een liefhebbende hand op haar schouder.

'Ga je al weg? Ik dacht dat we morgen met z'n allen gingen.'

'Het is nu laagtij,' zei hij. 'Ik kan vandaag een bezoekje brengen en morgen weer.'

Cosima boog naar voren. 'Ga je naar de grot?'

Hij knikte en voegde eraan toe: 'Ik dacht dat je wilde rusten na de reis, maar als je...'

'Wie wil er nou rusten? Ik heb negentien jaar gewacht om de binnenkant van een grot te zien.'

'En nog één nachtje extra kan niet?'

Cosima stond op en zei: 'Precies.' Ze keek neer op Beryl, die zich niet had verroerd. 'Beryl? Ga je niet mee?'

'Ik ben eerlijk gezegd alleen meegegaan voor de afleiding,' zei Beryl. 'Ik heb die grot al van binnen gezien, en met al die spinnen en vleermuizen hoef ik hem niet nog eens te zien.'

'Maar daarom zijn we hier!'

'Nee, daarom is Peter hier – en jij, kennelijk. Waarom gaan jullie niet met z'n tweeën?'

Cosima keek van Beryl naar lady Hamilton, ontsteld om de nieuwe opvallende koppelpoging van Beryl.

Maar lady Hamilton scheen niets te merken. 'Het is maar een klein eindje verderop langs de kust,' zei ze. 'Hoelang denk je dat je nog hebt voordat het tij opkomt?'

Peter keek uit over het water. 'Een paar uur.' Hij keek Cosima onderzoekend aan en ze vroeg zich af of hij haar onrust had geraden om alleen met hem weg te gaan. Als ze zich niet zo tot hem aangetrokken had gevoeld, had het geen enkel verschil gemaakt.

'Ik ga Reginald zoeken,' zei hij rustig, en beende het trapje op.

Cosima waagde het niet naar Beryl te kijken, bang dat ook zij haar gedachten zou raden. Met neergeslagen ogen hoopte ze haar gevoelens althans voor lady Hamilton te verbergen.

'Laat me je schoenen eens zien,' zei Beryl, Cosima van top tot teen opnemend.

Cosima tilde haar rok en onderrokken op en onthulde muiltjes, modieus maar volkomen ongeschikt om te wandelen. Cosima had een paar stevige leren werkschoenen die ze thuis droeg als ze kruiden ging zoeken in het bos en in de tuin, maar ze had ze niet meegenomen naar Engeland.

'Dat dacht ik al.' Beryl stond op. 'Het is maar goed dat Christabelle meegegaan is. Moeder heeft net een nieuw paar laarzen voor haar gekocht. Die mag je lenen. Kom mee.'

Algauw had Cosima Christabelle's laarzen aan, die speciaal gemaakt waren voor uitstapjes over de ruige stranden van Bristol. Het scheen Christabelle absoluut niet te kunnen schelen dat ze niet mee kon.

Weer op de veranda zag Cosima Peter met

Reginald naast zich. Reginald was net zo gekleed als Peter, in broek en laarzen.

Hoe graag Cosima de grot ook wilde zien, ineens werd ze voorzichtig en ze keek Beryl aan. 'Weet je zeker dat je niet met ons meegaat, Berrie?'

'Het is maar een klein stukje verder langs de kust; zie je wel?' Beryl wees naar een heuvel die geleidelijk oprees; er groeide gras op de bescheiden top als een lijn groen haar over bonkige schouders onder een gezicht met open mond – de ingang van de grot. 'Je bent volledig in het zicht. Het is volkomen veilig.'

Lady Hamilton stond op en legde een arm om Cosima's schouders. 'Ik denk dat ze zich meer zorgen maakt over wat wij zouden kunnen denken dan over haar veiligheid, Berrie.' Ze trok Cosima dicht tegen zich aan. 'Ga maar, Cosima. Het is goed.'

Met een dankbare glimlach naar lady Hamilton zette Cosima haar hoed op haar hoofd en bond hem vast onder haar kin. De stijve, ronde luifel schermde niet alleen zedig haar gezicht af, maar ook haar blikveld voor alles wat niet recht vóór haar was. Ze verliet de veranda, verlangend om te gaan. Christabelle's schoenen maakten het lopen gemakkelijk.

Ze stond stil voor de twee wachtende mannen die geen van beiden een stap in de richting van hun doel zetten. Peter had een merkwaardige blik op zijn gezicht. 'Ik ben bang dat ik je schoenen moet zien,' zei hij ten slotte.

Cosima lachte zijn verlegen bezorgdheid weg. 'Daar heeft Berrie al aan gedacht. Ik heb die van Christabelle aan, die zijn voor zo'n wandeling gemaakt. Zullen we?'

Hij knikte en met z'n drieën gingen ze op weg over het strand. Al had Cosima een van haar beste japonnen aan, ze zou zich geen zorgen maken als er water of zand aan kwam. Hij had blauwe en groene tinten en was gemaakt van lichte, maar sterke stof. De nauwsluitende mouwen kwamen maar tot aan haar ellebogen, de rok was versierd met een enkele gerimpelde strook, vanaf haar middel halverwege naar beneden, en het gladde weefsel viel wijd en rond dankzij een half dozijn onderrokken.

'Je moeder vroeg naar de getijden,' zei Cosima. 'Hoe weet je wanneer het water weer omhoog komt?'

'Ik kom hier een paar keer per seizoen. Ik heb de cyclus bestudeerd,' zei Peter. 'Het begint nu te stijgen, maar het duurt een paar uur voordat het bij de grot is.'

Het duurde niet lang of het pad rees steil over stenen en rotsmassa's. Reginald bewoog zich soepel en omzeilde de rotsen met gemak. Algauw liep hij voorop. Meer dan eens gleed Cosima bijna uit en ze wenste dat Reginald niet zo'n hoog tempo aanhield, maar ze slaagde erin een redelijke afstand tussen hen te bewaren.

Tussen hen in was Peter, onwillig om Reginalds tempo te volgen. Als Cosima vertraagde, vertraagde

hij ook en hij hield de hele weg een gelijke afstand.
'Reginald!' riep hij.

Cosima keek op. De tussenruimte tussen haar en Reginald was beschamend groot geworden. Ze probeerde sneller te lopen, maar door de smalle holtes waarin ze de steun onder haar voeten verloor, en de onderrokken die haar bij het klimmen in de weg zaten – plus een korset waardoor ze niet zo kon ademhalen zoals ze wilde – kon ze gewoon niet vlugger.

In plaats van op z'n schreden terug te keren, wachtte Reginald bij de ingang van de grot. Hij schermde zijn ogen af voor de zon om Cosima aan te zien komen. Peter was dichterbij, had op haar gewacht.

'Sorry voor het oponthoud,' zei Cosima. 'Misschien had ik vandaag niet mee moeten gaan, omdat de tijd beperkt is door het opkomende tij.'

Zonder iets te zeggen kwam Peter naar haar toe en pakte met een glimlach haar hand.

'Dank je,' zei ze.

Nu ze op het rotsige pad op Peter kon leunen, kwam Cosima beter vooruit, en binnen korte tijd ontmoetten ze Reginald bij de donkere grotingang. Het was een brede, diamantvormige doorgang in de aarde, in het midden zo hoog dat Cosima er zonder te bukken in kon staan.

Binnen haalde Peter een kleine lantaarn uit zijn buidel en stak hem aan. De vloer van de grot was vochtig, rotsig en op verschillende plaatsen modderig.

Toen ze verder naar binnen doordrongen, bespeurde Cosima ondanks de vochtigheid een stijging in temperatuur. 'Het is hier warmer dan buiten,' zei ze. Haar stem klonk hol tegen de met korsten bedekte wanden.

'In een grot blijft het meestal het hele jaar door dezelfde temperatuur,' zei Peter. 'Dus hij voelt warmer aan op een koele dag, en koel op een hete dag.'

Cosima wilde vragen naar de vleermuizen en spinnen die Beryl had genoemd, maar ze voelde zich schuldig dat ze hen ophield en zag ervan af alweer een zwakheid te vertonen. Ze was van plan op haar hoede te zijn voor wezens die hielden van de duistere, afgelegen randgebieden waar mensen zo weinig op bezoek kwamen, maar algauw verjoeg de grot zelf alle waakzaamheid.

Peter wees op de stalactieten die van het plafond naar beneden hingen, op de stalagmieten die vanaf de vloer omhoog rezen, en het kalksteen, dat als zwammen op de muren groeide. Hij toonde hen waar de vloer oprees boven de hoogwaterlijn, de plaats waar hij de interessantste stenen had gevonden.

Verder naar binnen, waar het plafond daalde, had hij botten ontdekt die bedekt waren met een laagje kalksteen, en hij vertelde dat er nog een ingang was aan de achterkant van de heuvel, net groot genoeg voor een wilde hond of een hyena. Peter had een paar botten weggehaald, maar enkele lagen er nog.

Hij wees ernaar met zijn lantaarn en Cosima zag hoe ze door de modderige bodem omhoogstaken als bizarre grafstenen op een verlaten kerkhof.

'Hier eindigt de rondleiding,' zei hij. 'Als ik aan het graven ben, vind ik het niet erg om door de modder te kruipen, maar jullie kunnen net zo makkelijk in het huisje of in de fossielenruimte thuis zien wat ik meegebracht heb.'

Cosima voelde Reginalds blik op haar rusten. 'Het lijkt erop dat we voor ons eigen bestwil naar huis worden gestuurd.'

Cosima wist zeker dat Christabelle's laarzen aangekoekt waren met modder, en de onderkant van haar jurk was er niet veel beter aan toe, maar ze had weinig zin om te vertrekken. De grot was schitterend, al was hij vochtig en donker. Ze had gelezen over exotische dieren die in alle uithoeken van de aarde leefden, van de bergtoppen tot de diepste oceanen – de dieren die door deskundigen waargenomen waren tenminste. En hier was ze nu, op een plek waar de meeste mensen nooit kwamen, waar alleen God Zelf de schepselen kon zien in de spleten en kloven.

'Ik ben blij dat ik dit gezien heb,' fluisterde ze, en al was haar stem zacht, hij was makkelijk hoorbaar in de diepe stilte van de grot. 'De Schepper is overal, hè?'

Peter knikte. 'Mijn lantaarn is niet krachtig genoeg, maar de muren en de vloeren glimmen soms onder de juiste omstandigheden. Al die formaties, van vloer tot plafond, zijn als een tuin, bebouwd naar Gods natuurwetten, niet naar die van de mens.'

'Voor wiens plezier bedoeld?' vroeg Reginald, die duidelijk niet meeging in hun ontzag voor de omgeving. 'Niemand ziet dit; het doet er niet toe hoe het eruitziet.'

Cosima glimlachte. 'Eens te meer een bewijs hoeveel kleinigheden God ons geeft, vind je niet?'

'Het zal wel.' Reginald begon terug te lopen naar de ingang van de grot.

Peter bleef waar hij was. 'Kun je de weg terug vinden?'

'Het zal wel lukken,' zei Reginald onbezorgd.

'Misschien kun je je tempo aan Cosima aanpassen, Reg,' zei Peter. Was het verbeelding, of klonk er een verwijt door in zijn stem?

'Jazeker,' zei Reginald, en al kon Cosima zijn gezicht niet zien, het klonk alsof hij lachte. Toen ze bij hem kwam, zag ze dat het klopte en hij boog galant.

Buiten scheen de zon fel en Cosima nam even de tijd om haar ogen te laten wennen. Zoals beloofd bleef Reginald de hele wandeling terug naar het huisje bij haar; hij steunde haar zelfs toen ze uitgleed over een met mos begroeide rots.

''s Avonds schijnt de maan helder op het water, Cosima,' zei Reginald voordat ze bij de huisjes waren. 'Misschien kan ik je overhalen om er later naar te gaan kijken.'

'Ja, Reginald, als lady Hamilton het goed vindt.

Misschien kan er een dienstmeisje met ons mee als we een wandeling willen maken.'

'Ze vindt het best,' verzekerde hij haar. 'We zijn in het volle zicht – een chaperonne meenemen is niet nodig.'

'Goed.' Maar terwijl Cosima met hem instemde, keek ze achterom naar de grot, die nu kleiner leek in de verte. Hoeveel opwindender zou het zijn om met Peter naar het water te gaan?

Ze onderdrukte de gedachte even vlug als hij was opgekomen. Bovendien kreeg ze als ze een poosje alleen was met Reginald misschien de kans om te opperen dat hij Peter om raad moest vragen over zijn trouwplannen.

Toen ze zich weer bij Berrie en haar moeder op de veranda voegden, stond Cosima zich nog één gedachte aan Peter toe. Ze hoopte dat hij niet zo opging in het graven dat hij het opkomende tij vergat.

21

'Ik was benieuwd waarom je Dana naar een tante hebt genoemd die je nog nooit had ontmoet,' zei Natalie tegen haar moeder door de telefoon toen Ben een dutje deed. Ze had het gesprek zorgvuldig voorbereid: het moest gaan over een naam voor de nieuwe baby, maar hier was ze heimelijk de hele tijd op uit geweest.

'Je vader en ik konden het erg moeilijk eens worden over een naam. Het was eigenlijk zijn moeder die Ellen Dana voorstelde. We vonden het allebei prachtig – Dana, tenminste.'

Natalie zat aan haar keukentafel. Het dagboek van Cosima en de familiebijbel lagen voor haar. Ze greep de telefoon die bijna tussen haar schouder en oor uit gleed. 'Ik zie in de gegevens in de familiebijbel dat Ellen Dana een zus van oma Martha was.'

'Is dat zo? Om de een of andere reden dacht ik dat ze een oudtante van je vader was. Maar je oma zal wel aan haar overleden zuster hebben gedacht, niet aan een tante.'

Natalie keek nog eens naar de gegevens. 'Ellen Dana Grayson, geboren 1910.'

'Hmm... dan moet het toch Martha's zuster zijn geweest, want ik geloof dat je oma ook rond die tijd werd geboren.'

'Ik vraag me af waarom oma nooit over haar gepraat heeft. Of pap.'

'Je vader heeft haar nooit gekend. En we zagen oma Martha nauwelijks toen ze nog leefde, ze woonde zo ver weg.'

Natalie staarde naar de namen voor haar. 'Dus je weet helemaal niets van Ellen Grayson?'

'Niets meer dan de naam. Hoezo?'

Natalie perste haar lippen op elkaar en aarzelde. 'Ze is jong gestorven. Tante Virg wist niet goed wat het was geweest, longontsteking, polio, of iets anders.'

'Ik heb geen idee, kind.'

'Toch bedankt. Ik wilde het gewoon even vragen.'

'Ik geloof dat ik net zo op de geschiedenis ben gericht als je vader was, hè? Maar ik ben blij dat het je interesseert. Ik vind dat het verleden niet vergeten mag worden.' Ze zuchtte. 'Ik denk dat mijn mening is veranderd nu ik zelf bijna een deel van het verleden ga worden.'

'Ach, mam,' zei Natalie, maar ze had niets anders te bieden dan wat vriendelijk protest. Haar hoofd zat vol met andere dingen. Ze vroeg zich opnieuw af of haar vader Cosima's dagboek had gelezen, in elk geval het begin, en het daarna had verstopt omdat hij een reden had om het verleden te vergeten. Dezelfde reden waarom zij het wilde vergeten.

Ze praatte nog een poosje door met haar moeder, over haar nieuwe huis en andere dingen, maar haar gedachten waren elders. Er moest een manier zijn om meer te weten te komen over Ellen Grayson.

Weer keek Natalie naar de aantekening. *Ellen Grayson...*

Engleside.

22

Als een goed karakter wordt gevormd in de stilte om zich kenbaar te maken in het tumult, dan houd ik staande dat enkele lessen van mijn ouders omwille van mijn karakter achteraf gezien niet verspild zijn. Ik werd gisteravond onderbroken voordat ik kon opschrijven hoe het afliep met Peters bezoek aan zijn grot. Eigenlijk zou ik me moeten schamen om te vertellen hoe verschrikkelijk raar het werkte in mijn hoofd. Maar als ik in dit dagboek iets ben, dan is het eerlijk. Soms hoort daarbij dat ik mijn dwaze kant moet laten zien...

Cosima schermde haar ogen af tegen de ondergaande zon. Het was een prachtig gezicht, de oranje met paarse lucht in vuur en vlam boven de spiegelende zee, maar ze kon maar aan één ding denken. Waar was Peter?

Lord Peter. In stilte corrigeerde ze zichzelf, ze werd te familiair met zijn naam. Maar waar was hij? Nog in de grot? In de tijd die ze nodig had om andere schoenen en kleren aan te trekken, had ze verwacht Peter over het strand in de richting van de huisjes te zien komen.

Hij was nergens te zien.

Ze wilde geen opschudding veroorzaken. Peter

was vertrouwd met de grot en het getij. Bovendien, als ze haar bezorgdheid uitsprak, zou Beryl haar kennelijke angst uitbuiten en haar plagen, vooral omdat niemand anders ook maar in het minst over hem in zat.

Lady Hamilton, Beryl en Christabelle zaten aan tafel te genieten van de frisse lucht terwijl ze een spelletje lanterlui deden. Cosima speelde nooit kaart. Haar vader vond zulke dingen niet goed, zeker niet als er om geld werd gespeeld. Maar in plaats van geld gebruikten de dames kleine, gepolijste steentjes, die Peter hen door de jaren heen had gegeven, zo vertelden ze.

Gingen ze zo op in een flauw spelletje dat ze Peter helemaal vergeten waren? Cosima keek weer naar de rand van het water. Er was geen twijfel mogelijk: de lijn was onbetwistbaar verschoven en het water stond veel hoger.

'Ik zie dat het tij behoorlijk is gestegen,' zei Cosima, in de hoop dat haar stem nonchalant klonk.

Niemand keek op van de kaarten, zelfs lady Hamilton niet.

'De zon raakt al bijna de horizon.' Cosima hoopte op tenminste een blik zodat ze daarna gebruik kon maken van hun aandacht. 'Wat een prachtige lucht, vinden jullie niet?'

Beryl, die zat te verliezen zoals Cosima kon zien aan het armzalige stapeltje steentjes, wierp haar een dreigende blik toe. 'Ja, prachtig. Het wordt donker, moeder. Ik zal een lamp laten komen.'

'We moeten eigenlijk ophouden met spelen en iets bedenken waaraan Cosima mee kan doen,' zei lady Hamilton.

'Ja, zo gauw ik een paar steentjes teruggewonnen heb.' Beryl liep naar binnen om een dienstmeisje te roepen. Even later verscheen het dienstmeisje met twee lantaarns, die ze op kleine tafeltjes plaatste zodat de dames overvloedig licht hadden. Cosima slikte om elk spoor van zenuwachtigheid te verjagen, en zei: 'Zou lord Peter al terug zijn uit de grot?'

Niemand scheen haar te horen. Alle blikken waren gevestigd op de kaarten in hun handen. Cosima begon te begrijpen waarom haar vader thuis zulke spelletjes had verboden. Je raakte er je gezonde verstand bij kwijt.

'Wat zei je, Cosima?' vroeg lady Hamilton na een poosje.

'Ik vroeg me af wanneer lord Peter terug zou komen, met het hoge tij.'

Lady Hamilton keek nauwelijks naar het water. 'O, hij komt er vast zo aan.'

Cosima wilde haar hoofd schudden – of de dames door elkaar rammelen. Hoe konden ze zo nonchalant zijn? Peter kon wel gevangen zitten! Grotonderzoek mocht dan opwindend zijn, maar je hoorde het niet in je eentje te doen, hoe ervaren je ook was.

'En weer gewonnen,' zei Christabelle giechelend.

Beryl zette zich af tegen de tafel. 'Ik heb genoeg gehad voor één middag.'

Haar moeder zocht de kaarten bij elkaar. 'Ik dacht dat je je stenen terug wilde winnen?'

De oudste dochter keek nors, niet naar haar moeder, maar naar haar zusje. 'Morgen probeer ik het weer.' Beryl haakte haar arm door die van Cosima, die blij was dat het spelletje eindelijk afgelopen was. Ze keken samen naar de kleurige lucht. 'Het is inderdaad een prachtige zonsondergang.'

'Ja.' Cosima overwoog hoe ze haar volgende zin moest formuleren zonder Beryl te laten merken hoe ongerust ze was. 'Hoe hoog komt het water eigenlijk, denk je? In de grot, bedoel ik?'

'O, het is nu ongeveer op z'n hoogst. Ik geloof...' Beryl zweeg abrupt en keek Cosima aandachtig aan.

Cosima keek terug, verbaasd om de volkomen afwezigheid van angst in Beryls gezicht. Haar broer kon in nood zijn in die grot, in elk geval tot het tij keerde, en alles wat zijn liefhebbende familie had gedaan, was ondertussen een spelletje doen.

'Zullen we een eindje gaan wandelen, Cosima?' vroeg Beryl, meer kordaat dan vriendelijk. 'Ik heb zo lang gezeten, ik wil even mijn benen strekken.'

'Het duurt niet lang meer voordat we geroepen worden voor het eten,' waarschuwde haar moeder.

Hoe kon ze? Hoe kon lady Hamilton aan eten denken terwijl het tij op z'n hoogst was en Peter niet terug? En waarom wilde Beryl alleen maar een wandelingetje gaan maken en niet om hulp roepen om te kijken of ze Peter konden bereiken?

'We blijven op het gras en niet op het strand,' riep Beryl over haar schouder.

'Beryl,' zei Cosima toen ze de laatste trede van de verandatrap achter zich lieten.

'Geen woord meer, lieverd.' Kroop daar een voorbode van een glimlach om Beryls lippen?'

Ze liepen om naar de achterkant van het huisje, buiten gezichts- en gehoorafstand van de mensen op de veranda. Cosima volgde geagiteerd.

'Tenzij je wilt dat mijn moeder en mijn zusje allebei vermoeden dat je gevoelens voor Peter hebt die je voor je verloofde hoort te bewaren, moet je met me meegaan.'

'Ik snap niet wat je bedoelt, Beryl. Wat ik wel weet, is dat het tij weer hoog is, en niemand schijnt zeker te weten of Peter nog in de grot is.'

'Alles is in orde met hem, kan ik je verzekeren,' zei Beryl. 'Heeft hij je niet verteld over de ingang aan de landzijde?'

Cosima slaakte een zucht van opluchting. 'Ja, ik herinner me vaag iets.'

Beryl lachte, maar even later stond haar knappe gezichtje ernstig. Ze nam een hand van Cosima in de hare. 'Je ziet toch wel wat er aan de hand is, hè Cosima? Je bent naar Engeland gekomen in de hoop verliefd te worden op Reginald, maar je begint van Peter te houden.'

'O nee, Berrie, dat is niet waar! Ik was alleen bezorgd om je broers welzijn, dat zou ik zijn voor iedereen die in gevaar is.'

Beryl schudde haar hoofd op Cosima's protesten en sloeg haar armen over elkaar. 'Ik heb gezien hoe je naar hem kijkt. En verder heb ik gezien hoe hij naar jou kijkt.'

'Hoe dan?' Cosima beet op haar lip toen haar stem haperde. Ze moest niet op het onderwerp ingaan, maar de woorden waren haar al ontglipt voordat ze ze in kon houden.

'Misschien zie je het niet, maar ik wel. Ik geloof niet dat ik hem ooit zo smoorverliefd heb gezien, zelfs niet bij Nan. Ik denk dat Peter weer vertrouwen begint te krijgen.'

Gedachten en emoties kolkten in Cosima als het tij dat ze daarstraks had zien opkomen, rijzend en bruisend en onmogelijk te stoppen. En toch moest dat.

Er was teveel dat Peter en Beryl allebei niet wisten.

'Berrie, zo moet je niet praten. Reginald is degene die me ten huwelijk heeft gevraagd, en hij kent me veel beter dan Peter. Er zijn dingen die jij niet weet, dingen die alles misschien anders maken.'

'Wat voor dingen? Als je je familiegeschiedenis bedoelt, dan stel ik voor dat je dat meteen uit je hoofd zet. Het betekent niets.'

'Wat weet je van mijn familiegeschiedenis?'

'Over die kloof tussen je vader en douairière Merit natuurlijk. Als je eenmaal met een Engelsman getrouwd bent, krijgt je vader misschien de kans om zijn familie persoonlijk te ontmoeten. Dan kunnen ze herstellen wat er in het verleden gebeurd is.'

'Misschien,' beaamde Cosima, onzeker of ze opgelucht was of teleurgesteld dat Beryl de rest van haar familiegeschiedenis niet kende. Moest ze Beryl de waarheid vertellen? Dan hield ze tenminste op met haar pogingen haar aan Peter te koppelen. Het was veel te aantrekkelijk om met Peter te worden samengebracht, en Cosima mocht het niet langer toestaan. 'Ik moet je iets vertellen.'

Precies op dat moment kwam om de hoek van het tweede huisje dat ze hadden gehuurd, waar Peter en Reginald en de mannelijke bedienden waren gehuisvest, de gestalte van Reginald. 'Ik kom je halen voor het diner, voor onze wandeling later, Cosima,' zei hij toen hij bij hen was en hij nam haar hand in de zijne.

Van de wijs gebracht door zijn tussenkomst volgde Cosima hem en Beryl deed hetzelfde. In huis werd Cosima bijna lichtzinnig van blijdschap toen Peter even later binnenkwam, enigszins gebukt door de lage deuropening. Zijn blik ging speurend door de kleine woonkamer en bleef op haar rusten Ze stond zichzelf slechts een klein lachje toe; als ze haar gedrag niet streng in toom hield, zou Beryl niet de enige zijn die haar geheim vermoedde.

*

De lentemaan was vol en wierp vonken van wit licht op de golven toen Cosima en Reginald langs het strand wandelden. Cosima stapte behoedzaam over het schuivende, kiezelachtige zand en voelde bij elke stap haar schoenen vollopen. Ze keek om naar het huisje, waar het licht zo vrolijk door alle ramen scheen, en wenste dat ze bij de anderen was gebleven. Maar ze glimlachte naar Reginald. 'Wat een prachtige maan,' zei ze zacht.

'Maar jij bent nog mooier.'

Ze keek verlegen van hem weg. Reginald kon charmant zijn, en toch was er iets merkwaardigs aan zijn manier van doen. Zelfs nu ze onvast over het zand liepen, bood hij geen hand om haar elleboog, hoewel niemand dat te vrijpostig kon vinden.

'Hoe vind je Engeland?' Reginalds stem klonk stijfjes.

'Prachtig,' gaf ze toe. 'Er is wat meer industrie dan thuis, maar dat zal wel goed zijn voor het land. Afgezien daarvan is het heel mooi.'

'En de Hamiltons?'

'Ze zijn geweldig. Ik geloof dat Berrie en ik vriendinnen voor het leven zijn geworden. Ik hoop het in elk geval.'

Hij knikte. 'Ja, Beryl is een voortreffelijke jonge vrouw.'

'Ik heb niet veel vriendinnen gehad,' bekende Cosima. 'De meeste mensen zijn bang dat het besmettelijk is.'

'Wat?'

'De vloek,' zei ze, haast fluisterend.

Hij lachte honend.

'Waarom stoort je dat niet, Reginald?'

Hij klemde zijn handen ineen achter zijn rug. 'Omdat het belachelijk is. Vloeken bestaan niet.'

'Misschien niet, maar er moet toch een verklaring zijn voor Royboy en Percy, mijn neven en mijn oom.'

'Het is nog steeds onzeker of je broer Percy zwakzinnig was of niet. Zelfs je vader gaf toe dat je oudste broer beter was dan Royboy. En de anderen... tja, ik heb er natuurlijk geen verklaring voor, maar kijk naar jezelf, Cosima. Je hebt een helder verstand. Ik denk dat jij alleen maar gezonde kinderen zult krijgen. Je moeder en je tante... misschien waren die niet zo gezond als jij? Je tante zeker niet, gezien het verhaal dat je me onderweg naar Engeland vertelde.'

Cosima wilde niet twisten over de mentale evenwichtigheid van haar tante, al vond ze dat Reginald haar te hard beoordeelde. Tante Rowena had een zware slag moeten incasseren: ze was verjaagd door haar echtgenoot en mocht de helft van haar kinderen niet zien, ze was haar huis kwijtgeraakt en stond voor een grimmige toekomst zonder hulp in de zorg voor de twee hulpbehoevende zoons die ze nog over had. Onder die spanning had iedereen het kunnen begeven. Maar Cosima was ervan overtuigd dat haar tante maar tijdelijk uit haar evenwicht was geweest, en had ze langer geleefd, ze zou stellig gewend zijn aan haar leven en de aangeboden hulp van Cosima's vader aangenomen hebben.

'Toch,' zei Cosima uiteindelijk, 'blijft er een grote kans bestaan dat ik kinderen zal krijgen zoals mijn broers. Ik weet dat je bereid bent het risico te nemen, omdat je hoopt via de familie Escott invloed te winnen. Ik weet ook dat mijn ouders graag willen dat we trouwen. Maar toch blijf ik voorzichtig, omwille van jou en van mij. Misschien moet je iemand raad vragen of je het risico wel moet nemen om met mij te trouwen.'

'Dat heb ik al gedaan.'

'O...? Wie dan?'

'Nou ja, Peter natuurlijk!' Reginald keek haar even aan voordat hij zijn blik weer naar de zee wendde. 'Ik heb gisteren met Peter gepraat, na zijn middagzitting in het parlement. Hij zocht me op om te vragen wat ik ervan vond om met jou en de familie hierheen te gaan. We hebben uitgebreid gesproken, Cosima. Ik heb hem alles over je verteld, ook over de rare geruchten van de vloek. Hij vond dat ik wel gek zou zijn om niet met je te trouwen als ik de kans kreeg.'

Cosima staarde Reginald aan, haar hart bonsde in haar borst. Peter wist het? Hij wist alles? Als hij het sinds gisteren wist, had zijn gedrag tegenover haar dan niet moeten veranderen? Niet dat hij niet altijd goedgemanierd was en een gepaste afstand tussen hen bewaarde. Maar hij was voortdurend bezorgd om haar geweest. Vanavond nog, toen hij de woonkamer was binnengegaan waar de eettafel was klaargezet, had hij haar begroet met een glimlach die alleen voor haar gereserveerd was.

Of misschien had ze zich verbeeld dat zijn blik op haar bleef rusten, alsof hij niet verder hoefde te zoeken naar wat hij wilde zien. Misschien had ze zich *alles* ingebeeld, en had Peter niet de minste belangstelling voor haar. Misschien maakte de vloek *daarom* geen verschil voor hem.

'Er hoeft niet over gesproken te worden, behalve tussen ons tweeën, toch Cosima?' vroeg Reginald zacht.

'Ik praat er net zo lief niet over,' gaf ze toe.

'Heel goed,' zei Reginald vlug. 'Ik ben blij dat je het met me eens bent. Niemand heeft er tenslotte iets mee te maken. Aha,' voegde hij eraan toe, met een blik naar het huisje. 'Ik zie dat Peter ons al heeft gemist.'

Ze probeerde zich te beheersen, maar Cosima's blik vloog naar het huisje. Daar stond hij, op de veranda uit te kijken over het water.

Of sloeg hij hen gade? Ze verdreef de gedachte. Waarom moest ze automatisch hopen dat al Peters gangen met haar te maken hadden? Cosima keek weer naar het water, maar tot haar ontzetting zag ze Reginald breed lachen en een arm opsteken om Peter te wenken. *O nee. Hoe moet ik hem ontlopen als iedereen, Reginald incluis, ons met alle geweld bij elkaar wil brengen?*

'Ik denk dat jullie de beste plek hebben gevonden om de avond door te brengen,' zei Peter toen hij bij hen was.

'Dat zal waar zijn,' zei Reginald, 'maar ik kan wel raden wat er gebeurde toen je moeder de familie aan het voorlezen was. Wiens werk heb je nu weer beledigd door in slaap te vallen? Austen of Goldsmith?'

'Kan ik het helpen dat haar stem zo kalmerend is als een slaapliedje? Ze is per slot van rekening mijn moeder.'

Hij glimlachte naar Cosima, die de verleiding niet kon weerstaan naar hem terug te kijken.

Reginalds lach werd gevolgd door een geeuw. 'Ik snap waarom je in slaap bent gevallen, makker. Ik ben zelf ook doodop. Vast door al die frisse zeelucht.' Hij geeuwde nog een keer en verontschuldigde zich. 'Ik ben bang dat jullie niet veel aan me hebben. Ik weet niet wat onbeleefder is – om hier voor jullie te blijven staan geeuwen of me vroeg te excuseren.'

Cosima kon het niet laten om nog een keer naar Peter te kijken. Er lag een afkeurende blik op zijn gezicht, die kennelijk veroorzaakt was door Reginalds woorden.

'Ik vind het niet erg om naar huis te gaan als je naar bed wilt, Reginald,' zei Cosima.

'O, nee,' hield Reginald vol. 'Waarom blijven jullie tweeën niet nog een poosje hier? Maak gebruik van de frisse lucht die je in Londen niet krijgt.'

Wilde hij haar hier achterlaten, alleen met Peter?

Moest ze geen tegenwerpingen maken? Of Peter – misschien moest hij iets zeggen. Maar ze vond geen woorden, en Peter ook niet; ze maakten geen van beiden bezwaar. Ze zei alleen welterusten toen Reginald naar haar boog.

Cosima keek op naar de maan en toen uit over het fonkelende water, en wierp één keer een blik over haar schouder om Reginald vastberaden op het tweede huisje af te zien stevenen.

'Reginald vertelde me dat jullie laatst uitgebreid met elkaar hebben gepraat,' zei ze voorzichtig.

'Ja.' Hij wendde zijn blik van de maan naar haar. Cosima durfde hem niet in de ogen te kijken en vroeg zich af of het maanlicht genoeg was om de blos op haar wangen te onthullen. 'Hij vertelde me dat hij met je gesproken heeft over mijn familiegeschiedenis.'

'Ja, we hebben een poosje over je gepraat. Ik was maar al te graag bereid om hem een luisterend oor te lenen, ben ik bang, en daar maakte hij gebruik van.'

Er kroop een glimlach naar haar lippen, maar ze hield haar blik afgewend.

Stilte. Cosima streek een verdwaald lokje haar opzij dat ontsnapt was uit de wrong in haar nek. Ze zag hoe het water over het zand kabbelde, steeds veranderend, hypnotiserend. Achter elkaar werden kleine schuimkoppen gevormd, die zich opstapelden tot een hogere golf elke kleinere golf naar voren duwde. Dan begon het weer opnieuw, verscheidene kleintjes gevolgd door een grote golf erachteraan. Ze durfde niets te zeggen.

Peter bukte en pakte een steentje op. Er lagen er heel veel langs de kust. Hij bestudeerde het en gooide het een eind in zee. Hij deed het nog een keer en Cosima keek toe, zag hoe zijn vingers het steentje aanraakten en het zand wegveegden, het dan vastpakten en verder in de zee gooiden dan zij ooit zou kunnen. Ze probeerde het niet eens.

Ze moest zich verontschuldigen, naar binnen gaan en bij de dames gaan zitten. Maar ze kon haar voeten niet in beweging krijgen. Ze keek alleen maar naar Peter. Ten slotte pakte hij een steentje op, maar in plaats van het in zee te gooien, hield hij het vast en wreef met zijn duim over het brede, platte midden. Het deed Cosima denken aan de manier waarop ze soms het aandenken koesterde dat haar grootmoeder haar had gegeven, het kruis met de ijzeren rand die al een dunne plek vertoonde waar andere het net zo hadden gestreeld.

Het werd duidelijk dat Peter niet van plan was dat steentje in zee te gooien. Hij keek niet eens meer naar de zee, maar naar haar. 'Wil je weten waarom ik van plan was om uit Londen te vertrekken, toen ik een paar dagen geleden zei dat ik naar de kust zou gaan?'

'Om fossielen te gaan zoeken?'

Hij schudde zijn hoofd. 'Ik wilde weg bij jou.'

Zijn woorden waren hard, maar zijn toon zacht en intiem. Dus het nieuws van de vloek had toch zijn invloed gehad. En dat ging hij nu opbiechten.

Hij deed een stap naar haar toe en ze ging niet opzij, al wilde ze dat eigenlijk wel. Hij ging haar vertellen dat hij het erg vond van de vloek, maar dat ze vertrouwen moest hebben in de toekomst die God had vormgegeven. Ze wist dat zijn geloof even sterk was als het hare, en dat zou ze zelf zeggen tegen iemand in dezelfde situatie.

Hij stond zo vlak achter haar dat ze hem diep hoorde inademen. Maar hij ademde geen zeelucht in. Het was alsof hij de geur van haar haren opsnoof. Ze waagde het niet zich te bewegen.

'Ik hoopte dat ik door weg te gaan, blij kon worden voor Reginald, in plaats van jaloers op hem. Hij is mijn vriend en ik wil het beste voor hem.'

Cosima's hart bonsde en het bloed schoot naar haar slapen. Was dat alles wat hij zou zeggen? Niets over wat hij wist?

Met haar ogen op het water gericht, vertrouwde ze haar stem genoeg om te zeggen: 'En toen nodigde ik mezelf uit om mee te gaan? Het spijt me.'

'Nee, niet doen. Ik heb er veel meer van genoten dan ik in mijn eentje had gedaan.' Hij snoof weer en toen deed hij een stap naar achteren, terwijl hij omkeek naar het huisje alsof hij bang was dat iemand hem erop zou betrappen dat hij te dichtbij stond. 'Ik lijk wel erg onloyaal tegenover mijn vriend.'

'Wat bedoel je?'

Peter gooide het steentje in de lucht en ving het

op in zijn hand. Ten slotte hield hij het steentje vast en keek haar strak aan. 'Ik bedoel dat ik hier niet alleen met jou hoor te staan, ondanks het feit dat Reginald dat duidelijk zelf gearrangeerd heeft. Waarom is me een raadsel. Als Reginald en jij vastbesloten zijn de bruiloft door te zetten, dan wens ik jullie allebei veel geluk. Ik wil dat, als jullie voor elkaar geschikt zijn.'

'Dat is aan Reginald, vind je niet?' zei Cosima.

'Je kunt hem afwijzen,' zei hij. Toen keek hij weer naar het water en gooide er het steentje in waarvan ze gedacht had dat hij het zou bewaren. 'Als je niet gelooft dat jullie bij elkaar passen.'

Ze staarde hem aan, zijn wit linnen overhemd rimpelde in de zachte zeewind, zijn haar zat in de war en ze kon de kleur van zijn ogen haast niet onderscheiden toen hij haar weer aankeek. Maar zelfs in de donkere diepte zag ze een glans; hij keek haar aandachtig aan, alsof hij haar wilde dwingen de waarheid te zeggen.

Ze wilde de waarheid zeggen. Dolgraag wilde ze de waarheid spreken van haar hart. Ongelooflijk als het was, ze geloofde dat hij op dit moment wilde dat ze zei dat ze Reginald zou weigeren. Dat het onmogelijk voor haar was om met een ander te trouwen terwijl er iets tussen hen tweeën groeide. Ongevraagd, maar werkelijk. Het was er vanaf het moment van hun ontmoeting geweest.

Maar terwijl ze hem aanstaarde en tegen Peter wilde zeggen dat ze Reginald zou afwijzen om vrij te zijn voor Peters attenties als hij die wilde bieden, wist ze dat ze het niet mocht doen. Ze zag een levendig beeld voor zich van Royboy. Royboy, die ze miste. Maar hoewel ze hem miste, genoot ze ervan haar spullen niet te hoeven bewaken – sieraden waar hij mee weg kon lopen en kwijtraken, of schoenen die hij graag over de balustrade gooide. Bij elke maaltijd vrij van de zorg dat hij zijn mond volpropte met eten en ging kokhalzen, zodat zijn maaginhoud omhoog kwam. Vrij van de zorg dat hij te ver kon wegdwalen en in een dorp terechtkomen waar de mensen hem bespotten.

Die gedachten maakten haar nog steeds onzeker of ze Reginalds aanzoek wilde aanvaarden, wat haar ouders ook vonden. Ze kon Peters belangstelling niet aannemen, al wilde hij die geven. Wat had hij erbij te winnen om met haar te trouwen, behalve de mogelijkheid dat er een einde kwam aan zijn erfgoed? Alleen om voor dezelfde vrees gesteld te worden als zij?

Reginald en Peter konden allebei wel denken dat de vloek dwaasheid was, maar dat dacht zij niet. Hoe kon ze met een van hen trouwen terwijl ze wist wat voor kinderen ze ongetwijfeld voort zou brengen? Reginald was bereid het risico te nemen om een stap omhoog te doen in de maatschappij door met de nicht van een hertog te trouwen. Dat kon ze begrijpen.

Maar Peter? Hij had alles al: een titel, het geld dat erbij hoorde, land, een familie die van hem hield.

En intelligentie. Natuurlijk wilde hij een zoon hebben om al zijn zegeningen mee te delen.

Cosima keek van hem weg; als ze hem nog langer aankeek zouden de woorden niet meer komen. Woorden die duidelijk maakten dat ze wellicht overgehaald kon worden tot een ruilhandeltje met Reginald, maar niet zou toestaan dat Peter alles voor haar op het spel zette.

'Ik zal Reginald niet afwijzen als hij besluit het huwelijk door te zetten,' fluisterde ze. Ze hoopte dat God het haar zou vergeven als ze Reginald zonder liefde aannam en hem alleen zwakzinnige zoons schonk in ruil voor het sociale aanzien dat hij verlangde. En dat God haar de kracht zou schenken om zo'n leven te verdragen.

Peter verstijfde. Hij richtte zich hoger op dan daarstraks toen ze zo dicht bij elkaar hadden gestaan en hij de geur van haar haren had ingeademd. 'Ik begrijp het.' Ook zijn stem klonk stijf. Onbuigzaam. Formeel. Beleefd. 'Ik bewonder een vrouw van haar woord evenzeer als een man van zijn woord. Het is natuurlijk heel correct dat je zo loyaal bent. Correcter dan ik.'

Hij wilde weglopen in de richting van het huisje, maar iets hield hem tegen. Hij draaide zich naar haar om en opnieuw zag ze de intensiteit in zijn ogen.

'Dat is het, hè? Je hebt je woord gegeven en je wilt er niet op terugkomen?'

Het was zoveel meer dan dat. Maar Cosima knikte alleen maar. Haar woord houden aan Reginald moest reden genoeg zijn.

Peter liep weg, in de richting van het tweede huisje.

Ze wilde niet naar hem kijken, maar ze kon zich niet van hem afwenden.

Hij keek niet één keer om.

23

Natalie deed de deur open, ze had door het raam naar haar zus uit staan kijken. 'Bedankt voor je snelle komst.'

'Ik geef dit jaar geen zomercursus, dus het was geen probleem,' zei Dana. 'Wat is er?'

'Er is niks,' zei Natalie terwijl ze haar tas pakte. 'Ik moet alleen een paar boodschappen doen. Heb je vanavond iets te doen? Moet je op tijd weg?'

'Midden in de werkweek voor Aidan. Geen afspraakjes voor vanavond,' zei Dana, en ze voegde eraan toe, 'maar ik dacht dat je me minstens te eten kon geven.'

Dana's vriendelijke grapje kwam aan ergens in Natalie's hoofd, maar ze kon geen lachje opbrengen. 'Ja, hoor. Ik wilde toch bij de supermarkt langsgaan.'

'Oké. Wat zou je dan zeggen van filet mignon?'

'Leuk,' zei Natalie. Ze was absoluut niet in de stemming voor de grapjes die Dana te berde bracht. 'Ik ben over een paar uur terug.'

'Zeg... wat is er nou?'

'Niks, gewoon druk. Ik ga.'

'Wil je dat ik Ben op een bepaalde tijd wakker maak?'

'O! Ja, over een half uur, anders krijg ik hem vanavond niet meer naar bed.'

Natalie draaide zich om naar de garagedeur, maar Dana legde haar hand op haar arm. 'Weet je zeker dat alles in orde is?'

'Natuurlijk. Wat zou er zijn?'

'Ik weet het niet. Is alles goed met... je weet wel, de nieuwe baby? Wat voor boodschappen ga je doen? Moet je naar de dokter?'

Natalie schudde haar hoofd en glimlachte geforceerd. Het was dezelfde namaaklach die ze haar moeder schonk als die vroeg of ze zoete aardappels mee wilde brengen voor het Thanksgivingdiner. Alleen zij en Luke hielden ervan.

'Oké,' zei Dana langzaam, 'ga je dan soms naar de tandarts voor een wortelkanaalbehandeling ofzo?'

Kijk aan. Bijna een echte glimlach. 'Ik ben gewoon moe, denk ik. Ben was om twee uur vannacht klaarwakker. Ik heb hem pas na vijven weer in bed gekregen en een half uur later ging Luke's wekker af en stond ik weer naast mijn bed.'

'Misschien kun je beter een slaapje gaan doen en die boodschappen laten zitten.'

'Nee, nee. Het gaat wel. Tot straks.'

En Natalie was de deur uit.

24

Ik geloof dat het de grote dichter Shakespeare was die de raad gaf: 'Verwoord uw gedachten niet.' Dit is soms buitengewoon moeilijk – hoe nobel ook het motief is.
Ik heb de afgelopen twee maanden weinig van Peter gezien. (En is het niet veelzeggend dat ik weinig in dit dagboek heb geschreven? Misschien wel meer dan ik wil toegeven.) Beryl zegt dat Peter overdag in het parlement zit en 's avonds naar Pall Mall gaat om te kaarten, te biljarten, of een andere nutteloze bezigheid uit te voeren. Alles behalve naar huis gaan, althans tot ruim nadat iedereen naar bed is gegaan. Beryl steekt niet onder stoelen of banken dat ze het gedrag van haar broer ongewoon vindt, en ze vraagt steeds of we soms ruzie hebben gehad aan het strand. Dat ziet ze als het keerpunt, toen Peter zijn huis – of mij – begon te ontlopen.
Maar natuurlijk heb ik niets toegegeven. Ik kan Beryl de hele waarheid niet vertellen en toch gehoor geven aan Reginalds wensen om niet over mijn familievloek te praten. Bovendien, wat heb ik eraan om alles aan Beryl te vertellen, behalve misschien om sneller een einde te maken aan elke hoop die ze koestert dat Peter en ik samen een toekomst vinden? Beryl moet zelf vroeg of laat tot die conclusie komen.

Mijn relatie met Reginald wordt met de dag verwarrender. Sterker nog, ik had Millie niet mee hoeven nemen als chaperonne, want Reginald komt nooit langs om me ergens alleen mee naar toe te nemen. Hij komt zelden op bezoek, zijn zaken nemen het grootste deel van zijn tijd in beslag. Hij is een trouwe begeleider geweest naar verschillende uitgaansavondjes, maar zelfs op soirees besteedt hij evenveel aandacht aan Beryl en Christabelle als aan mij.
Op een van de zeldzame gelegenheden dat hij geweest is, drong lady Hamilton er bij hem op aan een datum vast te stellen voor de bruiloft. Ze liet doorschemeren dat een datum alles was wat douairière Merit nodig had om uiteindelijk haar zegen te geven. Maar Reginald was merkwaardig besluiteloos. Het was duidelijk dat hij met me wilde trouwen, maar het moet nog gebeuren dat hij verder op de details ingaat.
Ik moest bekennen dat ik opgelucht was, al was het alleen aan mezelf.
Er is nog een aspect aan mijn aarzeling, iets wat ik niet kan negeren, hoe graag ik ook het beste van Reginald wil geloven. Hoewel hij tegenover mijn ouders beweerde dat hij actief was in de anglicaanse kerk, dat hij allesbehalve een heiden was, zie ik weinig bewijs van iets dat verder gaat dan een oppervlakkig geloof. Toen ik een keer voorstelde samen te bidden over de kwestie van het huwelijk, zag ik een blik in zijn ogen die me verontrustte. Intens gevoel, maar niet bepaald eerbiedig. Tot hij de stemming weglachte, was ik even verward – bijna bang. Het

werd me niet duidelijk wat hij vond van het gebed – of hij het uitgesproken dwaas vond of om te lachen. Het is allebei even verontrustend.

Ik vraag me vaak af of Reginalds weifeling om met me te trouwen voortkomt uit mijn gespannen relatie met douairière Merit. Wacht hij om te kijken of het de moeite waard is om met me te trouwen? In het openbaar is de douairière vriendelijk tegen me. Maar ze heeft me nog niet een keer gevraagd terug te komen in de schoot van de familie Escott.

Maar van alle dingen die wedijveren om een plaats in mijn hoofd, is het Peter die ik daar het vaakst laat neerstrijken. Hoewel afwezig in persoon, is hij voor altijd aanwezig in mijn dromen. Als ik toevallig een glimp van hem opvang als hij binnenkomt of weggaat, volgen mijn ogen hem als magneten naar metaal. Als zijn blik de mijne ontmoet, kan ik mijn ogen niet afwenden.

Ik heb besloten Beryl te vragen om met haar broer te praten, erop aan te dringen dat hij een avond thuisblijft en doorbrengt zoals hij gewend was, met de familie. Maar eerst moet ik zorgen dat Peter weet dat ik 's avonds uit de buurt zal blijven. Dat zal wel helpen...

Cosima liep de trap af naar Peters fossielenkamer. Ze wist zeker dat ze hem daar niet zou vinden op dit moment van de dag, even na drieën, en ze was van plan een briefje voor hem achter te laten. Eerlijk maar kort verklaarde ze daarin haar wens dat hij vaker thuis zou blijven. Als hij Beryl liet weten wanneer hij tijd had voor zijn familie, kon Cosima een bezigheid zoeken in de bibliotheek of elders, om niet in de weg te staan.

Het was een eenvoudig, onpersoonlijk briefje dat ze een paar keer had herschreven. De eerste keer had haar hand zo getrild dat haar handschrift haast onleesbaar was. De tweede keer had ze per ongeluk inkt over het blad gespetterd. Uiteindelijk was ze bijzonder voorzichtig geweest en ze had het een paar keer doorgelezen om te zorgen dat ze het goed opgeschreven had. Ze was van plan het briefje achter te laten en terug te gaan naar haar kamer, zodat niemand anders dan Peter ervan zou weten.

Het was stil en donker in de kamer, de kaars in haar hand was de enige verlichting. Ze vond met gemak de tafel in het midden van de kamer, een plek bij de lamp, waar hij het zou zien. Daar legde ze het briefje neer.

Cosima draaide zich om naar de deur en bleef even staan. Peters aanwezigheid hing zo sterk in de kamer dat ze niet vlug weg kon gaan. Hij was hier in wezen en aard, als een onmerkbare geur die ze vanaf hun allereerste ontmoeting met hem associeerde.

Met de kaars hoog geheven keek ze naar de planken die vol stonden met zijn schatten. Opnieuw wenste ze dat ze wist wat sommige fossielen waren. Eigenlijk wilde ze alles wat hem interesseerde met hem bespreken.

Maar zo'n gesprek mocht ze natuurlijk niet voeren. Ze moest het niet doen. Ze had tegen hem gezegd dat ze Reginald zou kiezen... en dat moest ze doen. Het was voor Peters eigen bestwil.

Ze moest natuurlijk weggaan. En toch was hier zo veel, zo veel kennis, niet alleen van wat Peter fascineerde, maar van Peter zelf. Ze hield de kaars bij enkele stapels papier en vond er eentje met het opschrift *Fossielen uit de Bristolgrot*. De grot die zij met hem had bezocht? Ze sloeg het eerste blad op en zag een aantal tekeningen. Had Peter die zelf gemaakt? Het waren eenvoudige houtskooltekeningen, maar ingewikkeld en gedetailleerd.

Cosima bestudeerde het ene blad na het andere en bekeek de krachtige letters die elke tekening de naam gaven. De ene stapel na de andere, van fossielen en botten. Alles, van zijn illustraties tot de labels aan elk artikel, sprak van Peters nauwgezette ordening. Hij was briljant. Wat zou ze hem graag beter persoonlijk leren kennen in van plaats van alleen door zijn werk!

'Cosima.'

Haar hart sprong op in haar keel, ze hapte naar adem. Ze durfde zich niet te verroeren, bang dat ze de kaars uit haar plotseling onvaste handen liet vallen. Hadden haar oren haar bedrogen? Ze had niet geweten, had niet durven hopen, dat hij op dit moment zou binnenkomen... en toch, hoelang was ze er geweest? Had ze getreuzeld omdat ze verlangde naar Peters komst?

Het deed er niet toe. Als je door je verlangen iemand kon oproepen, dan was hij hier vanwege haar.

Eindelijk draaide ze zich naar hem om. Hij stond in de schaduw, zijn brede schouders afgetekend in het gedempte licht van de gang. Haar kaars was nauwelijks fel genoeg om zijn gezicht te verlichten, want ook dat was verscholen in de schaduw. Ze zag geen glimlach en voelde meer dan ze zag dat zijn blik op haar rustte.

'Ik... kwam een briefje brengen,' zei Cosima, en het kaarslicht flakkerde toen ze naar de tafel wees. 'Daar ligt het.'

Peter kwam dichterbij en liep langs haar heen naar de tafel.

'Goed, dan ga ik maar.'

'Nee, wacht. Ik wil lezen wat je geschreven hebt.'

Nadat hij een lucifer had afgestreken en de lamp aan had gestoken, las hij het. Het kostte maar een paar seconden. Toen hij klaar was, bleef hij nog geen meter van haar af naar haar staan kijken. Zo dichtbij en bij het licht van de lamp kon ze zijn gezicht beter zien, en nu zag ze de glimlach onder zijn snor. Maar het was geen blije glimlach. Eerder vaag sardonisch.

'Dus je denkt dat je mij en mijn familie in de weg staat.'

'Is dat niet zo?' fluisterde ze.

'Hoe ik mijn tijd doorbreng, is mijn eigen keus.'

Cosima keek verlegen van hem weg. 'Ik vond alleen dat je moest weten dat je moeder en je zussen je gezelschap missen.' Ze liep naar de deur.

Peters voetstappen klonken achter haar. Ze wilde niet aarzelen. De waarheid was hier, in zijn nabijheid. Stellig was zij de reden dat hij wegbleef.

Zijn hand raakte nauwelijks haar schouder, maar er voer een schok door haar heen. Onvermijdelijk. Werkelijk.

'Ik wil niet dat je weggaat en mij in een leugen laat geloven, Cosima.'

Ze wilde zich omdraaien om hem aan te kijken, maar ze kon het niet. Ze wist zeker dat hij dan haar verlangen zou zien dat hij haar in zijn armen nam. Dat kon ze niet toestaan. Daarom stond ze stil en staarde naar de grond, met haar rug naar hem toe.

'Je bent een mysterie voor me, Cosima,' prevelde hij. 'Ik zie in je ogen een welkom dat ik je niemand anders heb zien geven, zelfs Reginald niet. En toch wijzen je woorden en je handelingen me steeds weer af. Ik wou dat ik het begreep.'

Wat zou ze hem dat welkom nu graag tonen, vergezeld van woorden die ze hem wilde zeggen. Maar ze slikte ze in en concentreerde zich op de waarheid die boven al het andere belangrijk was. Zij was niet voor Peter bestemd. Dat kon niet. Zij niet.

Ze wilde gaan, maar zijn hand bleef op haar schouder liggen. Ze voelde hem steviger drukken. Ze bleef staan, maar keerde zich niet naar hem om, hoewel dat precies was wat ze wilde.

'Je bent net een van mijn fossielen, Cosima,'

fluisterde hij. 'Iets verwonderlijks, maar gebarricadeerd en diep verstopt in een steen. De grootste uitdaging van het openen van een fossiel is de schat binnenin niet te beschadigen. Ik wenste dat ik dat bij jou kon, maar ik merk dat ik het niet kan... ik ben onbekwaam.'

Hij zweeg even en de stilte bleef duren, maar zijn hand bleef op haar schouder liggen. 'Ik weet dat ik zulke dingen niet tegen je moet zeggen. Ik verafschuw mezelf erom. Jij bent van Reginald, daar heb je me zelf aan herinnerd.'

Hij ademde diep in, scherp en even onvast.

'Het is verkeerd van me om je dat welkom te ontlokken, Cosima. Vergeef me.'

Opnieuw in de verleiding om hem aan te kijken, deed haar nek pijn van spanning. 'Er valt niets te vergeven, Peter. Ik...' Ze perste haar lippen op elkaar. Wat was ze dwaas, wat zwak om te willen toegeven terwijl ze wist dat het niet mocht.

Ze moest vertrekken – en vlug ook.

Als het alleen Reginald was die haar bij Peter uit de buurt hield, Reginald haar lauwe bewonderaar, kon ze zichzelf toestaan zwak te zijn. Maar omdat het meer was, draaide ze zich niet om. Het was niet belangrijk of Peter kon negeren wat Reginald hem over haar familie had verteld. Ze was ervan overtuigd dat zijn erfgoed niet toestond dat iemand als zij werd toegelaten in het ongerepte geslacht Hamilton. Cosima liep onvast, zwijgend, de fossielenkamer uit. Het kaarslicht sputterde in haar trillende hand.

25

'Ik heb een telefoontje gekregen dat mijn gereserveerde boek er is.'

De vrouw achter de balie van de openbare bibliotheek glimlachte en vroeg Natalie's naam. Toen draaide ze zich om naar een plank achter de balie waar boeken stonden met kaartjes eraan. 'Alstublieft. Wilt u nog meer boeken uitzoeken, of is dit alles?'

'Dit is alles.' Natalie liet haar kaartje zien en zag de omvang van het bestelde boek. Het was oud en klein, nauwelijks groter dan een pamflet. Maar er was niet veel voor nodig om te vinden wat ze zocht.

In plaats van de bibliotheek te verlaten nadat het boek was geregistreerd, ging Natalie naar de afdeling naslagwerken en ging zitten. Ze had een week achter de computer gezeten en naar archieven in New York gebeld om gegevens te vinden over een plaats die Engleside heette, een school voor meisjes die meer dan veertig jaar geleden was gesloten. Hier had ze het. De school stond in verbinding met het herenhuis waar Ellen Dana Grayson was gestorven.

Op het omslag van het pamflet over Engleside stond een zwart-witfoto van een meisje. Ze zat op een stoel en keek voor zich uit, de handen zedig gevouwen in haar schoot. Haar lange, donkere haar was netjes uit haar gezicht weggekamd en viel over haar schouders. Ze droeg iets wits of een andere lichte kleur, en was het toonbeeld van een keurige jongedame.

Natalie las het onderschrift bij de oude foto:

Het onderwerp van dit verhaal zullen we Mary Thornton noemen, hoewel haar echte naam anders is. In Mary's verhaal zult u het succes zien van Engleside, want Mary is het boegbeeld van hoeveel een zwakzinnige kan leren.

Zwakzinnig. Het woord zette zich vast in Natalie's hersens en echode alsof de binnenkant van haar hoofd leeg was als een ravijn. *Zwakzinnigen.*

Engleside was een tehuis voor kinderen die niemand anders wilde hebben. Een nauwelijks verhuld gesticht. Een zwakzinnigeninrichting. Natalie las de korte inhoud van het pamflet: *Observaties van de zwakzinnigen; Gemiddelde verblijfsduur op Engleside; Na Engleside, terugkeer naar de familie.*

Ze bladerde en las met ingehouden adem een paar stukjes tekst.

Het gezonde kleine kind vindt een menselijk gezicht, van zijn moeder of iemand anders, een voorwerp van enige fascinatie. Hoewel het het hele gezicht zal bestuderen, zal het recht in de ogen kijken van iemand die glimlacht en het vriendelijk toespreekt. Een van de eerste tekenen van zwakzinnigheid is een gebrek aan rechtstreeks oogcontact, een gemis aan fascinatie voor het menselijke gezicht.

Natalie bracht een vuist naar haar mond en drukte hard om een kreet te onderdrukken. Ze dwong zichzelf naar een andere bladzijde te kijken.

Meest gangbare waarnemingen: bij kleine kinderen gebrek aan coördinatie, moeite met omrollen en/of kruipen, laat lopen, klunzige gang. Bij oudere kinderen moeilijkheden met taalproductie, zowel receptief als expressief. Vaak geagiteerd, vergezeld door fladderen met de handen.

Natalie legde het pamflet neer en sloeg het dicht alsof de woorden een aanval waren, een bewuste poging om alles te bewijzen wat ze zo graag had willen ontkennen. Het was duidelijk dat Cosima's vloek zijn weg had gevonden naar de twintigste eeuw. Had hij ook zijn weg gevonden naar de eenentwintigste? Naar Ben?

Natalie snelde naar de deur en stond alleen even stil om het pamflet in de gleuf voor teruggebrachte boeken te stoppen. Ze had meer ontdekt dan ze had willen weten.

In de auto probeerde Natalie de sleutel in het contact te stoppen. De sleutelbos viel uit haar onvaste greep, maar in plaats van hem op te rapen, klemde ze het stuur vast. Ineens begon ze onbedaarlijk te snikken. Ze wist niet hoelang ze bleef zitten huilen, maar uiteindelijk droogden haar tranen. Natalie veegde haar gezicht af met haar handen en zocht een zakdoekje, maar vond er geen in haar tas. Ze pakte een papieren doekje uit een zakje onder de passagiersstoel en snoot haar neus. Toen vond ze eindelijk haar sleutels.

Dit had niets te maken met Ben. Hoe kon dat ook? Iedereen in haar familie was prima in orde, ook al die neven en nichten aan haar vaders kant. Ze dwong zichzelf rustiger te ademen en klopte zachtjes op haar buik, waar piepklein nieuw leven groeide. 'Ik ben tegenwoordig gewoon een beetje kwetsbaar voor emotionele beroering,' zei ze alsof de baby haar kon horen en begrijpen. 'Maar ik zal niet meer zo raar doen. Ik weet wat we moeten doen. We moeten het onder ogen zien. Niet meer ontkennen wat er wel of wellicht *niet* is. Je papa zal het met me eens zijn dat je broertje onderzocht wordt door een specialist. Kijken of er echt iets mis is of dat Ben gewoon een laatbloeier is, zoals onze kinderarts beweert. Dat is de enige manier om een eind te maken aan deze toestand.'

Ze reed de parkeerplaats af. 'Bovendien heb ik geen tijd voor al dat gejank. We moeten nog boodschappen doen. De supermarkt, maar eerst... de lijstenmaker.' Luke had de voltooide stamboom een maand geleden gebracht en de winkel had bijna een week geleden gebeld om te zeggen dat de klus geklaard was.

Natalie wist niet wat beter had geholpen – het loslaten van alle spanning door haar tranen of het besluit naar een specialist te gaan. Wat het ook was, ze voelde zich nu al beter.

Bij de lijstenmaker stokte Natalie's adem toen ze het voltooide product zag, compleet met dubbele sierrand. Luke had haar geplaagd dat eiken de sterkste houtsoort was. Een eiken lijst voor een eiken stamboom. Duurzaam, het beste om zo'n lange familielijn in uit te drukken. In deze lijst was het een waar kunstwerk.

Haar blik werd getrokken door de namen aan de voet van de stam. Royboy. Willie. Was het verbeelding of vielen bepaalde bladeren op? Rowena... Cosima... Ellen...

*

Natalie betaalde de lijstenmaker en liet hem de lijst inpakken. Toen verliet ze de winkel en plaatste de stamboom voorzichtig in de kofferbak van haar auto.

Een uur later stond ze in de rij voor de kassa van de supermarkt en keek onder het wachten afwezig naar de tijdschriften op het rek. Een vrouw kwam achter Natalie in de rij staan. Ze had een klein meisje bij zich dat zich aan haar been vastklampte en een baby die vastgegespt zat in het zitje op de boodschappenkar. Alledrie waren ze onberispelijk gekleed: het meisje had linten in haar haren en het jongetje had merkschoenen en -sokken aan. Te zien aan de slijtplekken op de kleine leren schoentjes kon het jongetje lopen, al was hij duidelijk jonger dan Ben.

Uit haar ooghoek zag Natalie dat de moeder net zo verveeld keek als de andere wachtenden, behalve als haar dochter huilde en haar wezenloze blik plaatsmaakte voor irritatie.

'Laat me los, Dorrie,' zei ze, maar het kind verroerde zich niet. Het klampte zich zelfs nog steviger aan haar vast, tot haar moeder haar losmaakte.

'Ik wil een reep, mama. En Sam ook. Dat zijn twee repen. Want ik krijg er een en hij krijgt er een. En een plus een is twee. Heb je me gehoord, mama? Een plus een is twee. Dus mag ik er twee? Mag het?'

'Nee, Dorrie. Nu stil zijn.'

Natalie hoorde de woordenwisseling meer dan ze hem zag. Het kleine meisje kon niet ouder zijn dan drie, maar ze kon al rekenen. Geen angst dat iemand in haar familie zwakzinnig was.

En die moeder verheugde zich totaal niet over de prestaties van haar dochter.

Er steeg een golf van boosheid in Natalie op. *Het is niet eerlijk, God. Zij krijgt twee gezonde kinderen, twee kinderen die kunnen lopen en zich aan haar vasthouden. Ze heeft geen enkele zorg over hun toekomst. En ze waardeert het niet eens!*

Natalie slikte moeilijk en drukte weer tegen haar buik, onderdrukte de aandrang om de vrouw door elkaar te rammelen. Te eisen dat ze dankbaar was dat ze geen slechte genen in haar familie had.

Maar Natalie sprak slechts nog een gebed uit dat het goed kwam met haar beide kinderen. Dat een bezoek aan de dokter dat zou bewijzen.

Toen was haar boodschappenkar uitgeladen en ze vocht tegen de tranen.

26

Ik denk dat ik een beetje eigenaardig ben in mijn neiging om zo met het verleden bezig te zijn. Ik ken tenminste niemand van mijn leeftijd die dat zo vaak doet als ik. Maar ik vind dat we zo veel kunnen leren van de mensen die ons voorgingen. Lessen die ik moet onthouden voor mezelf en voor, als God het wil, de kinderen die ik zal baren. Als ik een kind krijg dat in staat is om te leren, zal ik in elk geval toegerust zijn om iets van waarde door te geven. Soms, zoals nu, is het me duidelijk dat ik graag kinderen wil, en toch is het juist die mogelijkheid die me het meeste angst aanjaagt.

Meestal weiger ik stil te staan bij wat ik zal doen met mijn neiging om op te schrijven wat ik heb geleerd. Maar mijn dagen verstrijken in het aangename gezelschap van Beryl en Christabelle en hun moeder. Gisterochtend zat ik in de salon boven thee te drinken met lady Hamilton terwijl Beryl en Christabelle bezig waren met de laatste pasbeurt bij hun naaister. Er kwam een bediende binnen met in zijn gehandschoende handen een zilveren blad, waarop een paar enveloppen lagen. Ik had veel uitnodigingen op deze manier zien arriveren. Ongetwijfeld waren Beryl en Christabelle benieuwd van wie deze nu weer waren...

'Deze is voor jou, Cosima,' zei lady Hamilton en Cosima keek verrast op. Als Fisher uitnodigingen bezorgde, was er nooit een voor haar bij. Tot nu.

Ze herkende onmiddellijk de naam Escott. Ze zag dat het een handgeschreven kaartje was waarin haar aanwezigheid werd verzocht bij een diner morgenavond, woensdag, een avond vrij van parlementaire zittingen. Zonder de gewone frase *in de hoop op het genoegen van uw gezelschap*, was het briefje weinig meer dan een sommering.

'Voor een diner bij douairière Merit,' zei ze ietwat beschroomd. De gedachte haar weer onder ogen te moeten komen in haar enorme huis maakte Cosima meteen wat nerveus.

'De mijne ook,' zei lady Hamilton, en zwaaide ermee in de lucht. 'Voor ons allemaal.'

'Mag ik voor u antwoorden, lady Hamilton?' vroeg Cosima. Als ze allemaal uitgenodigd waren... gingen ze dan ook *allemaal*?

'Natuurlijk. Niemand wijst de douairière af,' voegde ze er grinnikend aan toe.

Toch voelde Cosima opwinding. Allemaal – daar hoorde Peter ook bij...

En toch wenste Cosima dat de uitnodiging van iemand anders was gekomen. Als lady Hamilton douairière Merit niet kon afwijzen, dan kon Cosima het ook niet. Dit was ongetwijfeld waarop Reginald had gewacht. Misschien was dit een teken dat een huwelijk met haar de winst zou opleveren waarop hij hoopte.

*

Cosima had haar lievelingsjurk bewaard voor een speciale gelegenheid en besloot hem te dragen naar het diner bij de Escotts. Ze maakte zichzelf wijs dat ze er op haar best uit wilde zien voor haar grootmoeder. Als er een kloof was tussen haar en Cosima, dan was die te wijten aan Cosima's onaanvaardbare gedrag op de avond van hun ontmoeting. Ze was vastbesloten het goed te maken en zou beginnen zich zo goed mogelijk te presenteren, in haar mooiste japon.

Anders dan het gewone wit, dat eigenlijk bij officiële bals gedragen werd, was deze zijden jurk blauwgroen en hij glansde in het kaarslicht. De kleur deed Cosima aan thuis denken, aan eindeloos golvende heuvels die straalden na een regenbui. De hoge, rechte halslijn was zedig hoewel hij haar schouders bloot liet. Een smalle taille accentueerde haar vrouwelijke figuur. Daaronder viel de bovenlaag van zijde van haar taille open tot de grond en onthulde een onderrok die geborduurd was met piepkleine blauwe bloemetjes en groene blaadjes. Cosima deed de smaragd om die ze van haar moeder mee had moeten nemen. Millie werkte onvermoeibaar aan Cosima's haar tot elke krul haar vingers gehoorzaamde. Na een vleugje transparante poeder was Cosima klaar.

'U bent prachtig, juffrouw,' bewonderde Millie.

'Toch neem ik dit mee, om me te herinneren aan

het andere bloed dat in me vloeit – het beste van de Kennesey's.' Cosima hield haar avondtasje omhoog waarin het antieke kruis zat dat haar erop wees dat ze alles kon verdragen zolang ze haar vertrouwen in de juiste stelde. Vertrouwen op Hem, in alles.

Algauw zat ze met lady Hamilton en haar twee dochters in een rijtuig. Vanavond geen tussenkomst van Beryl over de manier van reizen naar het herenhuis van de Escotts. Beryl had alleen naar Cosima gelachen en haar omhelsd, iets fluisterend over hoe moedig het van haar was om zo'n mooie kleurrijke japon te dragen.

Het huis van de Escotts was van onder tot boven verlicht en schitterde in het gedempte schemerlicht. Van alle kanten doken livreiknechten op om hen uit de rijtuigen te helpen en door de open deuren naar binnen te leiden.

De vorige keer had Cosima de hal nauwelijks gezien, omdat ze te zenuwachtig was om haar familieleden voor het eerst te ontmoeten. Nu zag ze dat de ruimte kon bogen op rijkdom en geschiedenis. Het belangrijkste kenmerk was goud – gouden snuisterijen op wandtafels, gouden kandelaars aan het plafond, gouden randen aan het houtwerk.

Peter en lord Hamilton arriveerden en Reginald volgde in hun spoor. Ze waren allemaal precies op tijd, alsof ze even goed als Cosima begrepen dat vanavond haar tweede – en wellicht laatste – kans was om douairière Merit te behagen.

Toen het gezelschap compleet was, ging de butler hen voor naar dezelfde grote salon waarin ze een paar weken geleden waren voorgesteld. Douairière Merit zat in haar bekende troonstoel en ontving hun begroetingen minzaam, al was haar manier van doen een beetje lauw.

Cosima koos elk woord met zorg. Met opzet ontweek ze Peter, zoals hij haar ontweek. Het was niet verstandig om haar hoofd te verliezen en iets raars te zeggen omdat ze zenuwachtig was door een man die niet haar aanstaande was.

Algauw arriveerden er meer neven en nichten, en Reginald bleef plichtsgetrouw aan haar zijde. Uiteindelijk legde hij een hand om haar elleboog om haar mee te nemen. Eén keer, toen hij in de richting van Peter wilde gaan, stond Cosima stil en hij keek haar vragend aan. Ze schudde alleen haar hoofd, in de hoop dat hij niet zou vragen waarom ze geen zin had om zich bij Peter te voegen.

'Ik dacht dat je Peter de afgelopen weken maar weinig had gezien,' zei Reginald. 'Hij is vaker bij mij thuis of op Pall Mall dan thuis.'

Cosima had geen behoefte om zijn woorden te bevestigen.

'Wat is er gebeurd, we zijn toch vriendschappelijk op weg gegaan?'

Ze wist niet wat ze moest zeggen en zweeg.

'Het moet opgelost worden wat mijn vriend dwarszit,' verklaarde Reginald, weliswaar zachtjes. Kennelijk had hij geen zin om zijn zorgen te delen met de hele familie Escott.

'Hij heeft het druk en probeert te genieten van zijn avonden, lijkt me,' zei Cosima.

Reginald schudde zijn hoofd, zijn blik gericht op Peter, die aan de andere kant van de kamer met Cosima's oom, de hertog, stond te praten. 'Nee, het is iets anders. Ik heb hem laatst gevraagd waarom hij de laatste tijd zo weinig thuis is, maar hij stuurde me met een kluitje in het riet.' Reginald keek Cosima aan. 'Heb jij enig idee? Heeft hij met iemand ruzie? Zijn vader? Moeder? Beryl, misschien? Of met jou?'

'Met mij!' Zelfs in haar eigen oren klonk haar stem scherp en schuldig. Ze wierp Reginald slechts een korte blik toe. 'Waarom vraag je dat? We mogen dan onder hetzelfde dak wonen, maar het is een heel groot dak, Reginald. Ik zie hem nauwelijks.'

'En dat is precies waar ik verandering in wil brengen,' zei Reginald. 'Ik heb eens gezegd dat Peter en jij belangrijk voor me zijn. Ik wil dat we ons met z'n drieën net zo bij elkaar op ons gemak voelen als een gezin, gesmeed door een band, hoewel er geen bloedverwantschap tussen ons is.'

'Ja, dat heb je al eens eerder gezegd, maar ik verwonder me daarover. Het huwelijk is bedoeld voor twee partijen.'

Reginalds bleke huid liep rood aan en zijn blik zwierf van haar weg. 'Als jij en ik gaan trouwen,' – zijn toon verraadde eerder boosheid dan verlegenheid – 'wordt Peter ongetwijfeld een lid van het gezin, zoals hij nu als een broer voor me is.'

‘En daar zou ik geen verandering in willen brengen. Beryl en ik zijn als zussen, en toch zie ik geen reden dat jij net zo intiem met haar moet worden. Waarom vind je het belangrijk dat Peter ik en vrienden worden?’

‘Waarom sluit iemand vriendschap? Om een betere kwaliteit van leven te krijgen natuurlijk. Nog daargelaten dat Peter me behulpzaam is geweest bij het verwerven van acceptatie in de kring van mensen bij wie ik wil horen.’

‘Peter is een beste vriend voor je geweest, en ik zal nooit tussen jullie komen.’ Ze hoopte dat dat volstond, want ze wilde dolgraag overstappen op een ander onderwerp. Maar toen ze weer naar Reginald opkeek, stonden zijn ogen kouder dan ze ooit had gezien.

‘Je zult het goedmaken wat er tussen jullie misgegaan is, Cosima.’ Zijn stem klonk zo laag dat het een dreigement leek.

Toen begroette Cosima’s nicht Rachel haar met een kus, en verscheidene andere nichten volgden haar voorbeeld. Cosima was blij dat ze Reginald kon negeren terwijl haar nichtjes over aardse dingen kletsten, jurken en het weer en hoe snel de zomer begon af te zakken. Natuurlijk had ze zich de dreiging in Reginalds stem verbeeld. Natuurlijk zou hij *haar* toch niet bedreigen. Hij wilde met haar trouwen.

Rachel vertelde Cosima over het komende uitgaansseizoen. Binnenkort waren de parlementaire zittingen voor dit jaar afgelopen en de leden van het Hogerhuis zouden terugkeren naar hun enorme landgoederen voor ander tijdverdrijf: logeerpartijen en weelderige bals, paardrijden door landelijk gebied, genieten van de tuinen, buitenspelen zoals tennis of croquet, en natuurlijk jagen. Zoals Rachel het deed voorkomen, was het jaar net zo gestructureerd als een baan, alleen werkte de aristocratie even hard aan zijn vrije tijd als anderen aan productievere bezigheden.

Ze begon het naar haar zin te krijgen, ondanks de speurende blikken van de douairière. Het avondtasje met haar familieaandenken hing aan haar pols en ze wist dat het kruis het tastbare bewijs was van God in de hemel Die haar aanvaardde, ook als anderen dat niet deden. Die gedachte bracht haar zenuwen tot rust.

Algauw werden ze naar de eetzaal geroepen, waar op de lange, met damast gedekte tafel zilver blonk en sierlijke bewerkte glazen fonkelden. Een livreiknecht sneed een braadstuk voor aan de zijtafel, dat werd afgeleverd naar de wens van elke gast. Dienstmeisjes en andere livreiknechten brachten zeekreeft en gebraden gevogelte, in wijn gestoofde zeebarbeel, groenten, wildbraad, lamsvlees met asperges, plevierеieren in aspic, zwezerik, fruit en schuimgebak, met wijn bij de verschillende gangen.

Reginald was afwezig en nors, ondanks het feit dat hij aan een van de meest exclusieve tafels van Londen zat. Cosima had geen idee hoe ze hem moest opbeuren. Wat wilde hij nog meer van haar? Was het niet genoeg dat ze haar best deed om aanvaard te worden, en daarbij de weg baande voor *hem* om aanvaard te worden?

Eindelijk was de maaltijd afgelopen en de mannen werden verontschuldigd. Douairière Merit bood geen afzonderlijke onderbreking voor de jongelui zoals de vorige keer. Maar toen ze haar thee op had en de heren terugkeerden uit de bibliotheek, ging het hele gezelschap naar de oranjerie, waar drankjes en een licht dessert klaarstonden.

De ruimte kon zich verheugen in een hoog glazen plafond, dat een prachtige avondlucht met maan en sterren onthulde. De glazen muren werden ondersteund door een fundering van ruwe steen, waarvoor planten stonden in alle soorten en maten. Hoge palmen en bloeiende Chinese rozen voerden in een hoek de boventoon. Emaillen potten en urnen van mozaïek huisvestten allerlei soorten bloemen, van narcissen tot orchideeën en exotische, in figuren gesnoeide struiken. Cosima was ervan overtuigd dat de ruimte bij daglicht oogverblindend was, maar bij avond, nu alleen kaarslicht de gekweekte wonderen onthulde, leek het wel een jungle en ze had het gevoel of ze verder gereisd had dan alleen door de gang.

Reginald was eropuit om Peter te spreken, en Cosima, trouw aan haar voornemen hem te ontwijken, maakte haar arm los uit die van Reginald en fluisterde dat ze met een nichtje wilde praten.

En dat deed ze. De kinderen waren weer verschenen, samen met hun kindermeisjes. Zonder acht te slaan op het feit dat haar oudere nichtjes schenen te denken dat de kleintjes onzichtbaar waren, ging Cosima naar de peutertjes toe en kriebelde onder een kinnetje om een lachje te ontlokken. Ze deelde knuffels uit en kreeg ze terug zoals de ouderen verhalen uitwisselden over recente sportevenementen of zeiltochten. Een kindje dat nog maar net kon lopen, kreeg Cosima's avondtasje te pakken en gooide het op de grond. Het enige voorwerp dat erin zat, het oude aandenken, gleed kletterend op de Italiaanse tegels. Cosima pakte het op en toen het kindje zijn handje uitstak naar het kruis, hield ze het hem voor zodat hij het gladde oppervlak aan kon raken.

Een van haar jongere neven, een jongen die James heette en niet veel ouder kon zijn dan tien, kwam dichterbij. 'Nicht Cosima,' zei hij, klaarblijkelijk onaangedaan door de blikken die hem toegeworpen werden nu hij het terrein van de oudere neven en nichten zo dicht naderde, 'mag ik zien wat u aan kleine Chessie liet zien? Het ziet er... oud uit.'

Cosima draaide zich om. 'Het is van mijn overgrootvader geweest – het enige dat nog over is van een boot die hem het leven heeft gered.'

'Een boot die hem het leven heeft gered? Hoe kan dat?'

Cosima gaf de jongen het aandenken, en net als

iedereen voor hem streek hij meteen met zijn duim over het midden.

'Ik zal je een verhaaltje vertellen als je wilt.' Cosima was blij dat ze even niet met de anderen hoefde te praten. Er stond een canapé in de buurt en ze nam plaats met de jonge James naast zich.

'Het was in het jaar onzes Heeren 1748,' begon Cosima, op dezelfde zangerige toon die haar moeder en oma aansloegen als ze met hun Ierse intonatie het mooie verhaal vertelden. De oranjerie met zijn lelies en varens verdween en Cosima's thuis nam zijn plaats in, samen met een man die ze nooit had ontmoet. Haar overgrootvader. 'Dit is het kruis van Branduff Kennesey. Je ziet dat het gemaakt is van hout dat is versleten – verweerd door jaren op zee. Hij vertelde dit verhaal aan zijn dochter, mijn oma. Zij vertelde het aan mij en nu zal ik jou het verhaal vertellen van grootvader Kennesey en het kruis dat hem zo lief was.

De jonge Branduff Kennesey zat alleen in zijn vissersboot – voor het eerst alleen eropuit – toen er een hevige storm opstak. Jazeker, het was een wind zo fel dat er niets tegen te doen was, recht uit de ijzige adem van het kwaad zelf. Elke andere boot zou versplinterd zijn in zo'n storm, maar niet zijn kleine Selah. Die hield stand als een krijger in de strijd. De storm leidde een eigen leven en kwam de overwinning behalen op zijn nietige gestalte, wilde hem meesleuren naar de bodem van de zee.

Maar de Selah hield stand, en Branduff klampte zich aan hem vast met zijn spichtige armen, overgeleverd aan de genade van de storm. Vele uren hing hij vastgeklampt aan de boeg, maar het leken wel dagen. Hij kende honger noch pijn noch zwakheid, en droomde alleen maar van het leven en het weerzien met zijn geliefden.'

Cosima keek toe hoe James het midden van het kruis streelde en wist precies hoe het voelde, want ze had het zelf vele malen gedaan. 'Uiteindelijk werd zelfs zijn Selah verslagen toen de laatste bulderende wind zijn reusachtige slagregens en hagel uitspuwde. Grootvader hoorde het bootje versplinteren en dacht dat zijn laatste uur had geslagen.

En toch,' vervolgde Cosima nadat ze diep adem had gehaald, alsof de verstikkende storm haar de adem had benomen, 'op het moment dat de Selah in stukken brak, liet God de jonge Branduff door het kleine bootje in veiligheid brengen aan de boeg – het enige dat ervan over was. Toen de wind ging liggen en de regenboog kwam, zoals God beloofd heeft, zag Branduff eindelijk land en de Selah droeg hem erheen aan de hand van God. Jazeker, het was een fijne boot, dat moet gezegd.' Ze wees naar het aandenken. 'En daar in je hand heb je alles wat ervan over is, gevormd tot het kruis van de Heer die mijn overgrootvader redde uit de kaken van de dood.'

'Waarom heb jij het en hij niet?'

'Hij is vele jaren geleden gestorven,' zei Cosima.

'Waarom heeft hij het niet aan een zoon gegeven, zoals een titel naar de oudste zoon gaat?'

'Toen de dag van zijn dood naderde, was hij erg oud en hij gaf het aan mijn grootmoeder. "Je broers hebben niets nodig om hen te herinneren aan de kracht van hun bloed," zei hij. "Ze gebruiken hun kracht elke dag. Maar jij, mijn kind, jij heb al hun kracht tezamen nodig om als vrouw in dit land te wonen. Je zult net zo hard moeten werken als je bedienden als je wilt dat het werk goed wordt gedaan. Je zult kinderen baren en er enkele begraven, huilen met andere moeders en zussen en dochters als de mannen oorlog gaan voeren. Het leven komt met tranen, kind, omdat we een God dienen Die weet wat lijden is."'

Cosima nam het kruis zachtjes uit James' handen. 'En mijn grootmoeder gaf het kruis aan mij op haar sterfbed. Ik nam het in mijn handen, net zoals nu, niet met angst maar met eerbied, omdat het me wees op het bloed dat door mijn aderen stroomt, gezegend en uitverkoren door God om alles wat mij overkomt, te doorstaan. Als ik het vasthoud, denk ik eraan dat ik de kracht van God aan mijn kant heb, en ik kan alles doorstaan, net als mijn grootmoeder Josephine, en eerder mijn grootvader Kennesey. Alles.'

'Alles,' herhaalde James zacht, starend naar het kruis is Cosima's handen.

'Interessant verhaal,' zei haar neef Walter achter haar.

Cosima keek op; het drong ineens tot haar door dat niet alleen James naar haar verhaal had geluisterd. Iedereen in de kamer was onder het vertellen stil geworden.

'Maar vertel eens,' zei Walter. 'Is het echt waar dat je Ierse familie *werkt*? Ik bedoel, met de bedienden mee, zoals je vertelde, of was dat alleen de oudere generatie?'

Cosima had een groot aantal taken kunnen opnoemen, van kruiden verzamelen voor medicijnen tot opruimen achter Royboy als het nodig was. Maar voordat ze haar mond opendeed, kreeg ze douairière Merit in het oog en ze wijzigde haar antwoord.

'Nee, dat was vele jaren geleden voor de oren van mijn grootmoeder bestemd. Maar ik geloof wel dat het leven onvermijdelijk gepaard gaat met verdriet, vroeg of laat, wat iemands positie in het leven ook is.'

'En dat is iets wat de meeste jongelui nog moeten leren, als je ziet hoe die moederskindjes worden verwend,' zei douairière Merit terwijl ze langzaam overeind kwam. Ze kwam naar Cosima toe, legde een hand onder haar kin en tilde haar gezicht op. 'Je hebt een mooie vertelstem, kind. Je moet een paar verhalen van de Escotts horen, zodat je kennis van de familiegeschiedenis niet tot één kant beperkt blijft. Morgenmiddag kom je terug.'

Douairière Merit draaide zich om en wilde de kamer verlaten. Vlak bij Cosima bleef ze even staan, leunend op haar stok. 'En bij het volgende diner,

Cosima, draag je wit, zoals de gewoonte is. Je mag je Eiland van Smaragd dan missen, zoals Ierland in het gedicht wordt genoemd, maar daar hoef je ons niet aan te herinneren met de kleur van je jurk.'

De moed zonk Cosima in de schoenen en ze keek om zich heen naar alle gezichten die haar aanstaarden. Dat kreeg je ervan als je van de gewoontes afweek, al was het maar voor een familiediner. 'Ja, lady Merit,' zei ze met neergeslagen ogen.

'Ik wens iedereen een prettige voortzetting van de avond,' zei de douairière terwijl ze langzaam naar de deur schuifelde. 'Maar ik moet goedenacht zeggen.'

Cosima ademde diep in. Zou ze haar grootmoeder dan nooit kunnen plezieren?

De douairière knikte naar lord Hamilton voordat ze de deur uit ging. Hij volgde haar de kamer uit. Dat vond Cosima vreemd, gezien haar grootmoeders gevoelens voor lord Hamilton. Gingen ze een vertrouwelijk gesprek voeren? Cosima liet het kruis weer in haar avondtasje glijden en keek James na, die weggelopen was. Even later nam Beryl zijn plaats naast haar in.

'Laat je humeur niet bederven door die ouwe heks, Cosima,' zei Beryl. 'Je japon is de mooiste hier vanavond.'

'Ik had hem niet aan moeten trekken. Ik weet niet waarom ik het heb gedaan.'

'Omdat wit saai is! En overal in deze vreselijke stad is koolstof.' Beryl veegde een zwarte vlek op haar eigen sneeuwwitte rok weg. 'Ik heb veel liever feestjes overdag, waarbij we vrij zijn om elke kleur te dragen die we willen.'

'Bij mij thuis geven we niet veel avondpartijen.' Cosima had het al gezegd voordat ze had nagedacht. Ze kon niet praten over de reden.

'O, vanwege de aardappelziekte, bedoel je?' zei Beryl, en Cosima knikte opgelucht. 'Nou, ik zou er maar niet over in zitten. Je grootmoeder heeft je niet alleen gevraagd voor morgenmiddag; ze zei dat je aan het *volgende* diner wit moest dragen. Er zou geen volgende komen als ze niet van plan was je nog eens te vragen.'

Cosima was onmiddellijk gekalmeerd door Beryls aanwezigheid en woorden. Algauw zette ze elke ongemakkelijkheid uit haar hoofd. De kinderen werden weer naar de kinderkamer gebracht en neef Walter nodigde alle overgeblevenen uit om mee te gaan naar de biljartkamer. Cosima was nieuwsgierig naar de kamer, die normaal gesproken gereserveerd was voor de mannen. Daar werden meer drankjes geserveerd en Walter nodigde brutaal de vrouwen uit voor een spelletje biljart. Rachel stemde namens hen giechelend toe. Iedereen keek toe hoe de dames een voor een aan de beurt kwamen.

Cosima stootte zorgvuldig en tikte een bal in, en iedereen loeide. Maar bij haar volgende beurt bewees ze haar gebrek aan vaardigheid, zodat Rachel naar haar glimlachte.

Algauw werd er serieuzer gespeeld, eerst tussen

Walter en Reginald. Als winnaar daagde Reginald een onwillige Peter uit, die gedwongen was zijn reputatie als deskundige te bewijzen.

Cosima had zich voorgenomen niet naar Peter te kijken, maar iedereen werd geboeid door het spel. Ze probeerde met Beryl te praten, maar die keek gretig toe of haar broer zou winnen en ging er niet erg op in. Elke stoot van Peter zag er makkelijk uit en hij won in korte tijd. Hoewel niet vlekkeloos verlopen, was de avond over het geheel genomen toch een succes. Reginald kon gerust zijn. Nu moest ze slag leveren met alles wat daarbij hoorde.

Cosima had blij moeten zijn dat het einde van de avond was gekomen, maar dat was ze niet. Het betekende dat Peter opnieuw uit haar leven werd verbannen.

27

'Waar is het eendje dan? Waar is het eendje?'

Van achter een spiegel die aan hun kant doorzichtig was, sloegen Natalie en Luke de dokter gade met hun zoon. Ben zat op de grond midden in een speelkamer vol kleurig speelgoed, spiegels, matten en ballen die groter waren dan hij. Dokter Karen Cooper zat op haar knieën voor hem. Dokter Cooper werd beschouwd als deskundige op het gebied van de ontwikkeling van kinderen en ze probeerde nu al vijf minuten om Ben aan het spelen te krijgen. Met weinig succes.

In het afgelopen uur had Natalie drie therapeuten bezig gezien met haar zoon, die elk Bens ontwikkelingsniveau inschatten vanuit hun eigen vakgebied. Terwijl ze met Ben 'speelden', maakten ze aantekeningen en controleerden formulieren. Daarna overhandigden ze dokter Cooper die met hun evaluatie. Nu ze zag hoe weinig Ben meewerkte, trof het Natalie ineens hoe raar Bens gedrag moest overkomen. Kennelijk verwachtten ze veel meer van hem dan waartoe Natalie een kind van zijn leeftijd in staat had geacht. Waarom testten ze hem anders op bepaalde functies? Elke krabbel op papier was een steek voor Natalie's moedergevoelens.

Dokter Cooper was de laatste die zich met Ben bezighield.

Ben zat in zijn kenmerkende slappe houding en keek naar alles behalve naar de arts, die een geel eendje had verstopt onder een rood met witte zakdoek.

'Hier is het eendje!' Ze haalde het speeltje uit zijn bergplaats en kneep erin. Ben schrok van het geluid en zijn onderlip trilde, maar hij ging niet huilen, en daar was Natalie dankbaar voor. Soms duurde het even voordat Ben kalmeerde als hij eenmaal van streek was.

De arts zette het eendje op haar hoofd en lachte naar Ben. Hij keek naar haar, maar het oogcontact duurde maar een ogenblik.

'Eén... twee... drieeee...' Ze rekte het laatste woord en boog haar hoofd om het eendje voor Ben op de grond te laten zeilen. Hij lachte en stak zijn hand ernaar uit. Voordat Ben het kon aanraken, bedekte de dokter het eendje weer met de gespikkelde zakdoek. 'Zoek het eendje, Ben. Waar is het eendje?'

Ben stak zijn wijsvinger weer in zijn mond en keek opzij, onverschillig nu het eendje niet meer te zien was. De arts kwam overeind en gebaarde naar het glas waar Natalie en Luke vanuit de verdonkerde kamer meekeken.

Luke was het eerst bij de deur en Natalie volgde langzaam. De kinderarts keek niet naar hen; ze maakte nog wat aantekeningen op haar notitieblok.

De hele ochtend had Natalie ontkend wat ze vanbinnen voelde. Nu zouden haar lang gekoesterde angsten bevestigd of ontkracht worden. Ze had een knoop in haar maag. Een koude, harde en ongewenste knoop. Deze arts vond dat er iets mis was met Ben, en nu duurde het niet lang meer voordat Natalie moest horen wat ze te zeggen had. Natalie zocht Luke met haar blik, maar hij keek enkel naar de arts.

Natalie stak haar handen uit naar Ben.

'Laten we naar een onderzoekskamer gaan, daar kunnen we allemaal zitten.'

Treuzelde dokter Cooper? Waarom kon ze niet gewoon hier zeggen wat ze te zeggen had? Natalie volgde hen, recht voor zich uit kijkend, met Ben dicht tegen zich aan gedrukt. Hij probeerde zich los te wurmen, maar ze hield hem nog steviger vast. Toen Ben een keel opzette, nam Luke hem over en zette hem op zijn schouders, waar hij kalmeerde.

De kamer was kenmerkend voor een kinderarts, ingericht met felle kleuren en vormen die aantrekkelijk waren voor elk kind dat zijn of haar omgeving opmerkte. Langs de ene muur stond een bank met kussens en in de hoek was speelgoed netjes opgestapeld. Natalie had Bens lievelingsspeelgoed meegenomen, een dingetje dat oplichtte en muziek speelde als hij grote, kleurige knoppen indrukte. Het was het eerste speelgoed waar hij op de juiste manier mee had gespeeld, en Natalie had het gekozen om te laten zien dat hij heus wel iets goed kon, al wist ze dat de aanbevolen leeftijd voor dit speciale speelgoed drie tot zes maanden was. Veel jonger dan Ben met zijn vijftien maanden.

'Ik zal u niets vertellen dat u niet al weet,' begon de arts, terwijl ze de map onder haar arm stopte. Ze nam plaats op een klein, rond krukje en Luke zette Ben op de grond. Ben stopte zijn vinger in zijn mond en keek niet naar het speelgoed om.

Natalie keek weer naar Luke toen ze plaatsnamen op de bank. Ze hadden gepraat over hun gang naar de dokter, over de mogelijkheid dat er echt iets mis was met Ben. Luke had aldoor gezegd dat hij er geen verstand van had omdat hij niet genoeg baby's had meegemaakt, maar dat als Ben dingen niet deed die andere kindertjes van zijn leeftijd wel deden, het logisch was om hem te laten onderzoeken. En hoewel Natalie niet wilde letten op het gevoel dat ze dit onderzoek al te lang had uitgesteld, bedacht ze weer hoe makkelijk het was geweest om zich te laten sussen door een kinderarts die geen grote problemen zag. En door haar eigen wens dat Ben alles wel in zou halen.

Maar bij een specialist die alleen maar kinderen zag met ernstiger problemen dan een oorontsteking of een zere keel, was het al te makkelijk om te denken dat ze het mis had gehad.

'Uw zoon is flink achter in zijn ontwikkeling. Met de spraak in het bijzonder, maar ook in algemeen cognitief vermogen.' Dokter Cooper nam de map en keek weer naar haar aantekeningen. Daar keek ze liever naar dan naar hen. 'En hij maakt geen contact – daar bedoel ik mee dat hij niet geïnteresseerd is in andere mensen. Hij maakt weinig tot geen oogcontact, en reageert niet als hij wordt uitgenodigd om te spelen.'

Ten slotte keek ze naar hen op, maar geen van beiden sprak. Natalie wachtte, en Luke ook. De stilte leek eindeloos te duren, als duisternis in een slapeloze nacht.

Eindelijk sprak de dokter weer. 'Hij is nog jong, maar voor ons oud genoeg om te herkennen dat hij autistisch is.'

Autistisch. Natalie voelde dat Luke haar hand pakte. Er drong niets tot haar door, behalve de lichamelijke sensaties die kwamen toen de specialist haar vertelde dat er iets mis was met haar zoon: ze werd meteen licht in haar hoofd, bijna duizelig. Haar keel werd droog en het zware gewicht in haar buik trok aan haar. Als ze opstond zou ze vallen, dus ze bleef waar ze was, al had ze het liefst Ben opgepakt om met hem weg te vluchten. Ze wilde overal liever zijn dan hier. Ben en de nieuwe baby ver, ver weg meenemen.

God, wat gebeurt er? Bent U daar? Help me, God. Ik begrijp niet wat er gebeurt.

Ze had gehoord over kinderen die autistisch waren, kinderen die in hun eigen wereld leefden, als een luchtbel die ze niet wilden doorboren – of iemand in binnenlaten.

'Maar Ben is zo graag bij ons in de buurt.' Misschien kon Natalie de arts overtuigen dat ze het mis had. 'Hij wil niet alleen zijn. Hij glimlacht altijd.'

'Dat geloof ik best, mevrouw Ingram,' zei de arts, niet voordat ze weer een blik op de papieren op haar schoot had geworpen. Misschien was ze hun naam vergeten en moest ze het even nakijken voordat ze Natalie aansprak. 'Maar op dit punt moet u zich ervan bewust zijn dat het geen verbeelding van u is dat hij een achterstand heeft. Hij heeft spraaktherapie nodig, bezigheidstherapie, misschien wat sensorische integratietherapie, evenals fysiotherapie...' Ze ging door, beschreef behaalde successen bij een-op-een onderwijs aan autistische kinderen die een intensief programma volgden.

Maar Natalie kon niet luisteren. Ergens in de loop van de raadgevingen voelde ze zich wegglijden. Ze keek naar haar zoon en gaf hem het enige speelgoed dat hij leuk vond, het speelgoed dat voor baby's bedoeld was, en niet voor peuters. Hij drukte de knoppen in... Zag de dokter niet dat hij dat goed deed?

Maar het was niet belangrijk dat een kind van vijftien maanden, dat niet kon lopen en praten, op de juiste manier kon spelen met een stukje speelgoed dat bedoeld was voor een kind van drie maanden.

Het enige dat Natalie hoorde was dat woord. *Autistisch...*

Toen sprak Luke met zijn normale, kalme, intelligente stem, en ze moest weer luisteren.

'Mijn vrouw is bijna vier maanden zwanger, dokter. Hoe groot is de kans dat deze baby ook autistisch is?'

De arts keek naar Natalie. 'U bent zwanger?'

Natalie knikte. De losse katoenen blouse die ze droeg, verborg haar licht bollende buikje. Natalie voelde het zweet in haar handen staan. Ze maakte zich los van Luke, wilde niet dat hij het voelde.

Dokter Cooper maakte wat aantekeningen, bestudeerde de andere papieren op de stapel, en keek Natalie weer aan. 'Zijn er meer kinderen in uw familie met leerhandicaps? Of misschien een oom ergens, die u misschien een beetje traag vond, maar voor de rest in orde?'

Natalie kon niets zeggen. Onmiddellijk zag ze Ellen Grayson voor zich, een vrouw van wie Natalie niets had geweten voordat ze de familiebijbel had gelezen. En Willie, Royboy, Percy... maar die hadden *generaties* geleden geleefd.

'Ik heb een oom die een beetje eigenaardig is,' zei Luke behulpzaam. Hij wendde zich tot Natalie. 'Je weet wel, mijn oom Wade.' Hij richtte zich weer tot de arts. 'Hij verkocht alles wat hij bezat om in een busje te gaan wonen. Hij verfde de achterruit zwart en reisde met dat busje het hele land door.'

De arts glimlachte, maar een beetje oppervlakkig en beleefd. 'Op dit moment ben ik meer geïnteresseerd in mevrouw Ingrams kant van de familie.' Ze keek weer naar Natalie. 'Is er iemand in uw familie die een ontwikkelingsachterstand of een mentale handicap heeft?'

Natalie wist wat ze moest zeggen. Ze moest het hun vertellen. Maar de laatste persoon in haar familie van wie bekend was dat ze aan een ontwikkelingsstoornis had geleden, was meer dan zestig jaar geleden gestorven. Natalie had zichzelf wijsgemaakt dat Ellens toestand niets met Ben te maken had.

Natalie schudde haar hoofd. 'Niet in mijn directe familie. Mijn zus en ik zijn allebei gezond.'

'Is Ben het eerste kleinkind van uw ouders?'

Ze knikte.

'En neven of ooms?'

'Ik...' Ze wilde vertellen over Ellen Grayson, alles bekendmaken. Maar haar keel werd dichtgeschroefd en ze moest de woorden eruit persen. 'Ik heb een paar neven die ongeveer van mijn leeftijd zijn... Die zijn allemaal gezond. Helemaal gezond.'

De arts schreef iets op een briefje en overhandigde het aan Natalie. 'Dit is een opdracht voor een bloedonderzoek op Ben. Ik raad u aan bij dokter Benson van de afdeling genetica hier in het ziekenhuis langs te gaan voordat u vandaag vertrekt.'

'Vandaag?' herhaalde Natalie, en haar stem begaf het. Hadden ze voor vandaag niet genoeg meegemaakt?

'Er zijn enkele genetische stoornissen bekend die een ontwikkelingsachterstand kunnen veroorzaken. Aangezien u zwanger bent, is het beter om alle zorgen uit te sluiten.' Ze wendde zich tot Luke. 'In antwoord op uw eerdere vraag, meneer Ingram...' Ze keek weer naar de paperassen op haar schoot. '*Doctor* Ingram, moet ik zeggen. Ik zie dat de zuster op uw verwijzing heeft geschreven dat u een titel hebt.'

'Dat klopt,' zei hij, 'maar ik gebruik hem alleen in het zakenleven.'

'Nou, in elk geval,' vervolgde dokter Cooper, 'ze weten nog niet precies wat autisme veroorzaakt. Misschien heeft de genetische opbouw er iets mee te maken, en sommige gezinnen schijnen een wat hoger risico te hebben op meervoudig aangetaste kinderen, maar niet dramatisch in het geval van klassiek autisme. Mijn advies aan u beiden is naar huis te gaan, zoveel mogelijk contact te maken met uw zoon, hem lief te hebben, lief te hebben en nog eens lief te hebben, en niet te denken aan bloedonderzoeken. Ik wil eraan toevoegen, doctor Ingram, dat wij een heleboel genen aan onze kinderen doorgeven. Uw zoon mag dan niet in staat zijn het intelligentieniveau te vertonen dat u wellicht voor uw nageslacht had gehoopt, maar u zult merken dat hij nog steeds uw zoon is. Een diagnose brengt daar geen verandering in.'

Hoewel de arts niet rechtstreeks tegen haar sprak, luisterde Natalie naar elk op zakelijke toon uitgesproken woord. Luke was intelligent; natuurlijk verwachtte hij intelligente kinderen te krijgen.

Welke genen betekenden zo veel als de genen die te maken hadden met de hersenen? Wat wist dat mens er eigenlijk van? Het was haar kind niet dat zojuist levenslang had gekregen.

Natalie wist één ding. Als Ben autistisch was... of zwakzinnig... dan wist zij van wie hij het geërfd had.

Van haar.

Een paar minuten later verlieten ze het grote ziekenhuis waar enkele van de meest vooraanstaande kinderartsen uit de regio waren gehuisvest. Luke hield Ben vast, en toen ze in de parkeergarage bij de auto kwamen, zette hij hem in het autozitje voordat hij achter het stuur ging zitten. Natalie zat al op de passagiersstoel.

Luke bleef stil zitten. Hij had de sleutel in zijn hand, maar stak hem niet in het contact.

Natalie wachtte.

'Was het nou verbeelding van me, of is dat mens zo'n ijskonijn?'

Natalie viel hem bij. Boosheid voelen jegens de boodschapper was makkelijker dan de boodschap zelf onder ogen zien. 'Hoe iemand zonder enige warmte zoveel keer "liefhebben, liefhebben en nog eens liefhebben" kan zeggen, gaat mij boven mijn pet.'

Natalie zette alle namen uit de oude familiebijbel uit haar hoofd en weigerde eraan te denken. Ze keek om naar Ben. Hij zat al achterovergeleund in zijn autostoeltje. Hij had gisternacht niet goed geslapen en zou waarschijnlijk vertrokken zijn nog voordat ze de parkeergarage uit waren.

Luke startte de motor, maar keek naar Natalie voordat hij wegreed. 'Ze kan het best mis hebben. Er is geen bloedonderzoek gedaan ofzo, met een of ander bewijs. Autisme is gewoon haar mening.'

Maar Luke verwerkte alle feiten niet. Misschien was autisme meer genetisch bepaald dan ze dachten. Misschien kon het generatie na generatie voortduren.

'We moeten de feiten over autisme opzoeken voordat we slikken wat zij zegt. Internet, boeken, misschien een *second opinion*.'

'Precies,' zei Natalie en ze probeerde moedig te glimlachen, maar dacht niet dat het lukte. Haar glimlach leek wel een grijns.

Luke pakte haar hand van haar schoot. 'Het verandert niets, hoor. Hij blijft gewoon Ben.'

Haar hart smolt van liefde en ze kneep haar ogen dicht. Toen ze ze weer opendeed, keek ze naar Ben die tevreden in zijn stoeltje zat. 'Weet ik.'

'We gaan absoluut naar nog een andere arts. Ik mocht haar niet erg.'

Natalie wilde het beamen, wilde iets zeggen – wat dan ook – om hem bij te vallen, maar ze beet op haar lip. Haar stem zou trillen en dat geluid kon de dam doorbreken die haar tranen terughield.

Luke keek op zijn horloge. 'Ben is de enige die daar geluncht heeft. Heb je trek?'

De gedachte aan eten deed haar maag omdraaien, maar ze wist dat ze moest eten. Ze had nog een baby om aan te denken, en bovendien kon doorgaan met hun normale bezigheden helpen om haar gedachten tot rust te brengen.

Dat maakte ze zichzelf tenminste wijs.

28

Ik sta altijd graag vroeg op. Als de zon de horizon verlicht, wordt er iets in me wakker. Beryl en Christabelle, en zelfs lady Hamilton, hebben daar geen last van. Ze hebben tegen me gezegd dat ik die gewoonte wel opzij zal zetten als ik wat meer gewend ben aan de Londense samenleving, omdat zoveel partijen waar we heen gaan tot midden in de nacht duren.

Tot nu toe word ik nog steeds op dezelfde tijd wakker, of ik het leuk vind of niet. Vaak ga ik lang voor het ontbijt in de salon boven zitten lezen of in mijn dagboek schrijven. Maar vandaag kreeg ik onverwacht vroeg gezelschap van lord en lady Hamilton, die samen binnenkwamen...

'Goedemorgen,' groette Cosima lord en lady Hamilton. Lady Hamilton zat vaak een poosje bij haar man voordat hij vertrok, om weer naar haar eigen slaapkamer terug te gaan als hij eenmaal weg was. Voor Cosima, die wist dat lady Hamilton liever in bed bleef, was het feit dat ze hem op dat vroege uur gezelschap hield, weer een teken van haar verknochtheid aan hem.

Maar hun sombere gezichten waarschuwden Cosima dat dit geen gewone ochtend was.

Cosima stond op. 'Ik wil niet in de weg zitten. Ik kom straks terug, als de meisjes ook op zijn.'

'Nee Cosima, je mag blijven,' zei lord Hamilton. 'Er is geen reden om niet als eerste met jou over onze plannen te spreken, omdat ze ook jou raken.'

'Plannen?'

Lady Hamilton kwam naar Cosima toe en wilde haar hand pakken, maar trok haar hand verlegen terug voordat ze haar aangeraakt had. Ze verwees Cosima terug naar de canapé waarvan ze net was opgestaan.

'De parlementaire zittingen zijn pas over een week afgelopen,' zei lady Hamilton. 'Normaal gesproken gaan we pas daarna naar ons landgoed, maar lord Hamilton heeft besloten ons een beetje vroeg naar het platteland te sturen.'

Cosima keek van lady naar lord Hamilton en weer terug. 'Is er iets mis?'

Lord Hamilton schraapte zijn keel. 'Er is een gemene cholera uitgebroken in de stad. Daar is niets bijzonders aan; het gebeurt elk jaar. Maar dit jaar is het bijzonder wijdverbreid, en ik wil niet dat jullie eraan blootgesteld worden.'

'We zouden je graag uitnodigingen met ons mee te gaan, Cosima,' zei lady Hamilton, maar haar toon was aarzelend en tweeslachtig. 'Alleen weten we niet goed wat het beste voor je is. Nu Reginald hier in Londen zit en jullie plannen nog niet vaststaan, vroegen we ons af of je soms liever achter wilde blijven en bij je grootmoeder logeren.'

Cosima dacht na. Londen verlaten of bij haar strenge grootmoeder logeren? Als ze niet meer bij de Hamiltons woonde, kreeg ze geen kans meer om Peter te zien. Toen Cosima bleef zwijgen, zei lady Hamilton: 'We zijn er haast zeker van dat je grootmoeder het fijn zal vinden als je wat tijd bij haar doorbrengt. Dat heeft ze gisteravond lord Hamilton verteld.'

Verrast keek Cosima lady Hamilton aan. Die glimlachte weliswaar, maar er was vandaag iets anders aan haar, alsof er om de een of andere reden iets van medelijden lag in de gereserveerde blikken die ze op Cosima richtte.

'En zijn zij van plan om in Londen te blijven tot het einde van de zittingen?'

'Lady Merit wel, en de hertog natuurlijk. Misschien kunnen Reginald en jij in die tijd bepalen hoe jullie toekomst zal zijn.'

Cosima klemde haar handen ineen in een poging ze rustig te houden op haar schoot. 'Wanneer vertrekt u?'

'Zo gauw de meisjes en ik ingepakt hebben.'

Cosima keek lady Hamilton aan en probeerde de betekenis te vinden achter haar woorden, haar toon en gezichtsuitdrukking. Ze voelde dat er meer was, maar ze had geen idee wat het kon zijn. 'Dus u vindt het het beste voor mij als ik naar mijn grootmoeder ga?'

Lady Hamilton wisselde een blik met haar man, die bleef zwijgen. 'Ja, kind, inderdaad.'

Tot haar afschuw voelde Cosima haar ogen vochtig worden en prikken. Haastig veegde ze een traan weg. 'Ik zal Beryl missen.' Het voelde alsof ze weggestuurd werd, al wist ze dat dat dwaas was.

Lady Hamilton ging naast Cosima zitten en trok haar tegen zich aan. Het simpele gebaar ontlokte haar nog meer tranen, want daarstraks had ze de indruk gekregen dat lady Hamilton haar niet eens aan wilde raken. 'Maar je zult Beryl blijven zien! Ik heb jullie vriendschap zien groeien, en ik vond het hartverwarmend.' Haar stem trilde en Cosima keek op, verwonderd over lady Hamiltons ontroering. Lord Hamilton schraapte zijn keel en Cosima merkte dat lady Hamilton verstijfde en zich van haar losmaakte. Ze ging naast lord Hamilton staan.

Cosima greep het kant van haar japon vast en wenste dat ze een zakdoek had. Ze dwong zichzelf overeind. 'Dan zal ik mijn kamenierster roepen en beginnen met pakken.' Er drupte nog een traan toen ze beverig glimlachte. 'Mijn grootmoeder verwachtte me vanmiddag. Ik wist alleen niet dat ik met bagage en al op bezoek zou gaan.'

*

Een uur later, met Millie naast haar en de hutkoffers halfvol, hoorde Cosima een luide tik op de deur. Voordat Millie er was, gooide Beryl de deur wijdopen, ontsteltenis in haar bruine ogen.

'Moeder heeft het verteld,' zei ze. Ze zette haar handen in haar zij en overzag de chaos in de kamer. 'Dit is niet aanvaardbaar, gewoonweg niet aanvaardbaar.' Ze zette twee passen naar Cosima optoe, die naast een grote hutkoffer stond met een opgevouwen nachtpon in haar armen.

Beryls gezicht was rood aangelopen. 'Je kunt het toch niet menen dat je bij die ouwe... nou ja, je grootmoeder wilt intrekken! Ze is... ze is... o, ik kan niets zeggen zonder te zondigen.' Beryl nam de nachtpon uit Cosima's handen en gooide hem achteloos op het bed. Ze legde haar handen op de hutkoffer alsof ze hem dicht wilde doen. 'Waarom zou je bij haar willen wonen als je met ons mee kunt gaan naar Hamilton Hall?'

Cosima pakte de opzijgelegde nachtpon en vouwde hem opnieuw op. Ze kon Beryl niet aankijken. 'Het leek me de meest logische optie, want je moeder stelde het voor.'

'Moeder doet vandaag zo vreemd, maar ik ken haar, Cosima. Ik weet dat ze om je geeft als om een eigen dochter. Ik weet zeker dat ze niet echt wil dat je bij ons weggaat. Misschien volgt ze alleen een bevel op van de douairière.'

Cosima haalde haar schouders op. 'Als dat het geval is, reden temeer om naar de Escotts te gaan. Ik heb mijn grootmoeder genoeg teleurgesteld zonder dat ik weiger daar te gaan wonen als ze dat van me verwacht.'

Beryl plofte neer op de chaise longue naast de

niet aangestoken haard. 'Dit is onaanvaardbaar.'

'Je vertrekt maar een week eerder uit Londen, Beryl,' bracht Cosima naar voren. 'Dan was alles toch veranderd.'

'Ja, maar alleen wat betreft de plek waar we allemaal woonden.' Ze boog naar voren. 'Je bent nu net een zus voor me, Cosima. Intiemer zelfs, want Christabelle ziet de dingen niet half zo hetzelfde als jij en ik. En bovendien...'

Cosima keek Beryl aan. 'Bovendien wat? Had je plannen voor me? Met je broer?'

Beryl stond op, ze knikte en keek volkomen zelfverzekerd. 'Ja, dat klopt.' Ze keek van Cosima naar Millie, even onzeker, en toen weer naar Cosima. 'En ik zeg het waar je kamenierster bij is ook. Het kan me niet schelen wie het weet. Peter en jij passen precies bij elkaar, Cosima. Dat wist ik meteen de eerste dag dat ik je ontmoette. En je weet het best. Peter ook. Als je onze familie nu verlaat, hoe moet het dan verder?'

Cosima pakte Beryls handen in de hare. 'O, Beryl, Beryl, het mag niet zo zijn! Er is niets tussen je broer en mij, behalve wat jij in je verbeelding wakker hebt geroepen.'

Impulsief gaf ze Beryl een knuffel, wat als bijkomend voordeel had dat Beryl haar niet meer in de ogen kon kijken. Haar vriendin mocht niet vermoeden dat elk woord dat Cosima sprak een leugen was. 'Het is beter zo, Berrie. We zullen vast wel bij elkaar op visite kunnen komen, zeker als Reginald en ik trouwen... *als* we trouwen. Dan word jij mijn favoriete logee.'

Beryl maakte zich los. 'Op dit moment is mijn eigen kamenierster ook mijn spullen aan het inpakken. O, wat een ellende allemaal.'

'Maar je hebt gezien hoe weinig tijd hij de afgelopen zomer bij me in de buurt is geweest.'

'Ja, omdat hij jou ontliep omdat je met zijn beste vriend zou trouwen. Hij is te loyaal tegenover Reginald om er iets aan te doen, tenzij je hem een reden geeft. En dat moet je doen, Cosima. Voordat Reginald een datum vaststelt, nu je op goede voet staat met je grootmoeder en zelfs overweegt bij haar te gaan wonen.'

'Wat bedoel je daarmee?'

'Ach klets niet, Cosima. Iedereen die Reginald kent, hoeft zich niet lang af te vragen wat zijn echte motieven zijn om met jou te trouwen. Niet dat hij niet gek op je is, want laten we eerlijk zijn, wie is dat niet? Maar hij heeft een bijbedoeling: aandacht krijgen van en geaccepteerd worden door de adel. Wie kan hem daarbij beter helpen dan de douairière? Eén knik van haar en je staat op elke gastenlijst.'

Cosima's knieën knikten en ze zonk neer op de chaise waarvan Beryl net was opgestaan. Dit was natuurlijk geen verrassing voor haar, maar het feit dat Beryl Reginalds plannen even goed kende als Cosima was *wel* een verrassing.

'Iedereen die ons kent, heeft zeker medelijden

met me, hè?' fluisterde Cosima. 'Om zo gebruikt te worden.'

'O, alsjeblieft,' zei Beryl. 'Niemand vindt er iets van, want het gebeurt elke dag. Maar zo hoeft het voor jou niet te zijn. Peter is overduidelijk geïnteresseerd, en als je hem maar een woordje van aanmoediging wilde geven, zou hij vast en zeker met Reginald gaan praten, en Reginald zou een heer zijn en zich terugtrekken.'

Cosima schudde haar hoofd en ging verder met pakken.

'Ik snap niet waarom je je hart niet wilt volgen!' zei Beryl boos. Ze liep de kamer uit en Cosima keek haar verloren na.

29

Natalie zette Ben in zijn lievelingsstoeltje, dat ronddraaide maar veilig op dezelfde plek bleef staan. Ze stak hem een speeltje toe, maar hij pakte het niet. Ze glimlachte en riep zijn naam, maar hij sloeg geen acht op haar. Hij begon rond te draaien.

Ze keek om toen ze de garagedeur hoorde opengaan, en even later kondigde Luke zijn komst aan met een goede imitatie van Danny Kaye.

Maar Natalie was niet in de stemming voor charmes, noch voor die van Luke, noch voor die van de allang overleden meneer Kaye. Sinds de diagnose autisme was vastgesteld, was Luke evenwichtig en onverstoorbaar geweest. Natalie kon hem niet begrijpen. Waarom was hij niet ongerust? Hoe kon hij functioneren, werken, kantoorgebouwen ontwerpen, huizen en wolkenkrabbers, net als hij altijd had gedaan?

Ze vermoedde dat hij ergens nog steeds hoopte dat Ben over zijn achterstand heen zou groeien. Ze hadden bloed laten afnemen in het ziekenhuis, zoals de dokter had aangeraden, maar ze hadden de uitslag nog niet binnen. Ze had geen afspraak gemaakt voor een *second opinion* en ze vroeg zich af of Luke daar niet op aandrong omdat hij wilde geloven dat de mening van de eerste arts verkeerd was geweest. Waarom het risico nemen naar een andere arts te gaan die misschien hetzelfde zou vertellen?

Hoewel Natalie zich ook aan die hoop vast wilde klampen, kon ze het niet. Niet meer. Ze moest hem de waarheid vertellen. En het moest nu. In plaats van hem te begroeten, in plaats van hun gebruikelijke kus, stond Natalie abrupt stil voor Luke. 'Ik moet je iets vertellen, Luke. Iets wat ik voor je heb verzwegen.'

Ze draaide zich om naar de keukentafel, waar het dagboek lag. Ze had geprobeerd het te verstoppen als een geheim, had het achter in haar slaapkamerkast geduwd en maar nu en dan eruit gehaald. Maar het spookte almaar door haar hoofd.

Ze had genegeerd wat het dagboek was. De wegwijzer, die ze niet wilde lezen.

Ze keek Luke aan met het boek in haar hand. 'Het gaat over mijn familie en het staat er allemaal in.'

'Is dat niet het dagboek uit de doos?' Luke keek nieuwsgierig en verbaasd, maar niet half zo ongerust als hij hoorde te zijn. Wat vertrouwde hij haar onvoorwaardelijk! Iets wat zij verstopt had, kon toch niet zo heel belangrijk zijn.

Dat ze het juist had gezien, bleek toen Luke's kalme blik naar de post dwaalde, die opzij van de keukentafel lag. Hij zou hem zelfs gepakt hebben, als Natalie niet in zijn blikveld was gaan staan.

'Vroeger noemden ze het een vloek. Tegenwoordig erfelijkheidsleer.'

Het duurde een volle twee seconden voordat Luke Natalie aankeek. 'Wat zei je daar?' Hij klonk meer verbluft dan ontsteld, dus hij begreep het nog steeds niet.

'Hier,' zei ze, en stopte hem de geschriften van Cosima toe. 'Lees het zelf maar. En vertel me dan dat onze zoon niet is zoals Royboy... en Willie en Percy...'

Daarop vluchtte ze in tranen de kamer uit.

30

Hoe komt het, God, dat de vloek die ik dacht te kunnen dragen, een te zware last wordt? Ik heb U nooit gesmeekt hem op te heffen... tot nu.
Ik vrees dat ik weggestuurd word om een reden die ik niet kan doorgronden. Ik probeer mezelf wijs te maken dat alles wat lord en lady Hamilton vanmorgen hebben gezegd volkomen logisch is. Maar daar verandert mijn stemming niet van. Er zijn bedienden gekomen om mijn hutkoffers naar het rijtuig te brengen dat op Millie en mij staat te wachten. Ik moet zo dadelijk afscheid nemen, in het bijzonder van mijn lieve Beryl en Christabelle.
En toch, al weet ik heel goed dat ik geen hoop heb op liefde, zou ik niet zeggen dat ik beter af was geweest als ik in Ierland was gebleven...

'O, Cosima!' huilde Christabelle, die een stap naar voren deed en Cosima in een omhelzing tegen zich aan trok. 'Ik heb het gevoel dat ik een zus kwijtraak.'

Cosima drukte Christabelle tegen zich aan.

Beryl sloeg haar armen om hen beiden heen en niemand bekommerde zich erom dat er bedienden in de buurt stonden die getuige waren van Cosima's weinig achtenswaardige en huilerige vertrek. Lord en lady Hamilton waren er niet bij om hen te vermanen.

Cosima en Beryl liepen gearmd naar buiten.

'Ik weet niet wat moeder bezielt. Ze is er niet eens om afscheid te nemen.'

'Ik heb een briefje achtergelaten waarin ik je ouders bedank voor hun ruimhartigheid om me zo lang te laten logeren,' zei Cosima. 'Het lijkt me niet genoeg.'

'Het is meer dan genoeg, als je het mij vraagt,' zei Beryl geirriteerd.

'Berrie, het is niet de schuld van je moeder dat ik bij mijn grootmoeder moet gaan logeren,' fluisterde Cosima. Beryl knikte, en er gleed een traan over haar wang.

Een livreiknecht hielp eerst Millie in het rijtuig, en na een laatste omhelzing van Beryl, volgde Cosima. Ze zwaaide en lachte geforceerd terwijl het rijtuig de laan af rolde.

Cosima leunde achterover, haar hart zo zwaar dat ze nauwelijks kon ademhalen. Toen het rijtuig het hek naderde dat op de openbare straat uitkwam, hield het stil. Cosima boog zich naar buiten om een laatste spoor te zien van Beryl en Christabelle, en keek toen naar voren om te zien wat de oorzaak was van de onverwachte stop. Er scheen niets mis te zijn, maar ze hoorde stemmen van de andere kant.

De livreiknecht steeg van de achterkant van het rijtuig en ze zag hem langslopen naar de voorkant. Cosima had nauwelijks tijd om een verwarde blik met Millie te wisselen voordat ze dezelfde livreiknecht met een paard aan de hand naar de achterkant van het rijtuig zag lopen, waar het kennelijk werd vastgebonden.

Toen werd de deur geopend, niet door de livreiknecht, maar door lord Peter.

'Ik hoor van de koetsier dat je naar je grootmoeder gaat,' zei hij terwijl het rijtuig schommelde onder zijn gewicht. Even later zat hij naast haar. 'En ik zie aan de hutkoffers bovenop dat je van plan bent om daar te blijven.'

Cosima's keel was meteen droog geworden en haar handen trilden; ze vroeg zich af of ze kon praten. 'Hebben je ouders nog niet met je gesproken?'

'Ze zeiden dat ze vroeg naar het platteland terugkeerden – nou ja, vader en ik niet natuurlijk voor de zitting afgelopen is – maar ik had gedacht dat je met mijn moeder en zussen mee zou gaan.'

Het rijtuig schoot met een ruk weer naar voren, tot Cosima's verbazing. Was lord Peter dan van plan hen te begeleiden naar het huis van haar grootmoeder? Haar hart was sinds hij de deur geopend had nog niet naar zijn gewone plaats teruggekeerd, en nu bonsde het nog sneller. Ze wierp een snelle blik op Millie, die als een plichtsgetrouwe kamenierster uit het raam zat te kijken en voor het ogenblik deed alsof ze niet bestond.

'Omdat mijn plannen... met Reginald... nog onzeker zijn en hij hier in Londen verblijft, is besloten dat ik voorlopig bij mijn grootmoeder moet gaan logeren. Ze had gezegd dat ze meer tijd met me wilde doorbrengen.'

Cosima keek weg van Peter. Als ze zichzelf toestond hem langer dan heel eventjes beleefd aan te kijken, kon ze vast haar blik niet meer losmaken.

'En waarom is het, vraag ik me af,' zei hij en ineens klonk zijn stem dieper, intiemer, 'dat die plannen met Reginald nog steeds onzeker zijn?'

Ze klemde haar handen steviger ineen en voelde het trillen dat zich door haar hele lichaam dreigde te verspreiden. 'Ik... kan het niet zeggen.'

'Ik wel.' Peter leunde achterover, een eindje verder van haar weg. 'Maar ik doe het niet.'

Ze reden in stilte verder en Cosima verwonderde zich over zijn aanwezigheid. De hele zomer had hij haar ontweken, en nu zat hij naast haar alsof het zijn rechtmatige plaats was. Talloze gedachten schoten als bliksemschichten door Cosima's hoofd, geladen met emotie. Wat zou hij gezegd hebben als ze had willen praten over haar onzekere plannen met Reginald? Was hij teleurgesteld dat ze niet langer bij zijn familie bleef logeren? Betreurde hij het dat hij zoveel weg was geweest, nu het ernaar uitzag dat ze geen gelegenheid meer kregen om bij elkaar te zijn?

Het rijtuig minderde vaart en Peter tikte op het dak om de koetsier te laten stoppen. Hij stak zijn hand uit en Cosima liet de hare erin glijden. 'Vaarwel dan, *milady*,' zei hij hoffelijk, zonder haar aan te kijken.

Cosima kon er niets aan doen. Met zijn hand zo sterk en ferm om de hare, verdween elk spoor van gezond verstand. Ze klampte zich vast aan zijn warme hand zoals geen dame hoorde te doen, zelfs nog toen hij zich al begon los te maken.

Het eenvoudige gebaar, subtiel maar duidelijk, ontging Peter niet. Zijn blik ontmoette onmiddellijk de hare en hield hem vast.

Cosima verloor de moed. Ze wendde haar blik af.

Peter hield haar hand nog in de zijne, maar met zijn vrije hand hief hij haar kin naar zich toe, zodat ze niets anders kon dan hem aankijken. Ze wist dat ze haar gevoelens voor hem niet kon verbergen.

'Cosima,' fluisterde hij.

Ze had nooit zo veel van haar eigen naam gehouden als toen hij hem uitsprak. Met haar hele wezen wilde ze zijn armen om haar heen voelen. Het kon haar niet schelen dat Millie, met haar pogingen om met de stoffering te versmelten, alles kon zien.

Maar ze kon het niet. Ze mocht het niet doen. Het was niet Reginald aan wie Cosima op dat moment dacht. Ze dacht aan Royboy. En Percy. En Willie.

En ze wist dat ze Peter geen zoons kon geven...

Verstijfd wendde ze haar ogen af en trok haar hand los. 'Dag, lord Peter.' Haar keel was zo dichtgeschroefd dat de woorden nauwelijks hoorbaar waren.

Peter was evenzeer afgestemd op de taal van haar

bewegingen als op gesproken taal. Even vlug als hij haar onwilligheid had bespeurd om hem te laten vertrekken, moest hij haar plotselinge verstrakking hebben opgemerkt.

Hij liet de hand die ze had losgelaten zakken en verliet het rijtuig.

Cosima sloot haar ogen. Ze hoorde dat de knecht het paard losmaakte. Er werd geen woord gewisseld tussen lord en bediende. Het enige dat ze hoorde, was het hoefgekletter dat Peter wegdroeg.

*

Hoewel het herenhuis van haar grootmoeder net zo comfortabel was als het stadslandgoed van de Hamiltons, miste Cosima de familie meteen. De hele familie.

Nadat haar bagage was uitgeladen en Millie opdracht had gekregen uit te pakken, bracht Cosima de middag door met haar grootmoeder en luisterde naar verhalen over de militaire tak van de Escotts. Douairière Merit sprak over koningen en koninginnen, Britse Whigs en Tory's, chartisten en revoluties, en vermengde de familiegeschiedenis met die van Engeland.

Cosima probeerde de informatie op te slaan, maar haar gedachten dwaalden meer dan eens af. Ze vroeg zich af of Peter veilig was in de stad, of er echt ongewoon veel choleragevallen waren dit jaar. Ze vroeg zich af of hij vaker thuis zou zijn nu zij er niet meer was. Wanneer zou hij naar zijn moeder en zussen op het platteland gaan? Het zou stil zijn in het grote huis nu er alleen een paar bedienden en de twee lords Hamilton verbleven. Ze vroeg zich af of Peter zijn familie zou missen... of hij haar zou missen.

Ze wist dat het dwaas was om zichzelf zulke gedachten toe te staan, maar ze stond machteloos tegenover haar eigen hart. Ze nam aan dat haar gevoelens voor Peter eens over zouden gaan. Als ze met Reginald trouwde, moest ze zulke gevoelens per slot van rekening onderdrukken voor iedereen behalve haar man. Ze zou een plichtsgetrouwe echtgenote zijn en misschien, als ze veel bad en zich gedroeg als de liefdevolle echtgenote die ze moest worden, zou haar hart te zijner tijd volgen.

Als ze niet met Reginald trouwde, zou ze ongehuwd terugkeren naar Ierland. Ze zou haar plannen doorzetten om het Ierse Escott Manor te veranderen in een school. Dat was een veel waardevollere toekomst dan een huwelijk en die eindeloze sociale cirkel waar Reginald zo graag bij wilde horen.

Reginald werd vrijdagavond verwacht voor het diner. Hij had eerbiedig gewacht op een uitnodiging van de douairière, en nu hij hem had gekregen, geloofde Cosima dat zijn huwelijksaanzoek niet lang op zich zou laten wachten. Hoewel het diner naar verwachting minder formeel zou zijn zonder de hele uitgebreide familie Escott erbij, koos Cosima de volgende avond met zorg haar japon: zuiver wit met een enkele tak rozen, geborduurd van de taille over de voorkant van de rok.

Tot haar verrassing zat Reginald al in de salon toen ze naar beneden kwam, samen met lord en lady Escott. Cosima verbaasde zich er steeds weer over hoe hartelijk lord en lady Escott waren als douairière Merit er niet bij was. Ze babbelden een paar minuten en Cosima genoot van hun gezelschap. Al was lord John een beetje stil, hij deed Cosima als hij sprak – en zeker als hij lachte – aan haar vader denken. Dat zei ze tegen hem en toen hij haar fronsend aankeek, had ze er meteen spijt van.

Spoedig voegde de douairière zich bij hen en Cosima overleefde de avond met succes, zonder ook maar één keer een boze blik aan de douairière te ontlokken.

Maar Cosima was niet alleen uitgeput omdat ze zorgvuldig elk woord en elke beweging had moeten kiezen; ze was opgelucht toen Reginald zich opmaakte voor vertrek. Ze verlangde naar de afzondering van haar kamer, zodat ze haar eigen gedachten kon koesteren in plaats van een slaaf te zijn van de regels van douairière Merit.

Maar toen ze Reginald goedenacht wenste, aarzelde hij na zijn beleefde afscheid. 'Breng je me even naar de hal, Cosima?'

Ze keek naar haar grootmoeder, die een goedkeurend knikje gaf.

'Zorg dat jullie niet alleen zijn,' zei de douairière. 'Laat de livreiknecht langzaamaan doen.'

Bij de deur stond de livreiknecht klaar met Reginalds hoge hoed en handschoenen.

'Ik wil zeker weten dat je op de hoogte bent van het komende tuinfeest en bal bij de Hamiltons.'

In Cosima's borst rees ongenode, onmiskenbare hoop op. Ze had geen uitnodiging gezien. 'Wanneer?'

'Over twee weken,' zei Reginald. 'Peter vertrekt morgen naar zijn moeder en zussen, en ik ga misschien een paar dagen mee. Ik ben op tijd terug om je te begeleiden. Hun feest is een van de hoogtepunten van het landleven, en ze nodigen iedereen uit.'

'O! Ik mis hen echt.' Ze glimlachte naar Reginald. 'Dank je, Reginald. Fijn dat ik weet van het feest, dan kan ik me erop verheugen.'

Hij kuste de palm van haar hand en gaf haar zijn charmantste glimlach. 'Het is het minste wat ik kan doen voor alle betrokkenen.'

Hij vertrok en Cosima ging naar haar kamer, aanmerkelijk gelukkiger dan toen ze hem verlaten had.

Twee weken. Over twee weken zag ze Peter weer.

31

'Heb je het hele dagboek gelezen, Natalie?'

In bed keek Natalie op van de detective die ze aan het lezen was. Luke droeg de flanellen boxershort waarin hij sliep en had Cosima's dagboek in zijn handen. Lezen was Natalie's enige ontsnappingsmiddel... maar niet het soort lectuur dat hij bij zich had.

Ze richtte haar aandacht weer op haar boek. 'Dat hoefde niet. Ik heb genoeg gelezen om te weten dat de oorzaak van Bens achterstand uit mijn familie komt. Via mij.'

'Een vloek uit 1849.' Hij sprak alsof het een belachelijk idee was, dat niet geëerbiedigd of gevreesd hoefde te worden zoals alle Ierse dorpsbewoners in Cosima's dagboek deden.

Ze haalde haar schouders op.

'Je beseft toch wel hoe belachelijk dit klinkt? En hoe ongeloofwaardig?'

'Best.' Ze zei het bot, maar ze kon niets veranderen aan de gevoelens die de toon ingaven. Pijn en angst en schuld en... ongelovigheid.

'Natalie.' Luke sprak nu vriendelijk en dat verzachtte haar. 'We hebben het over erfelijkheidsleer, dat weet je best. We leven in een wereld vol ziekten en verval. Dat komt niet doordat een of andere familie iets heeft gedaan om slechte genen te verdienen.'

'Geloof je echt dat mijn familie honderdvijftig jaar lang slechte genen met zich mee heeft gedragen? Hoe kan het dan dat mijn vader is gespaard? En zijn broer en zijn familie? Iedereen is gespaard, behalve *mijn* zoon!'

'Ik weet het niet. Daarom ga ik morgen dokter Benson bellen.'

'De arts die Bens bloed heeft afgenomen?' Hoewel ze de uitslag nog niet hadden gekregen, waren ze allebei onder de indruk geweest van het vriendelijke medeleven van de erfelijkheidsdeskundige.

'Misschien kan zij ons vertellen met wat voor stoornis we te maken hebben.'

'Wat maakt het voor verschil?' fluisterde Natalie. 'Een nieuw etiket? Ben wordt er niet anders van, of we hem autistisch noemen of iets anders.'

'Ik vind gewoon dat we alle feiten moeten hebben.'

Natalie liet het boek vallen dat ze had gelezen en knipte de lamp op het nachtkastje uit. Ze stompte in haar kussen in een zwakke poging om haar frustratie kwijt te raken. Toen ze eindelijk achterover ging liggen, keerde ze haar gezicht van Luke af.

'En Natalie?'

'Hm?'

'Ik vind dat je de rest ook moet lezen.'

'Waarom?'

'Waar was je gebleven?'

Ze draaide zich om om Luke aan te kijken. Zelfs in het donker was hij volledig zichtbaar in het maanlicht dat door het raam naar binnen scheen. Ze was vergeten de jaloezieën dicht te doen. 'Het is niet belangrijk. De vloek – goed, de slechte genen dan – zijn niet met haar gestorven, want ze leven nog. In mij. Ik wil er niks over lezen.'

Hij stak haar het dagboek toe. 'Lees het, Naat. Ik ben blij dat ik het heb gelezen, al kan ik niet tippen aan de man met wie je betbetovergrootmoeder trouwde.'

Natalie hield haar hoofd schuin. 'Wat bedoel je?'

'Lees het maar, dan kom je er vanzelf wel achter.'

Onwillig pakte Natalie het versleten dagboek aan. Ze stond half in de verleiding om het op de grond te leggen om er een andere keer aan toe te komen. Maar Luke zou waarschijnlijk de wacht houden tot ze er aandacht aan besteedde of hij in slaap viel – wat het eerst gebeurde. Ze reikte naar de lamp naast het bed en knipte hem weer aan.

Voordat ze opzocht waar ze was gebleven, keek Natalie haar man aan. 'Ik geloof net zomin als jij in een vloek, Luke. Maar er is iets. Het wijst op wat het ook is dat Ben heeft. Ik weet niet of ik verder kan lezen...'

Luke zat naast haar met zijn benen over elkaar. 'Ik geloof nog helemaal niks, Natalie. Niet in een vloek en niet in een genetische ziekte die zich al die tijd in je genen zou hebben verstopt. Als Ben iets heeft en het is hetzelfde als in dit dagboek wordt beschreven, dan moeten we het weten. Het bloedonderzoek zal het toch uitwijzen, denk je niet? Omdat we tot nu toe niks gehoord hebben, is er misschien ook niks.'

Natalie voelde hete tranen in haar ogen branden. 'Het komt door mij.'

Hij legde zijn handen om haar schouders en trok haar dicht tegen zich aan. 'Dat weet je niet, maar het is toch niet belangrijk. We kunnen onze genen niet kiezen, Naat. Het is niemands schuld.'

Er vielen een paar tranen uit haar ogen. 'Waarom voel ik me dan zo schuldig?'

'Daarom moet je het dagboek lezen,' fluisterde hij. 'Dacht je niet dat Cosima een reden had om dit dagboek te schrijven? Misschien voelde zij zich ook schuldig, maar toen ze dit schreef, had ze genoeg geleerd om te weten dat dat niet goed was. Weet je nog wat er staat aan het begin? Dat liefde en geloof in Christus sterker zijn dan angst? Is angst zoveel anders dan schuld als jij degene bent die zich verantwoordelijk voelt voor de angst?'

Natalie maakte zich los om een zakdoekje van het nachtkastje te pakken. Het dagboek lag zwaar in haar schoot en ze wilde het wegduwen.

Alsof hij haar gedachten las, fixeerde Luke haar blik. 'Lees het, Naat.'

'Ik wil het echt, echt niet.'

'Je zult er geen spijt van hebben. Het bracht me

op de gedachte dat als Ben iets heeft, we het best aan kunnen. Als we op hen lijken.'

Luke ging achterover liggen op zijn eigen kant van het bed. Onwillig sloeg Natalie de bladzijden om. Maar ze had nog geen woord gelezen, toen Luke weer sprak.

'Als je er klaar mee bent, moet je het aan Dana geven.'

Natalie staarde hem aan. Precies datgene waar ze Dana al die tijd tegen had beschermd... wilde hij dat ze het haar vertelde? Zomaar? Er was geen bewijs dat het haar beïnvloed had. Waarom haar erbij betrekken?

Zonder een woord te zeggen keek ze weer naar het dagboek.

32

Cervantes zei in Don Quichot dat eerlijkheid de beste politiek is. Ik dacht dat ik die politiek aanhing, en toch, wat heb ik gedaan? Voor mijn vrienden de waarheid over mezelf verzwegen.

De afgelopen twee weken zijn zo traag voorbij gekropen, dat ik me afvroeg of ze ooit voorbij zouden gaan. Lange dagen onder de kritische blik en het onderricht van douairière Merit hebben me neerslachtig gemaakt. Alleen 's avonds op mijn kussen vond ik een beetje rust als er weer een dag voorbij was.

Douairière Merit vindt mijn kennis van het leiden van een huishouding ergens tussen jammerlijk achterstallig en uitgesproken afwezig. Ze drilt me met vragen, waarop ik meestal het juiste antwoord niet weet. Wat moet de meesteres van een huis doen als een bediende zijn of haar plicht verzuimt? Zoek de reden en pak het probleem aan. En dat is natuurlijk niet goed. Onwaardige, onbedreven of niet toegewijde bedienden moeten onmiddellijk worden ontslagen, zonder referenties mee te geven.

Maar goed, ik ben ook te weten gekomen dat hoewel mijn grootmoeder veeleisend is en streng, ze royale lonen betaalt. Er is een niet aflatende stroom hoopvolle sollicitanten naar een positie bij de Escotts.

Bijna elke ochtend zie ik een eenvoudig geklede man of vrouw de tuin in of uit lopen.
Ik heb de grootmoedigheid van de douairière ook aan den lijve ervaren. Er werd een kleermaakster ontboden om 'mijn garderobe te voltooien'. In verbijsterend korte tijd produceerde ze twaalf nieuwe japonnen voor overdag en 's avonds voor me, twee nieuwe capes, en zelfs een gestreepte boernoes, geïnspireerd door een Arabische naaister, plus vele hoeden en talloze paren handschoenen, onderrokken en schoenen. Pakketten en bagage in alle soorten en maten zijn ingepakt en vooruitgestuurd naar het landgoed van de Escotts of gemerkt voor later vervoer.
Omdat Reginald niet meer geweest is sinds de week na mijn aankomst, heeft douairière Merit vaak het onderwerp ter tafel gebracht van mijn mogelijke huwelijk.
'Tot de man bewijst dat hij hoffelijker is dan hij zich tot nu toe heeft gedragen,' zei ze op een ochtend tegen me, 'is er geen sprake van plannen voor een bruiloft.'
Het kan me niet schelen hoelang het duurt tot ik plannen kan maken voor mijn huwelijk met Reginald. In plaats daarvan tel ik de dagen tot ik uit Londen vertrek voor een verblijf van drie dagen op Hamilton Hall. Alleen op deze bladzijden zal ik toegeven dat ongeduld een bewijs van liefde is, zoals het oude gezegde luidt...

Reginald arriveerde vroeg op de dag van vertrek. Zijn helderblauwe ogen waren blij en licht, en er sprong een oprechte fontein van vrolijkheid in Cosima op toen ze hem zag. Hij had twee briefjes gestuurd tijdens haar verblijf bij haar grootmoeder, waarin hij Cosima verteld had over de voorbereidingen die de Hamiltons hadden getroffen voor hun aanstaande tuinfeest. Reginald scheen zich net zo erg op de feestelijkheid te verheugen als Cosima zelf.

Onderweg regende het, en toen ze op het station aankwamen, werden ze een voor een door een livreiknecht die een reusachtige paraplu openhield naar een rijtuig gebracht. De bagage werd overgeplaatst naar een afzonderlijke, met zeildoek overdekte wagen, terwijl de twee bedienden in hun gezelschap op een huurrijtuig wachtten.

Het terrein van Hamilton Hall schitterde in tinten groen die Cosima niet meer gezien had sinds ze thuis vertrokken was. Uitgestrekte gazons, groepen bomen, bloeiende heggen en ver weg gelegen tuinen getuigden van de nauwgezette zorg die was besteed aan elke centimeter land die God deze familie had toevertrouwd.

Het huis zelf had twee vleugels die aan een hoger midden balanceerden, waar zes witte zuilen een cirkelvormig portiek benadrukten. De woning was imposant en uitnodigend tegelijk, met zijn lichtkleurige stenen en witte luiken voor de talloze hoge ramen. Met drie verdiepingen en twee keer het formaat van het antieke landhuis waarin Cosima in Ierland woonde, was het verreweg het deftigste huis dat ze ooit had bezocht.

Cosima gluurde door de natte ramen naar de andere rijtuigen die tegelijk met hen arriveerden, en naar de open voordeur waar het krioelde van de gasten en livreiknechten met zwarte paraplu's. Toen ze niet degene zag die ze zocht, speurde ze langs de ramen van het huis in de hoop hem daar te zien.

Dat Peter nergens te zien was tussen de toevloed van doorweekte bezoekers zou geen verrassing moeten zijn, al kon ze een zekere teleurstelling niet ontkennen. Maar wat had ze dan verwacht? Waarom dacht ze dat hij naar haar toe zou willen komen, om almaar te zoeken naar een boodschap die ze niet af wilde geven?

Even later stond Cosima in de stampvolle hal. Ze merkte nauwelijks iets op van de inrichting, alleen een fonkelende kroonluchter die aan het hoge, koepelvormige plafond hing en een marmer met albasten trap met mahoniehouten leuningen. Ze keek toe hoe de gasten elkaar begroetten terwijl bedienden stonden te wachten om hun drijfnatte kleren aan te nemen en hen de hun toegewezen kamers te wijzen.

'Cosima! O, mijn vriendin! Welkom!'

Dat was Beryl, die zich een weg baande door de menigte, op de voet gevolgd door Christabelle. Beryl trok Cosima tegen zich aan in een stevige omhelzing. Christabelle's knuffel volgde snel. 'Ik wilde zeggen welkom thuis; alleen ben je hier nog nooit geweest, toch?'

Cosima schudde haar hoofd, ze lachte en keek tussen de mensen door naar het huis. 'Het is schitterend!'

'Kom, we gaan naar boven, weg van de menigte,' zei Beryl.

Maar Cosima aarzelde. 'Ik ben Reginald kwijtgeraakt.'

'Hij snapt heus wel dat je tijd voor jezelf wilt hebben na de reis, en bovendien zal hij op zoek zijn naar Peter. Die hebben iets bij te leggen. Kom mee.'

Haar opmerking over bijleggen intrigeerde Cosima, maar Beryl ging haar al voor naar boven. Ze voerde Cosima mee naar een grote slaapkamer en zelfs met lelijk weer buiten was de kamer vol licht door de vele ramen. De muren waren bedekt met rood zijdebehang, en er hing een hemel met franje boven het bed. Hier en daar stonden tafeltjes met boeken en olielampen.

'Ik ben blij dat het weekend eindelijk gekomen is,' zei Beryl. 'En ik ben bijzonder blij dat jij er bent. Ik wou dat je bleef!'

Cosima gaf Beryl een kneepje in haar hand. Zij wenste het ook, maar ze vond het beter om het niet te zeggen. 'Beneden zei je iets over Reginald en Peter die iets moesten bijleggen. Wat bedoelde je?'

Christabelle gaf antwoord. 'Die twee hebben laatst een vreselijke ruzie gehad. Ze waren buiten in het paviljoen en we hoorden het helemaal op de veranda.' Ze haalde een schouder op. 'Peter wilde niet zeggen waar het over ging, maar ik heb het idee dat het over jou ging, Cosima.'

Cosima zette grote ogen op. Zelfs Beryl keek verbaasd.

'O, jullie denken zeker dat ik een sufferd ben, hè?' zei Christabelle met een frons. 'Alleen omdat ik twee jaar jonger ben, denken jullie dat ik niks zie. Maar ik zie meer dan jullie allebei in de gaten hebben.'

'Goed, Chrissy,' vleide Beryl, 'waarom vertel je ons niet wat je denkt dat je hebt gezien?'

Christabelle leunde achterover op de bank en sloeg haar armen over elkaar. Ze keek Cosima aan. 'Ik denk dat je helemaal geen zin hebt om met Reginald te trouwen, en dat weet hij. Ik denk dat je verliefd bent op mijn broer en daarnaast denk ik dat hij verliefd is op jou.'

Er voer een rilling door Cosima heen. Ze verstrakte door het feit dat Christabelle de waarheid wist en nooit een woord over het onderwerp had gezegd.

Maar terwijl Cosima zich zo kwetsbaar voelde, lachte Beryl geamuseerd. 'Hoe kun je dat weten, Chrissy, terwijl Peter er een groot deel van de zomer helemaal niet was?'

'Dat op zichzelf is al een bewijs. Het was heel

makkelijk uit te puzzelen, ook als ik niet had gezien hoe hij naar Cosima keek, die enkele keren dat ze samen waren.'

Beryl lachte weer alsof ze zich kostelijk vermaakte. 'Zie je nou, Cosima? Zelfs die kleine Christabelle heeft het begrepen, de waarheid is overduidelijk. Je weet wat je te doen staat, en je moet het onmiddellijk doen. Je moet naar onze broer toe gaan en hem vertellen wat je voelt. Jij bent degene die zogenaamd verloofd is. Hij zal niet als eerste naar jou toe komen.'

Cosima werd overspoeld door verwarring. Verlangen streed met gezond verstand. Ze kon niet met Peter trouwen, wat ze ook geloofden of zelfs wilden. Misschien moest Beryl weten waarom niet, dan zou ze haar pogingen om hen samen te brengen opgeven.

'Het lijkt me dat Reginald iets moet vermoeden als hun ruzie over Cosima ging,' zei Christabelle. 'Misschien wil hij haar niet opgeven... dan gaan ze een duel houden!'

Beryl rolde met haar ogen en Cosima voelde haar maag omdraaien, al wist ze wel dat er tegenwoordig geen duels meer werden gehouden. Ze stond op, keerde de zussen de rug toe en wrong haar handen. Als Christabelle Cosima's gevoelens voor Peter had geraden, stond ze daar waarschijnlijk niet alleen in. Misschien vermoedde Reginald inderdaad dat Cosima om Peter gaf op een manier die voor Reginald alleen bewaard moest blijven.

Maar als dat het geval was, waarom had hij haar dan meegenomen hiernaartoe? Waarom had hij gezorgd dat ze uitgenodigd werd en had hij de moeite genomen haar te begeleiden? Misschien om aan zichzelf te bewijzen – en aan Peter – dat al koesterde ze gevoelens voor Peter, Reginald degene was met wie ze verkoos te trouwen.

'Wat is er, Cosima?' vroeg Beryl achter haar. 'Je gelooft Christabelle toch zeker niet! Alleen rare Fransen overwegen tegenwoordig nog een duel, of misschien een wilde Amerikaan.'

Cosima lachte geforceerd. 'Nee, dat is het niet. Het is... iets anders. Iets wat jullie niet weten.'

'Wat weten wij niet?' vroeg Christabelle.

Cosima keek hen aan en bad in stilte dat God haar tong zou leiden. De waarheid was het antwoord. Ze wist dat Reginald liever niet had dat ze over de vloek sprak, maar ze voelde zich niet meer eerlijk zonder dat Beryl en Christabelle het wisten.

'Ik ben verliefd op jullie broer,' gaf ze toe en de meisjes lachten breed.

'Nou,' zei Beryl, 'dat is iets wat we *wel* weten. Je zei dat er iets was wat we niet weten.'

Cosima knikte, haalde diep adem en liep om hen heen om haar plaats voor de haard weer in te nemen. Op deze natte dag was er een klein vuurtje aangestoken en ze verwelkomde de warmte. 'Ik zal jullie vertellen waarom ik niet met jullie broer kan trouwen, al zou hij me vragen.'

'Wat?' zei Christabelle.

Op hetzelfde moment kwam Beryl naast Cosima zitten en legde een hand op haar schouder. 'Ik wist dat je iets dwarszat. Vertel het ons, Cosima. Het is hoog tijd.'

Cosima keek van de een naar de ander, blij met hun bezorgdheid. Zouden ze nog steeds met zoveel genegenheid naar haar kijken als ze het wisten? 'Ik zou helemaal niet met welke man dan ook moeten willen trouwen. En geen man zou met mij moeten *willen* trouwen. Zelfs Reginald niet, die zoveel minder te verliezen heeft dan Peter.'

'Ik begrijp er helemaal niets van, Cosima,' zei Beryl. 'Wat zou Reginald verliezen als hij met je trouwt?'

'Een toekomstige generatie,' zei ze, neerkijkend op haar handen. 'Ik ben... vervloekt.'

Ze had het woord dat ze zo haatte niet willen uitspreken, maar op dat moment was het het enige woord dat het zo bondig samenvatte.

'Vervloekt?' herhaalde Christabelle.

Beryl keek geërgerd. 'Weet je hoe middeleeuws dat klinkt?'

Cosima wreef haar handpalmen tegen elkaar in een poging het trillen te bedwingen. Ze meed Beryls doordringende blik. 'Het is zo – dat zegt tenminste iedereen die de familie Kennesey kent.'

'Kennesey... dat is je moeders kant van de familie, de kant die het kruis heeft doorgegeven?'

Cosima knikte. 'Ja. Alleen lijkt het erop dat het Kennesey-erfgoed niet zomaar een familienalatenschap is.' Ze zweeg even. 'Te beginnen met mijn grootmoeder en haar jongere zus, en daarna mijn moeder en mijn tante... alle vrouwen van de familie Kennesey die kinderen baarden...'

'Ja?' drong Beryl aan.

'Allemaal... kregen ze kinderen... vooral zoons... die... die...'

'O, alsjeblieft, Cosima, vertel het nou gewoon!' zei Beryl.

'Zwakzinnig waren,' fluisterde Cosima eindelijk. Zo. Ze had het gezegd. Ze had hun de waarheid verteld.

Beryl en Christabelle wisselden een onzekere blik.

'Alle mannen van je moeders kant zijn zwakzinnig?'

'Niet allemaal. Maar ik heb twee broers gekregen – eentje is naar de hemel gegaan en eentje woont bij mijn ouders – die allebei achterlijk zijn.' Misschien kon ze het beter goed uitleggen voordat ze te veel vragen gingen stellen. 'Mijn nog levende broertje heet Royboy, en er bestaat geen lievere jongen. Ondeugend, dat wel, maar er zit geen spoor kwaadaardigheid in hem. Hij... hij kan gewoon niet leren. Hij kan maar een beetje praten, al kletst hij heel wat af en hij doet rare dingen, zoals kauwen op kleren of leer of papier. Alles eigenlijk, als hij de kans krijgt om het in zijn mond te stoppen. Hij herinnert zich sommige dingen, zoals gebeurtenissen van lang geleden, maar iets wat je een ogenblik geleden hebt gezegd of een opdracht die je hem hebt gegeven, is hij meteen vergeten.'

Ze glimlachte bij de gedachte aan Royboy. Ze had weinig over haar familie gepraat, uit angst het geheim te verraden dat de herinneringen blokkeerde die nu achter elkaar binnen stroomden. 'Hij houdt van dieren en hij eet graag, maar hij is zo mager dat je dat niet zou denken. Hij houdt van muziek en van pantomimespel – alleen om naar te kijken, hoor, niet om mee te doen – en hij lacht vanaf het moment dat hij wakker wordt totdat hij gaat slapen. Alleen... nou ja, sommige dingen maken hem van streek, zoals plotselinge geluiden. En soms huilt hij om geen enkele reden – geen reden tenminste die wij kunnen zien. Hij kan van het ene op het andere moment van huilen naar lachen gaan.'

Cosima keek Beryl en Christabelle weer aan en ze merkte dat ze hun volle aandacht had. 'Maar er komt geen lelijke gedachte in hem op – niet zoals bij ons. Hij is zuiver tot in de kern, zelfs als anderen lelijk of ongeduldig tegen hem doen. Zijn glimlach doet me denken aan wat belangrijk is als ik opga in mijn eigen zorgen. Hij is als de glimlach van God, geloof ik, want hij heeft er een voor iedereen.'

'Het lijkt me makkelijker om van hem te houden dan van de meeste broers,' zei Christabelle. 'Althans broers die je soms negeren of zeggen dat je gek bent.'

'Ik hou veel van Royboy,' gaf Cosima toe, 'maar het is soms wel moeilijk. Hij maakt veel rommel en maakt dingen kapot omdat hij niet beter weet. Hij is het grootste deel van de dag rusteloos, hij kan gewoon niet stilzitten. Maar als hij bezig wordt gehouden en er op hem gepast wordt, kan hij bepaalde kleine taken uitvoeren. Hij klaagt nooit.'

'Hoeveel jongens zijn er in je familie zoals Royboy?' vroeg Beryl.

'Percy was mijn oudste broer; hij is gestorven.' Ze wilde niet de details vertellen over zijn dood, althans nog niet. Ze had hen al genoeg geschokt. 'En ik had twee neven en een oom en twee verre neven die lang geleden met hun familie naar Dublin zijn verhuisd.'

'Sterven ze jonger? Leeft je oudste broer daarom niet meer?'

'Nee... hij is omgekomen bij een brand. De jongens in mijn familie zijn wel gezond, alleen kunnen ze niet leren.'

'Maar jij bent zo intelligent, Cosima! Hoe kan dit voorkomen in je familie? Is je moeder...?'

Cosima schudde haar hoofd. 'Mijn moeder lijkt heel veel op mij. Ze is zelfs een getalenteerde kunstenares. Ik heb wel lang geleden gehoord van een kind, dat mijn tante zou zijn geweest, dat gestorven is aan koorts. Zij was misschien niet erg slim, maar aan vrouwen worden toch lagere verwachtingen gesteld dan aan mannen? Ik denk dat we nooit zullen weten of deze... vloek... aan vrouwen zowel als aan mannen kan worden doorgegeven. Niet als de vloek met mij sterft.'

Er viel een lange stilte en Cosima zag dat haar twee vriendinnen er ineens uitgeput uitzagen, alsof ze net terug waren van een al te lange wandeling. 'Zien jullie nu waarom ik onmogelijk kan trouwen met jullie broer, wat we ook voor elkaar voelen?'

Beryl schudde haar hoofd. 'Dat zie ik helemaal niet. Het is duidelijk dat niet alle baby's geboren uit de vrouwen van de familie Kennesey zwakzinnig zijn. Jij, bijvoorbeeld. Ik weet zeker dat als je al je familieleden telde, er heel wat een volkomen gezond verstand hebben.'

'Ja, natuurlijk, maar waar de meeste families misschien één of twee kinderen hebben met een afwijking, heeft mijn familie meer dan zijn deel gekregen.'

Beryl omhelsde Cosima stevig en Christabelle volgde.

'Dank je wel,' fluisterde Cosima toen ze zag dat haar vriendinnen totaal geen afgrijzen toonden na wat ze hen zojuist had verteld. Ze veegde een ontsnapte traan weg en met haar armen om hen heen keek ze hen ernstig aan. 'Jullie helpen me toch, hè? Om jullie broer te ontwijken? En om geen acht te slaan op mijn gevoelens?'

De zussen wisselden een blik.

Beryl sprak. 'Ik weet niet wat ik moet doen, Cosima. Vanaf de dag dat ik je leerde kennen, heb ik me je voorgesteld als mijn schoonzus. Ik weet niet of dit genoeg reden is om er anders over te denken. Je moet met Peter praten, hem vertellen wat je ons hebt verteld, en samen een besluit nemen.'

'Reginald heeft je broer al verteld over mijn familieachtergrond,' verzekerde Cosima haar. 'Hij weet alles.'

'Zo!' zei Beryl en haar wenkbrauwen schoten omhoog. 'En hij houdt toch van je.'

'Dat heeft hij nooit gezegd...'

'O, alsjeblieft, hij hoeft geen woord te zeggen,' zei Beryl.

Christabelle knikte. 'Het lijkt me dat hij niet zo naar je zou kijken als hij het heel erg vond.'

Cosima schudde haar hoofd. 'Jullie helpen me niet in het minst. Hoe kunnen jullie denken dat ik een geschikte vrouw voor jullie broer zou zijn na alles wat ik jullie heb verteld? Hij is de volgende burggraaf, met titel en land om door te geven. Als hij geen geschikte mannelijke erfgenaam heeft...'

'En wie, als ik vragen mag, kan garanderen dat zij haar echtgenoot een "geschikte mannelijke erfgenaam" zal geven? Weet je niets van de Engelse geschiedenis, Cosima? Hoeveel echtgenotes heeft Hendrik de Achtste niet uit de weg moeten ruimen, op zoek naar een vrouw die hem een mannelijke erfgenaam schonk?'

'En onze eigen koningin, niet te vergeten, erfde de kroon in plaats van een zoon,' bracht Christabelle Cosima onder de aandacht. 'We zijn allemaal dol op haar!'

'Maar ik wil geen teleurstelling brengen over

een lange lijn van Hamiltons. Ik kan wel zwakzinnige dochters *en* zoons krijgen. Wie weet?' Cosima zuchtte. 'En bovendien heb ik de moeite van mijn ouders gezien. Ik weet helemaal niet of ik sterk genoeg ben om zo'n weg te gaan.'

'Maar als je gewaarschuwd bent, zal het je toch lukken? Als je voorbereid bent?'

Cosima wendde haar blik af. 'Ik weet het niet. Ik ken de liefde van mijn moeder, maar ik weet niet hoe het is om moeder te zijn, vanbinnen iemand te voelen groeien en te hopen dat het kind later een waardevol lid van de maatschappij wordt. Mensen die mijn familie kennen, zullen vinden dat ik niet het recht heb om nog een halfwijs kind op de wereld te zetten.'

'Wie bepaalt de waarde van elk kind dat God geeft? Het is duidelijk dat je van je broer houdt; dat hoefde je niet eens te zeggen.'

'Natuurlijk, maar stel dat ik alleen maar kinderen baar zoals Royboy? Het is niet eerlijk, niet tegenover een echtgenoot of mijzelf, of zelfs tegenover de kinderen die misschien beter af zijn als ze niet geboren worden.'

'O, gaan we het over eerlijkheid hebben?' zei Beryl. 'Ik hoef niet verder te kijken dan de sloppen van Londen om te zien dat het leven niet eerlijk is – ik met al mijn gemakken en mijn volle maag aan het eind van elke dag. Mijn lieve Cosima, als goede dingen alleen goede mensen overkwamen en slechte dingen slechte mensen, wat in onze beperkte gedachten eerlijk zou zijn, waar komt God er dan aan te pas? Hoeveel geloof is er nodig om te geloven in een God die alleen maar zegeningen uitdeelt aan mensen die ze verdienen? En wie verdient ze trouwens? Ik zeker niet, met mijn losse tong en al mijn liefdeloze gedachten. Toch ben ik overvloedig gezegend. Misschien wil God jou zegenen met een gezin. Je moet het niet buiten beschouwing laten zonder Peter een stem te laten hebben in de beslissing.'

Tranen prikten in Cosima's ogen, maar ze knipperde ze weg. Ze wilde zulke woorden niet horen, woorden die hoop gaven. Hoop op een leven dat ze zichzelf had willen ontzeggen sinds ze oud genoeg was om te weten dat ze anders was.

Beryl omhelsde Cosima stevig. 'Ik weet niet wat goed is, Cosima. Ik heb Royboy nooit ontmoet, dus ik weet echt niet hoe het moet zijn om met hem te leven, voor jou en je moeder, die hier vóór jou mee geconfronteerd werd. Ik weet alleen dat ik nu nog evenveel van je houd als een half uur geleden, en ik zou jou en een half dozijn Royboys hartelijk welkom heten als dat is wat jij en mijn broer willen. Wat mij betreft kan het geslacht Hamilton wel een beetje kruidigheid gebruiken. We zijn eigenlijk maar een saai stelletje.'

33

'Grappig hoe we ons druk kunnen maken over de verkeerde dingen,' zei Natalie tegen Dana terwijl ze borden, servetten en frisdrank uit Natalie's keuken haalden. Met z'n vieren hadden ze pizza's besteld, zoals ze wel vaker deden sinds Aidan een paar maanden geleden voor Luke was gaan werken.

'Wat bedoel je?'

Natalie legde een servetje op elk bord en vouwde ze. 'Gewoon, vroeger maakten we ons zorgen of Aidans geloof wel sterk was, en dat hij knapper was dan goed voor hem was. Maar het is een geweldige vent.'

Dana knikte met een glimlach die haar knappe trekken deed stralen van plezier. 'Ja, is-ie ook.' Toen werd ze ernstig. 'Maar je zei dat we ons druk maakten over de verkeerde dingen. Waar moeten we ons dan wel druk over maken?'

'Ben.' Natalie wilde niet laten merken hoe goed ze er in was geweest alle redenen te ontkennen waarom ze zich wel zorgen over hem had moeten maken.

'Je van tevoren zorgen maken had niet geholpen, al had je er reden voor gehad. Maar dat had je niet. Je bent een goede moeder, Natalie.'

Natalie vocht tegen haar tranen. Ze mocht die

woorden graag willen horen, maar ze had er niet naar geleefd. Hoe lang had ze erover gedaan om onder ogen te zien wat ze had willen ontkennen?

'Dit is allemaal zo moeilijk voor jullie geweest,' zei Dana. 'Voor ons allemaal eigenlijk – ook voor mam en mij, om machteloos te moeten toekijken. Maar het is het moeilijkst voor Luke en jou.'

'Sinds de diagnose heeft mam steeds geprobeerd een vrolijk gezicht op te zetten. Geloof het of niet, maar dat helpt wel.' Natalie haalde diep adem. 'Dat Aidan en jij komen, helpt ook. Als ik niet vasthoud aan de normale gang van zaken, zit ik er alleen maar over te piekeren hoe erg de toekomst kan worden.'

'We zullen je een poosje met andere dingen bezighouden. Je moet om de nieuwe baby denken. Dus hier is je water en Luke's cola. Ik neem onze frisdrank mee. We gaan bij de jongens zitten om samen op de pizza te wachten.'

Luke en Aidan zaten in de aangrenzende woonkamer en Natalie hoorde hun gesprek over een project van het werk. Dat benijdde ze: Luke's aandacht werd opgeëist door dingen die hem afleidden van een toekomst met een diagnose. Alles wat Natalie deed, draaide om Ben en zijn nieuwe therapieën.

Ben zat in zijn stoeltje te draaien en te lachen. Straks ging hij naar bed – om hopelijk de nacht door te slapen – maar Natalie wilde hem nog even op houden. Onwillekeurig sloeg ze hem nauwlettender gade, op zoek naar tekenen van autisme. Ze gaf Luke zijn drankje en ging op de bank naast hem zitten.

'Sorry dat we jullie vakpraat onderbreken, jongens,' zei Dana terwijl ze naast Aidan plaatsnam. 'Maar nu wij erbij zitten, wordt het gesprek op iets esthetischers gebracht. Je moet gauw een keer naar mijn huis komen, Natalie. Ik heb eindelijk die oude klok laten repareren en Aidan heeft mijn wissellijst opgehangen. Eerlijk gezegd vind ik in alle bescheidenheid dat ik een prijs zou moeten krijgen voor de goedkoopste versiering. Het hele geval heeft me nog geen vijftig dollar gekost en het ziet er fantastisch uit.'

'Die dingen die je bij mam op zolder hebt gevonden?' vroeg Natalie.

Dana knikte. 'Ik heb ook een paar zwart-witfoto's van mam en pap laten vergroten en een paar kleurenfoto's van ons als kind zwartwit laten afdrukken. Toen heb ik ze in een lijst gestopt die mam wilde weggooien, en opgehangen. Tussen de lijst en de klok heb ik kabinetjes opgehangen met aandenkens uit een van paps oude hutkoffers en ziedaar – een muur vol familiegeschiedenis en nostalgie.'

Natalie was benieuwd wat voor aandenkens dat konden zijn. Irrationeel vroeg ze zich af of, als ze de hutkoffer mee naar huis had genomen in plaats van de doos met het dagboek, ze geen zorgen had gekregen over een vloek en achterstanden bij Ben, en alles in orde was gebleven. Misschien had ze gewoon de verkeerde doos gekozen.

'Ik doe niet veel aan versieren,' zei Aidan met een lach, 'maar ik moet toegeven dat het er leuk uitziet.

Net een museummuur, maar dan persoonlijker.'

Natalie wilde het gesprek over normale dingen gaande houden, om andere gedachten, andere angsten, op een afstand te houden. Maar ze kon niets gewoons bedenken. Ze merkte dat Luke ook stil was, nu hij niet meer over het werk praatte.

Natalie keek naar Ben. 'Hij lijkt een beetje te sociaal voor zijn diagnose,' zei ze uiteindelijk. 'Volgens wat we gelezen hebben over autisme is het moeilijk voor autistische kinderen om bij anderen in de buurt te zijn. Zo is Ben niet.'

'Hij maakt geen oogcontact,' zei Luke zacht terwijl hij haar hand pakte. 'We weten dat er iets mis is.'

'Iets – ja. Alleen geen autisme. Hij loopt achter, maar hij kan nog best inhalen.'

'Misschien,' zei Luke. Hij klonk niet overtuigd.

Het werd weer stil in de kamer. Zelfs Ben hield even op met geluiden maken, alsof hij luisterde. Natalie betreurde dat het haar niet gelukt was om over koetjes en kalfjes te blijven praten. Nu was het net of ze op de begrafenis van een dierbare verdrietig zaten te wezen.

Natalie keek van Dana naar Aidan, die op de tweezitsbank zaten. Ze hielden elkaars hand vast.

'Ik geloof niet dat we het toonbeeld van een gelukkig gezinnetje zijn,' zei Natalie. 'Misschien van de gruwelijke kant ervan – een herinnering dat het fout kan gaan, ook als je probeert alles goed te doen. Zelfs als je op God vertrouwt.'

'Ik heb niets gezien wat ik gruwelijk zou noemen,' zei Aidan. 'Dana en ik hebben over een gezin gepraat. We willen allebei graag kinderen. Zij weet er meer vanaf dan ik, omdat ze de hele dag kinderen in haar buurt heeft. Maar ik geloof niet dat ik veel illusies heb. Het is moeilijk om vader en moeder te zijn, zelfs van gezonde kinderen. Ik denk niet dat ik het mijn eigen ouders erg makkelijk heb gemaakt.'

Dana glimlachte naar hem. 'Jij? Ik dacht dat jij alles vertegenwoordigde wat een vader zich wensen kan. Een normaal, productief, verantwoordelijk lid van de maatschappij.'

'Ik vraag me af hoeveel mensen denken dat ze aan de verwachtingen van hun ouders hebben voldaan.' Aidan haalde zijn schouders op. 'Misschien meer dan ik denk... misschien niet. Toen ik klein was, was mijn vader de coach van mijn honkbalteam. Tjonge, ik wilde helemaal niet dat hij de coach was. Ik dacht dat de jongens uit mijn team me anders zouden behandelen vanwege hem. Ik wist dat ik niet geweldig was, en ik dacht dat ik hem voor schut zou zetten, of dat ze als hij mij een goede positie gaf, zouden denken dat hij me voortrok.'

Met zijn vrije hand wreef Aidan over zijn nek. 'Op de allereerste trainingsdag riep hij me naar de werpheuvel om via mij te demonstreren wat hij wilde dat de anderen deden. Ik voelde me opgelaten dat hij mij als eerste riep. En daarom liep ik naar mijn vader toe en schopte hem tegen zijn scheenbeen. Toen ging ik weer naar de bank.'

Dana giechelde en zelfs Natalie was licht geschokt door zijn bekentenis.

Aidan glimlachte halfslachtig naar Dana, alsof hij nog steeds verlegen werd bij de herinnering. 'Ik weet nog precies hoe mijn vader keek. Ik mocht me dan als eerste opgelaten hebben gevoeld, maar dat gevoel had ik gauw op hem overgebracht. Er waren een stel andere coaches bij die het hele geval hadden gezien, om nog maar te zwijgen van alle jongens. Wat moesten ze doen? Als hij zijn eigen kind niet eens zover kon krijgen om te doen wat hij zei, hoe moest hij dan de rest van het team op één lijn krijgen? Tja, ik denk dat ik hem die dag behoorlijk in de steek heb gelaten. Maar weet je wat hij deed?'

'Wat?' vroeg Dana.

'Niks. Genade zou God het noemen, denk ik. Mijn vader ging door alsof ik niet de grootste teleurstelling van de wereld was. Hij behandelde me als elke andere jongen uit het team. Ik geloof dat dat de eerste keer was dat ik oud genoeg was om te beseffen dat hij van me hield, al was ik niet het sportieve kind dat hij wilde dat ik was. Zoals God van ons houdt, of we het verdienen of niet.'

'Je vader was een voorbeeld van hoe vaders moeten zijn,' zei Natalie.

'Dat denk ik ook. Maar mijn punt is dat zelfs gezonde kinderen niet waarmaken wat hun ouders willen. Mijn vader was goed in alles wat hij ondernam, en ik niet. Hij wilde een kind dat dol was op sport. Maar hij kreeg mij.'

'Ik geloof dat niemand alles krijgt wat hij wil,' zei Luke. 'Niet in dit leven tenminste.'

Op dat moment ging de deurbel en Natalie ging haar portemonnee pakken om de pizza's te betalen. Aidans verhaal had niet haar pijn en angst om Ben weggenomen, maar het wees haar erop hoe oprecht ze Aidan welkom zou heten in de familie als ze de gelegenheid kreeg.

34

Er staat in de bijbel: 'Er is in de liefde geen vrees – volmaakte liefde drijft de vrees buiten.' Maar soms is dat moeilijk te geloven. Angst kan zo duister zijn dat het alle licht in het leven verbergt.
Ik zal me deze avond altijd herinneren, om veel redenen. Elk moment moet hier in mijn dagboek bewaard worden als een voorbeeld van hoe duisternis en licht op hun beurt kunnen komen. Maar zoals mijn vader eens tegen me heeft gezegd: de enige onveranderlijke grootheid in het leven is Gods liefde. En daarin is geen angst.
Deze avond, waar ik zo lang op had gewacht, begon met de blije hoop op eerlijkheid. Beryl overtuigde me dat ik mijn ware gevoelens eindelijk aan Peter bekend moest maken. Wat voelde ik me uitgelaten als ik eraan dacht met hem te praten over de liefde die in me groeide. Mijn hart danste mee met het orkest...

'Geen polka?'

Cosima hoefde niet te kijken om te weten wie er sprak. Peters stem was even doeltreffend als zijn glimlach, krachtig genoeg om haar hart de ene kant op te laten gaan en haar maag de andere.

Sinds het bal enkele uren geleden was begonnen, had ze Peter en Reginald allebei nog niet veel gezien, al stond haar balboekje ook zonder hen bijna vol. Maar nu stond Peter eindelijk naast haar. Ze wist dat ze in de afgelopen twee weken niet zo vrolijk had gelachen, dat haar blik niet zo gretig die van een ander had ontmoet, en dat als iemand op dat moment naar haar keek, hij meteen kon raden dat ze in zijn gezelschap meer plezier had dan in dat van alle anderen. Maar het kon haar niet schelen. Ze had hem te erg gemist om het te kunnen verbergen.

'Dit is een dans waar ik liever naar kijk,' gaf ze toe. 'Althans vanavond.'

Hij kwam naast haar staan en sloeg zijn armen over elkaar. 'Sinds gisteren heb ik geprobeerd je welkom te heten.' Net als zij hield hij zijn ogen op de dansers gericht. 'Maar er kwam steeds iets tussen.'

Cosima had gedacht dat haar hart niet lichter kon zweven dan op het moment dat ze zijn stem had gehoord. Dat was niet zo. 'Ik stel me voor dat het nogal wat vergt, om medegastheer te zijn van zo'n grote menigte.'

'Mijn moeder maakt zich gewoonlijk geen zorgen over haar partijen, maar deze keer is ze bijzonder onrustig. Ze heeft me het vuur uit mijn sloffen laten lopen.'

'Ze had zich geen zorgen hoeven maken,' zei Cosima. 'Alles is perfect in orde.'

'Ja, het halve personeel en ik hebben dat al tegen haar gezegd.'

'Ze stelt vast erg op prijs wat je allemaal doet.'

Cosima was blij met het luchtige gesprekje. Het kalmeerde haar onrustige hart.

'Cosima...'

Eén woord, haar naam op zijn lippen, was genoeg om dat hart weer aan het bonzen te krijgen. Ze keek hem aan. Zijn stem was van de sociaal aanvaardbare toon zachter en intiemer geworden.

'Ik ben blij dat je er bent.' Zijn stem klonk nog steeds zacht.

'Ik ook.' Er speelde een glimlach om haar mondhoeken.

'Wil je dansen? Heb je nog een wals vrij?'

'De laatste van deze eerste reeks voor het souper.' Ze was blij dat ze had geluisterd naar haar tegenzin om voor elke dans een partner te hebben.

'Houd hem open.'

Ze knikte.

'Peter.'

Cosima hoorde de stem van lady Hamilton en Peter moest het ook hebben gehoord, maar hij keek niet weg. Zijn moeder naderde hen van achteren en Cosima verbrak eindelijk hun gebiologeerde blik omdat ze onrust bespeurde in lady Hamiltons toon.

'Goedenavond, Cosima,' zei ze beleefd. 'Ik kom Peter halen. Vind je het erg?'

Cosima zag hoe lady Hamilton haar hand op Peters arm legde. Hij boog om zich te excuseren en wisselde nog één laatste glimlach met Cosima.

Na een paar walsen zouden ze elkaar weer zien. Tenminste, als zijn moeder zonder hem kon.

Elke dans daarna leek langer te duren dan de vorige, maar Cosima zweefde over de vloer als gedragen door engelen, ze luisterde maar half en zei haast niets, maar glimlachte voortdurend.

Reginald zag ze niet. Hij had om geen enkele dans verzocht, had haar de hele avond niet benaderd. Ze had hem nauwelijks gezien sinds hij een tijdje geleden met Peter de balzaal in was gekomen. Het was duidelijk dat wat er ook bijgelegd moest worden, inderdaad was bijgelegd... met Peter. Was hij nu soms boos op haar?

Toevallig zag ze Beryl en Christabelle, elk druk bezig met hun eigen danspartners. Ze hadden gelijk met hun raad om Peter mee te laten beslissen over hun toekomst. Ze kon het niet langer ontkennen.

Toen de voorlaatste dans van de reeks was afgelopen, keek Cosima in haar balboekje, al wist ze dat er niets was ingevuld.

Eindelijk.

Staand bij de muur speurde ze door de zaal naar de lange gestalte die voor haar zo makkelijk te vinden was. Maar hij was nergens te zien.

Met bonzend hart, zonder eraan te twijfelen dat hij zou komen als hij kon, wachtte ze en keek toe hoe de andere dansers hun plaatsen innamen.

Wat zal het heerlijk zijn om Peters armen om me heen te voelen.

'Sorry dat ik laat ben.'

De woorden in haar oor verjoegen elke gedachte aan iets anders dan zijn aanwezigheid. Peter nam haar in zijn armen en ze wervelden te midden van de andere dansers.

'Berrie zegt dat je zelden op tijd bent.'

'Normaal gesproken beken ik schuld, maar dit keer heb ik een excuus. Mijn moeder vroeg me het verloren sieraad van een gast te zoeken.'

Ze had het nauwelijks opgemerkt, maar hij leidde haar tegen de stroom dansers in dichter naar de open deuren van de veranda. De lucht die naar binnen dreef, was droog maar koel voor augustus, en Cosima genoot van de frisse bries op haar schouders.

'De dans is al bijna afgelopen,' zei hij, 'maar ik wil graag wat langer van je gezelschap genieten om de tijd goed te maken die verloren is gegaan aan mijn goede daad. Heb je bezwaar?'

Cosima schudde ontkennend en ze verlieten de balzaal.

Ze waren niet de enigen buiten. Stelletjes van alle leeftijden wandelden door de tuin, die alleen verlicht werd door het maanlicht en hier en daar een fakkel om voor een afstapje te waarschuwen. Op de veranda stonden potten met rozen langs de rand en de lucht was vervuld van hun geur.

Cosima haalde diep adem en wist dat ze die geur nooit zou vergeten... en altijd met vanavond in verband zou brengen. Ze had zich nooit eerder toegestaan te ontspannen in Peters gezelschap, maar vanavond was het anders. De dam was doorgebroken, de dam die haar ware gevoelens tegen had gehouden.

De muziek was afgelopen en Cosima hoorde het gedempte geroezemoes van conversaties terwijl de mensen binnen en enkelen vanaf de veranda door de balzaal liepen op weg naar het souper. Wat er ook op het menu zou staan, het was vast overvloedig en verrukkelijk. Maar Cosima had geen zin om hen achterna te gaan.

'Wil je een eindje wandelen?'

Ze knikte en ze stapten naar beneden op het stenen pad dat naar de bloementuinen voerde en een met ranken overdekt paviljoen in de verte. Hoge, kantachtige thuja's vormden een muur achter het bouwwerk en scheidden het paviljoen van de rest van de gazons.

'Neem me niet kwalijk dat ik het zeg, Cosima,' zei Peter, die zonder veel haast naast haar slenterde, 'maar je bent... bijzonder vanavond.' Hij deed een stap naar voren en draaide zich naar haar om. 'Het bevalt me.'

Ze lachte.

'Ik hoop dat je geen honger hebt,' zei hij toen ze het paviljoen naderden. 'We lopen het souper mis.'

'Ik vind het niet erg, als jij het niet erg vindt.'

'Niet in het minst. Ik ben liever bij jou en ik zal niet worden gemist. Mijn moeder zal het druk hebben omdat niemand mag eten voordat zij eet, dus ze zal me een poosje niet nodig hebben.'

Het paviljoen leek wel een oranjerie, met zijn muren van thuja en met gebladerte overdekte pilaren. In het midden stonden stenen banken in een vierkant, die de vorm van het dak volgden.

'Verlaat je moeder zich altijd zo op je als er een gala is?'

'Mijn moeder laat de feesten gewoonlijk over aan het personeel als ze hen eenmaal verteld heeft wat ze wil. Ik weet niet waarom ze vanavond zo eigenaardig doet, en eerlijk gezegd hoop ik dat het geen blijvende verandering is. Ik vind het niet erg om te helpen, maar ik overweeg een butlerloon te vragen als ze zo doorgaat.'

Cosima voelde zijn blik op haar rusten. Hij sloeg haar gade en het deed hem plezier dat ze hem amusant vond. Ze keek hem aan, totaal niet verlegen vanavond.

'Waarom ben je anders, Cosima?' vroeg hij zacht.

Dat hij ineens ernstig was, ontging haar niet. Ze wist niet wat ze moest zeggen en vroeg zich af of ze hardop de gevoelens kon opbiechten die ze zo lang had ontkend.

'Ik denk onder andere omdat ik je gemist heb – je familie – en blij ben dat ik weer bij je ben.'

'Ik ben blij dat jij hier bent.' Zijn zachte toon hield de intieme sfeer in stand. Hoewel er niemand in de buurt was die hen kon horen, sprak hij met gedempte stem, alsof het alleen voor haar oren was bedoeld.

Peter zette zijn ene voet op de bank die voor hen stond en liet zijn onderarmen rusten op zijn knie. Ze stond dicht bij hem en bekeek zijn profiel terwijl hij voor zich uit keek. Hij kon vast niet ver zien – alleen de volle maan die door de takken van de thuja's knipoogde.

'Ik neem aan dat Reginald je verteld heeft over de ruzie,' zei hij ten slotte.

'Nee. Ik heb Reginald zelfs maar heel weinig gesproken sinds hij me hierheen heeft begeleid. Eerlijk gezegd vond ik zijn gedrag sinds onze aankomst een beetje afstandelijk.'

'Pas sinds jullie aankomst? Daar hadden we dus ruzie over. Als hij met je wil trouwen, had hij zich onderhand als je aanstaande moeten aankondigen.'

'Misschien is hij van gedachten veranderd.'

Peter haalde zijn schouders op. 'Dat heeft hij in elk geval niet gezegd.'

Cosima fronste. 'Ik hoop dat de ruzie is bijgelegd. Ik zou het akelig vinden om een kloof te veroorzaken tussen twee vrienden.'

'We overleven het wel. Reginald en ik hebben eerder de degens gekruist. Klaarblijkelijk hebben we geen van beiden geleerd hoe we onze onenigheden moeten vermijden.'

'Hij heeft veel af te wegen over een huwelijk met mij, zoals je heel goed weet. Het kan even duren voordat Reginald aan het idee gewend is.'

'Je doet net alsof het te min voor hem zou zijn om met jou te trouwen.'

'Dat ik een Escott ben, neemt de andere zorgen niet weg. Over mijn familieachtergrond dus.'

'Daar maakt hij zich geen zorgen over,' zei Peter. 'En dat is ook niet nodig. Elke familie heeft wel iets.'

'De jouwe niet. Ik heb nog nooit een gelukkiger familie ontmoet die zo aan elkaar hangt.'

'We kunnen het goed met elkaar vinden, maar zijn net als iedereen. Goed en kwaad zit in ons allemaal.'

'Ja, het is waar dat er goed en kwaad in iedereen zit. Ik was bang voor douairière Merit omdat ik weinig vriendelijkheid in haar zag. Maar nadat ik een tijd bij haar heb gelogeerd, zie ik dat ze streng is maar eerlijk. En ze is royaal. Ik vind haar niet meer zo angstaanjagend.'

'Kijk, je bent al begonnen die familieband waar je je zoveel zorgen over maakt, te herstellen.'

Ze keek hem verwonderd aan. De moeder van haar vader was zo'n klein deel van de problemen in haar familie, en toch zag Peter dit al als een hoopvolle start. *Misschien denken optimisten zo.*

Misschien was alleen een optimist hoopvol genoeg om een vloek te trotseren en niet weg te vluchten.

'Ik ben blij dat je met me hierheen wilde gaan, Cosima,' zei hij zacht. Hij boog licht naar voren op zijn geheven knie en zijn gezicht was bijna op dezelfde hoogte als het hare. 'Zo lang zijn we nog nooit samen alleen geweest.'

De eenzaamheid en de intimiteit waren ineens opvallender, met alleen de maan en de sterren om hen heen. Ze had geen behoefte er verandering in te brengen.

'Het maakt dat ik de tijd zou willen terugdraaien,' zei hij. 'De zomer opnieuw beginnen en het meest bij jou zijn.'

'We kunnen de tijd niet terugdraaien,' zei ze, 'maar we kunnen in elk geval vooruit gaan. Anders.'

Peter richtte zich op en zette zijn voet op de grond. Hij bewoog zijn hand als om haar aan te raken, maar stopte. 'Ik wil dat het anders wordt.' Hij kwam dichterbij staan, zoals weken geleden aan de kust van Bristol, toen hij de geur van haar haren had ingeademd. Hij deed het weer, hij deed zijn ogen dicht en ademde in. Cosima verroerde zich niet, hoe graag ze ook een stapje naar voren had willen doen om in zijn armen te zijn. 'Je haar,' fluisterde hij, 'ruikt naar kamperfoelie.'

'Dat is de shampoo.' Ze kon haast niet ademen met hem zo dicht bij zich. 'Ik... heb het meegebracht van thuis.'

Zijn vingers streken langs haar schouder en het contact deed een rilling over haar rug lopen. Hij legde zijn vinger onder haar kin en bracht haar gezicht zacht naar het zijne. 'Moge God het me vergeven, Cosima, maar ik wil je kussen.'

Hij sloeg zijn armen om haar heen en haar armen kropen om zijn hals. 'Dan moge God ons beiden vergeven. Ik wil het ook.'

Zijn lippen raakten de hare, bedekten haar mond en Cosima dacht dat ze voor het eerst begreep waarom dwaze meisjes in zwijm konden vallen. Ze werd duizelig, en als Peters armen haar niet zo stevig hadden vastgehouden, had ze dat vast ook gedaan. Zijn snor drukte boven haar lip, uitnodigend en warm. Eindelijk was Peter zo dichtbij, en hij kuste haar zoals ze wel duizend keer had gedroomd.

'Cosima,' zei hij teder haar naam. Het was een kus op zichzelf.

Eindelijk maakte hij zich los, zijn vingers gleden langs haar arm naar beneden en hij nam haar hand in de zijne. Hij trok haar mee naar de stenen bank en toen ze zat, kwam hij dicht naast haar zitten. Hij bleef haar hand vasthouden en bestudeerde hem in het maanlicht, bestudeerde haar huid, de lijnen van haar handpalm, de aderen van haar pols. Zag hij haar bloed bonzen en ruisen door die ader? Voelde hij haar polsslag wild razen? Hij had haar gekust zoals niemand haar ooit had gekust en ze wilde dat er nooit een eind aan kwam.

Toen, met haar ene hand geborgen in zijn beide handen, keek Peter haar aan. 'Je kunt niet met hem trouwen.'

Ze knikte. 'Je hebt gelijk, natuurlijk.'

'Ik zal met hem praten.'

Ze legde haar hand op de zijne en keek hem recht aan. 'We zullen samen met hem praten.'

Hij bracht zijn hand weer naar haar kin en kuste haar opnieuw. Ze voelde zijn lippen, glad onder de snor. Het was een sterke kracht, de liefde die ze voelde.

Prijs God. Alleen een zegen als deze kon een vloek overwinnen.

Peters mond liet de hare los, maar hij trok zijn gezicht niet weg. Voor het eerst van zo dichtbij bekeken ze elkaar. God had hem volmaakt geschapen, dacht ze. Ze vond geen enkel foutje.

Toen zag ze iets vanuit haar ooghoek. Er naderde een gestalte het paviljoen. De maan deed blond haar oplichten.

Ze verstrakte, maar zonder zich te bewegen zei ze: 'Daar heb je Reginald.'

Peter keek over zijn schouder, stond langzaam op en trok Cosima mee omhoog.

'Reginald.' Het was onmogelijk te zeggen of hij verbaasd was of onthutst door Peters aanwezigheid. Beiden bleven uiterlijk kalm.

'Goedenavond, Peter.' Ook Reginalds stem klonk vlak en onverstoorbaar. Hij deed een stap dichterbij en gluurde om Peters schouder heen naar Cosima. 'Goedenavond, Cosima.'

Ze ging naast Peter staan.

'Reginald,' zei Peter, 'er is iets wat je moet weten, en wel onmiddellijk. Cosima en ik willen je geen pijn doen, maar we hebben toegegeven dat we gevoelens hebben voor elkaar waardoor ze niet met jou kan trouwen. Hoewel niet erg duidelijk is geworden dat je die bedoeling had.'

'Ik snap dat je blij bent dat ik het nog niet heb

laten afkondigen, vriend,' zei Reginald luchtig.

Cosima verwonderde zich over zijn gedrag. Was hij helemaal niet boos nu hij op een onderonsje van zijn verloofde en zijn beste vriend was gestuit?

'Ik kan niet anders dan concluderen dat je twijfels had, hoewel ik me niet kan voorstellen om welke reden,' zei Peter. 'Zoals ik al zei, Cosima noch ik willen je pijn doen, maar je kunt niet van haar verwachten dat ze zich verplicht voelt trouw te zijn aan zo'n onzekere relatie als jij haar bood.'

'O, ik neem het haar niet kwalijk.' Reginald sprak alsof Cosima er niet eens bij was. 'Het hart is iets wat we niet kunnen bedwingen, hè?'

'Dus... je bent niet boos?' vroeg ze. 'Dat ik duidelijk niet met je kan trouwen?'

'Boos?' In zijn ogen, zelfs in het donker, blonk iets dat ze er niet eerder in gezien had. Jaloezie? Als ik zei dat ik niet boos was, zou je denken dat ik helemaal geen gevoelens voor je had. Misschien ben ik wel een beetje boos. Maar aangezien ik je verloren heb aan mijn beste vriend, wat kan ik anders doen dan jullie mijn zegen geven?'

Nee, het was geen jaloezie die ze zag in die ogen. Zijn toon was te luchthartig, te onaangedaan. Het was iets anders, iets wat Cosima niet kende.

'Zomaar?' vroeg Peter. Hij klonk achterdochtig.

'Natuurlijk. Ze zullen nooit kunnen zeggen dat ik de liefde in de weg heb gestaan. We moeten ons leven toch laten regeren door de liefde. Dat zeg jij toch altijd, Peter? Gods liefde enzo?'

Peter knikte, maar was op zijn hoede, alsof hij zich verwonderde over Reginalds merkwaardig welwillende reactie.

'En, zijn jullie van plan om het aan te kondigen, zoals ik lang geleden al had moeten doen?' Het was of Reginald informeerde naar de aanstaande bruiloft van een onbekende. Cosima nam hem nieuwsgierig op. Ze wist dat hij geen echte gevoelens voor haar koesterde, zeker niet de aantrekking die ze voelde voor Peter vanaf het moment dat ze hem had ontmoet. Maar op z'n allerminst moest Reginalds trots toch een knauw hebben gekregen. Waarom deed hij zo nonchalant?

'We hebben het nog niet over trouwen gehad,' zei Cosima.

'Maar daar hebben we het toch over?' zei Reginald. 'Dat zaten jullie toch te doen op die bank die alleen bedoeld is voor mensen die willen trouwen?'

Cosima sloeg haar ogen neer, blij dat het paviljoen haar gezicht afschermde van het maanlicht. Ze zou zich opgelaten moeten voelen, maar ze kon het niet, nu het zo veel betekend had om Peter te kussen.

Peter nam Cosima bij de hand. 'Het is mijn bedoeling Cosima ten huwelijk te vragen en als ze wil, nu meteen een datum vast te stellen.'

'Daar heb je het nou, Cosima,' zei Reginald. 'Ik geloof niet dat hij alleen maar je eer verdedigt of mij voordoet hoe het hoort te gaan. Hij meent het vast.'

Cosima twijfelde niet aan Peters oprechtheid. Ze wist dat hij een man van zijn woord was. Misschien vond Reginald een huwelijksaanzoek onder zulke omstandigheden plotseling, maar Cosima niet. Ze had Peters kus gevoeld; ze had hem in zijn ogen gekeken. Ze had de hele zomer geweten dat ze een zeldzame verwantschap hadden. Een verbintenis was de volgende logische stap... als ze samen sterker waren dan de vloek.

'En, Cosima?' drong Reginald aan. 'Hij heeft je ten huwelijk gevraagd. Zeg je ja?'

'Peter weet dat mijn gevoelens de zijne weerspiegelen,' zei ze. 'Ik wil met niemand anders trouwen.'

Reginald deed nog een stap dichterbij. Nu stond er een vreemde vrolijkheid in zijn ogen, zonder een spoor van de teleurstelling of de woede die je van een versmade verloofde kon verwachten. 'Mag ik dan een voorstel doen? Trouw vanavond nog. Ga weg en neem de trein naar Gretna Green. Dan zijn jullie er morgenochtend en kunnen jullie voor het einde van de dag getrouwd zijn.'

'Jij hebt al die maanden getwijfeld over een huwelijk, en nu vind je dat Cosima er met mij vandoor moet gaan? Waarom zouden *wij* haast maken?'

Reginald lachte. 'Ik ken je, Peter. Ik weet dat jij met jouw eergevoel het meisje niet aan zult raken voordat jullie getrouwd zijn. Ik probeer je gewoon een paar maanden wachten te besparen. Als jullie tweeën niet van plan zijn van gedachten te veranderen, wat houdt jullie dan tegen om nu in afzondering te trouwen en later terug naar huis te komen voor een openbare viering?'

'We veranderen niet van gedachten.' Peters vaste stem raakte Cosima in het hart. Hij had gelijk!

'Doe het dan,' drong Reginald aan.

Peter wendde zich tot Cosima. 'Ik zou het doen,' fluisterde hij. Alle verbazing en wantrouwen jegens Reginald waren verdwenen toen hij haar ernstig aankeek.

'Peter...' Gedachten en verlangens, hopen en dromen overvielen haar. Was dit echt? Stond ze hier echt met Peters handen op haar schouders, en nodigde hij haar echt uit er met hem vandoor te gaan?

'Je moet ja zeggen, Cosima,' raadde Reginald haar aan. 'Stel die arme man gerust. Hij heeft al een keer een verloving meegemaakt. Heb je dat gehoord? Natuurlijk is hij bereid om meteen met je te trouwen, om een herhaling te voorkomen van wat er in het verleden is gebeurd. Hij is gretig om je te krijgen voordat een ander het voor hem bederven kan.'

Peter keek Reginald weer aan. 'Reginald, je woorden bevallen me niet. In feite heb je je vreemd gedragen vanaf het moment dat je ons hier vond. Als je boos op me bent, zeg het dan gewoon, dan kunnen we het eerlijk uitpraten in plaats van te redetwisten met woorden ten koste van Cosima.'

Reginald hief zijn handen omhoog. 'Ik bedoel er niks mee, vriend. Als ik me vreemd gedraag, is het omdat jij de dame hebt gekregen en ik verloren heb. Ik kom er wel overheen, want Cosima noch ik had iets van de persoonlijke belangstelling in elkaar die jullie tweeën duidelijk wel hebben. Niettemin geef ik om haar en ook om jou. Ik wil jullie alleen maar gelukkig zien.'

Peter wendde zich weer tot Cosima. 'Ik wil vandaag nog met je trouwen, Cosima, maar ik wil ook wachten op het gala dat mijn moeder zal willen geven. Zolang je mijn vrouw maar wordt, vind ik het allemaal best.'

'Peter, hoe kun je zo zeker zijn?' Ze dacht aan de twijfels die haar de hele zomer hadden geplaagd. Geen twijfels aan haar gevoelens voor hem of haar verlangen om met hem te trouwen, maar gedachten aan alles wat hij kon verliezen als ze trouwden.

'Waarom zou ik twijfels hebben? Ik houd van je, Cosima! Ik houd van je geloof en je belangstelling voor alles wat God heeft geschapen, van je humor en je trouw en je moed toen je de toorn trotseerde van niemand minder dan douairière Merit. Ik weet dat we elkaar beter moeten leren kennen, maar meer dan genoeg huwelijken gaan van start terwijl de echtgenoot veel minder weet van zijn vrouw. We hebben nog een heel leven voor ons om de rest te ontdekken.'

'Maar mijn familie...'

'Zal Peter net zo hartelijk verwelkomen als mij,' viel Reginald haar in de rede. 'Nog hartelijker, want ik ben maar een eenvoudig man.'

Cosima keek onderzoekend naar Peters ernstige gezicht. 'Weet je het zeker, Peter? Weet je heel zeker dat je met me wilt trouwen? Terwijl je weet wat het kan betekenen?'

Hij trok haar tegen zich aan. 'Wat kan het anders betekenen dan dat we gelukkig zullen zijn? God heeft ons samengebracht, daar ben ik zeker van. Zoals we elkaar ontmoet hebben, dat je helemaal uit Ierland hierheen gekomen bent, zoals we verliefd zijn geworden... allemaal tegen onze wil, maar het gebeurde toch. We passen goed bij elkaar. In geloof en in verlangen om God te eren met ons leven. Dat is alles wat we moeten doen, en dat kunnen we samen beter dan alleen.'

Met tranen in haar ogen bleef ze in zijn omhelzing staan. 'Peter...'

'Ik hoop dat die omhelzing een felicitatie is!' zei een diepe stem van achter het paviljoen.

Cosima volgde Peters blik langs Reginald naar de twee gestaltes die snel over het pad aan kwamen lopen: lord en lady Hamilton.

Ietwat buiten adem kwam het oudere echtpaar bij hen staan onder de koepel van het paviljoen.

Lady Hamilton snakte naar adem. 'Peter, feliciteer je Cosima eindelijk met haar verloving met Reginald?'

Reginald wendde zich tot lord en lady Hamilton en Cosima kon zijn gezicht niet meer zien, want hij ging achter Peter en haar staan.

'Felicitaties zijn absoluut op hun plaats.' Reginald

legde een hand op Peters schouder. 'Maar niet voor mij. Wij moeten uw zoon en Cosima feliciteren.'

De vermoeidheid op lady Hamiltons gezicht veranderde voor Cosima's ogen in overduidelijke ontsteltenis. Zelfs lord Hamilton, die gewoonlijk zo onbewogen was, keek donker. Zijn wenkbrauwen kwamen in het midden haast bij elkaar en de punten van zijn snor, die zoveel leek op die van Peter, wezen naar beneden.

'Wat bedoel je?' zei lady Hamilton tegen Reginald. Maar ze keek naar Peter. 'Zeg het, Peter. Wat bedoelt Reginald?'

Peter nam Cosima's hand in de zijne en glimlachte. 'We gaan trouwen. We hebben nog geen datum afgesproken, maar ze wil me hebben.'

Cosima wilde glimlachen. Ze wilde naar lady Hamilton toe snellen en opgenomen worden in de familie.

Maar het gezicht van Peters moeder toonde louter afgrijzen en ze pakte haar echtgenoot bij de arm of ze zou kunnen vallen. 'Dit kan niet.'

'Moeder,' zei Peter en hij deed een stap naar haar toe. Ook hij was kennelijk bang dat ze flauwviel. 'Wat is er?'

'Je... mag niet met Cosima trouwen, Peter. Ik – we, je vader en ik – verbieden het je.'

Peter keek weer naar Cosima, even verward als zij door de pijn van lady Hamiltons onverbloemde afwijzing.

'Vader,' zei Peter veel kalmer dan Cosima had

gekund, 'waar heeft moeder het over? Als het om Reginald is, wees ervan verzekerd dat hij ermee instemt.'

De gezichten van zijn ouders stonden onveranderlijk ernstig.

'Jullie hebben Cosima de hele zomer meegemaakt,' vervolgde Peter. 'Allebei geven jullie om haar. Er is geen reden dat ik *niet* met haar zou trouwen. Zelfs Reginald heeft zijn zegen gegeven. Waarom jullie niet?'

'Jongen...' begon lord Hamilton, 'er zijn andere factoren, haar familie...'

'Als u het hebt over de ruzie tussen douairière Merit en Cosima's vader, dat is belachelijk. Niemand bekommert zich om een breuk in de familie, en ik twijfel er niet aan of die kan worden hersteld nu Cosima vorderingen heeft gemaakt met haar grootmoeder.'

Cosima deed een stap naar voren en keek Peter onderzoekend aan. Hij was zo overtuigd, zo zeker van zijn woorden. Woorden die niets betekenden.

Ineens viel alles op zijn plaats.

Zijn ouders wisten het.

En Peter niet.

'Peter.' Ze kon nauwelijks ademhalen. Hete tranen prikten in haar ooghoeken. 'Peter, je weet toch wel dat dat de minste zorg is over mijn familie?'

Peter keek van zijn ouders naar Cosima. De blijdschap op zijn gezicht werd overschaduwd door een spoor van verwarring. 'Ik zei toch al – dat is niets!'

Ze knikte en de eerste tranen begonnen te vallen. 'Ja, Peter, dat is inderdaad niets. Niets vergeleken met...' Ze keek van hem weg, de moed zonk haar plotseling in de schoenen. Haar blik ging beschuldigend naar Reginald. 'Je hebt het hem *niet* verteld, hè?'

Reginald trok een somber gezicht en bleef enkele passen achter Peter staan. Nu wist ze wat ze in zijn ogen zag, iets wat ze nog nooit met eigen ogen had gezien. Wreedheid. Onmiskenbare, volslagen wreedheid.

'Wat moet ik hem vertellen? Over een vloek? Zodat hij zou vinden dat ik gestoord was om zo'n risico te nemen om hogerop te komen in de maatschappij? Trouwens, ik geloof helemaal niet in vloeken. Het is allemaal flauwekul.'

'Wat is flauwekul?' vroeg Peter. Hij keek van Reginald naar Cosima, en op dat moment wist ze dat haar dromen toch niet uit waren gekomen.

Ze wilde wegvluchten, zich verstoppen voor zijn ogen als hij de waarheid te weten kwam. Ze deed een stap naar voren, maar Peter pakte haar arm en hield haar vast.

'Alsjeblieft,' smeekte ze door de tranen heen die bleven stromen, hoe graag ze ze ook in afzondering had willen vergieten. 'Laat me alsjeblieft gaan. Reginald weet alles. Vraag hem maar. En,' voegde ze eraan toe met een blik naar lady Hamilton, die tot haar eer niet langer met afschuw vervuld was, maar nogal van streek was, 'het is duidelijk dat je moeder het weet. Vraag het haar.'

Cosima maakte haar arm los en vluchtte het paviljoen uit. Ze hoorde Peter roepen, maar keek niet om, zelfs niet toen ze voetstappen hoorde, gevolgd door een handgemeen.

De stem van lord Hamilton weerklonk. 'Laat haar gaan, jongen. Laat ons uitspreken en je zult weten dat je haar *moet* laten gaan.'

35

Na Natalie's ochtendroutine van het huis schoonmaken, bedenken wat er gegeten moest worden en voor Ben zorgen, arriveerde de muziektherapeute met een tas vol speelgoedinstrumenten en een gitaar. Ben hield het meest van de oceaantrommel, met piepkleine zilveren balletjes die zichtbaar onder de stevige plastic bovenkant van de ene kant naar de andere rolden. Door licht met de trom te bewegen, hoorde je het geluid van een reeks golven. Ben werd er altijd rustig van.

Natalie zat op de grond met Ben op haar schoot. Ze zong niet mee met de therapeute omdat ze geen wijs kon houden, maar hoopte dat Ben er meer plezier in kreeg als zij liet merken dat ze ervan genoot. Ze kon nog steeds makkelijk op de grond zitten nu ze bijna vijf maanden zwanger was. Dit was een van haar favoriete halve uurtjes, omdat Ben leek te luisteren naar de woorden, hoewel hij er zelf nog geen zei.

Toen de sessie afgelopen was, ging de telefoon. Natalie had het antwoordapparaat wel laten opnemen, maar terwijl de therapeute maraca's, tamboerijnen en regenkokers aan het inpakken was en Ben tevreden op de grond zat, besloot ze naar de nummermelder te kijken.

Het medisch centrum. Ze nam op.

'Mevrouw Ingram?'

'Ja. Hallo, dokter Cooper.' Natalie haalde diep adem. Hoewel de kinderspecialist niet naar Ben had gevraagd, besloot Natalie ongevraagd informatie te geven. 'Bens muziektherapeute is er,' zei ze. 'Van alle therapieën geniet hij daar het meest van.'

'Dat is fijn,' zei dokter Cooper. 'Mevrouw Ingram, de reden dat ik bel, is om u te laten weten dat ik de uitslag van Bens bloedonderzoek heb ontvangen.'

Het was weken geleden dat Natalie en Luke met Ben naar de erfelijkheidsdeskundige waren geweest voor dat vreselijke bloedonderzoek. Ze had het allang uit haar hoofd gezet. Ze hadden hem in beide armpjes geprikt tot ze een ader vonden en vier volle buisjes afgenomen. Hij had voortdurend gegild terwijl Luke zijn hoofdje vasthield en twee zusters zijn beentjes naar beneden hielden. Natalie was als een lafaard de kamer uit gevlucht. Bens gegil maakte haar duizelig en misselijk. Dat kon niet goed zijn voor de nieuwe baby. Maar het had niet geholpen om naar de wachtkamer te gaan. Ze had het gekrijs toch gehoord.

Haar hart begon te bonzen en dat had niets te maken met de herinnering aan die dag. 'Ik dacht dat die uitslag al weken geleden binnen had moeten zijn en dat we uiteindelijk iets over de post zouden krijgen.'

'Dit onderzoek duurt vaak een beetje langer omdat niet alle laboratoria de specifieke tests doen die we nodig hadden, en dan wachten ze tot ze er een paar tegelijk binnen hebben. Het is ons beleid om een negatieve uitslag via de post te versturen, mevrouw Ingram. Maar Ben is positief getest op fragiele X.'

Het bloed afnemen had Natalie niet kunnen vergeten, maar de namen van de specifieke stoornissen waarop hij was getest kon ze zich niet herinneren. Talloze gedachten raasden door haar hoofd. Iets wat in het bloed aangetoond kon worden, duidde op een genetische stoornis. Dat had ze toch verwacht? Slechte genen, doorgegeven via Cosima? Waarom zou ze verbaasd zijn?

Maar verbaasd was ze. Onmiskenbaar. Haar hart bonsde. 'Wat was dat ook alweer?'

'Het fragiele X-syndroom. Ik zou een uitgebreide uitleg kunnen geven, maar u kunt beter een afspraak maken met dokter Benson, waar u bent geweest voor de bloedafname. Zij is een vooraanstaand erfelijkheidsdeskundige en kan u alles tot in de details uitleggen.'

'We gaan morgen naar dokter Benson.' Ze wilde niet toegeven dat Luke al weken geleden een afspraak had gemaakt; ze had er nog steeds moeite mee dat alles wees in de richting van een genetische aandoening.

'O?'

'We... wilden genetisch advies.' Dokter IJskonijn hoefde niet te weten welke bewijzen allemaal haar diagnose ondersteunden.

'Voordat u de diagnose fragiele X kreeg? Is er

enige reden dat u dit van tevoren had kunnen vermoeden?'

'Ik... ik praat er op dit moment liever niet over, als u het niet erg vindt. Maar wat betreft de diagnose van autisme? Zat u daar fout mee?'

'Hij heeft fragiele X. Sommige mensen noemen het "autisme door bekende oorzaak", omdat zoveel van de symptomen overeenkomen.'

Natalie kon zich niets herinneren over de stoornis die de dokter almaar noemde. Het enige dat ze wist, was dat een uitslag van een bloedonderzoek heel iets anders was dan de opinie van één arts over autisme. De moed zonk haar in de schoenen en haar hart bonsde. Een eenvoudige mening kon je ontkennen – en dat was precies wat ze uitstekend had gedaan, haar familiegeschiedenis ten spijt. Het was makkelijk om te luisteren naar een kinderarts die zei dat Ben wel over zijn achterstand heen groeide. Maar een bloedonderzoek...

Ze haalde diep adem. 'Ben is traag; dat is natuurlijk waar. Maar al maakt hij niet zo goed oogcontact, hij is graag bij ons in de buurt...'

'Mevrouw Ingram,' viel dokter Cooper haar in de rede, 'autisme was een diagnose op basis van de symptomen die ik zag, symptomen die ik bij talloze andere kinderen van de leeftijd van uw zoontje heb gezien. Maar nu heb ik de uitslag van een bloedonderzoek dat de reden geeft van de achterstand van uw zoon. Er is geen twijfel aan. Hij heeft het fragiele X-syndroom.'

Natalie voelde watten in haar hoofd. Ze kon de woorden van de arts niet bevatten. 'Wat betekent dat? Ik weet niet wat fragiele X is.'

'Lichamelijk zijn er enkele complicerende factoren, geen van alle levensbedreigend. Niemand kan zeggen welk niveau van cognitieve bekwaamheid Ben zal bereiken, mevrouw Ingram. Ik weet dat u graag in de toekomst zou willen kijken; dat willen we allemaal. Maar voorlopig is het het beste als u naar dokter Benson gaat. Intussen kan ik u wat literatuur sturen over fragiele X.'

Natalie's blik viel op Ben, die tevreden op zijn vinger zat te zuigen. Ze was zich bewust van de aanwezigheid van de muziektherapeute, die niet goed wist of ze moest weggaan of blijven. Natalie wist niet wat ze moest doen – haar wegwuiven in de richting van de deur of in tranen uitbarsten.

In plaats daarvan sprak ze door de telefoon. 'Dokter Cooper...' Ze moest het vragen, al wist ze met elke vezel van haar wezen dat dit bloedonderzoek alleen maar bevestigde wat ze verwacht had. 'Bestaat de kans dat u het mis hebt? Misschien klopt de uitslag van dat bloedonderzoek niet.'

'Het is een heel accurate test, mevrouw Ingram, en de diagnose klopt met Bens symptomen. Hij heeft een lichamelijke evenals cognitieve achterstand, wat wijst in de richting van fragiele X. U zou opgelucht moeten zijn dat u een duidelijke diagnose krijgt.'

Opgelucht? Opgelucht, terwijl ze niets anders

had gedaan dan zichzelf overtuigen dat het helemaal goed kwam met Ben? Opgelucht om te horen dat het bloedonderzoek uitwees dat het nooit 'goed' met hem kwam? Dat hij nooit normaal zou zijn?

Ze sloeg geen acht op haar bonzende hart. 'Wat is fragiele X precies?' Ze wist het antwoord, maar ze vroeg het toch. Het was een eigentijdse naam voor een eeuwenoude vloek. Maar ze moest meer weten.

'Het X-chromosoom ziet er, bekeken onder de juiste omstandigheden, "fragiel" uit bij de lange arm van de X. Dat heeft vaak mentale retardatie tot gevolg.'

Natalie registreerde alleen de woorden *mentale retardatie*. De watten in haar hoofd breidden zich uit naar haar hart en haar longen. Ze kon niet ademhalen, niet voelen. Dit kon niet waar zijn. Natalie zag de bezorgde blik van de muziektherapeute, maar kon niets doen om haar gerust te stellen of haar innerlijke beroering te verbergen.

Natalie greep de hoorn steviger vast. 'Ik wil weten wat dit betekent voor mijn zoon.'

'Het betekent dat de boodschappen in zijn brein niet goed aankomen. Hij mist één specifieke proteine dat er verantwoordelijk voor is dat dendrieten en synapsen...'

'Nee, dokter Cooper. U hebt me niet goed verstaan. Ik wil weten wat voor effect dit heeft op mijn zoon.'

'Ik weet niet wat ik u moet vertellen, mevrouw

Ingram, behalve dat hij waarschijnlijk cognitief aangetast is. Ongeveer negentig procent van de jongens met fragiele X is minstens tot op zekere hoogte verstandelijk gehandicapt. De mate van retardatie is onvoorspelbaar. Dat varieert per patiënt.'

Retardatie. Wat een archaïsche term, net een soort kwaal die lang geleden al genezen had moeten zijn. *Genezen.*

'En is er geen genezing voor, geen behandeling? Als ze weten welke stoornis het is, kunnen ze die dan... repareren?'

'Het brein is waarschijnlijk het meest beschermde orgaan in ons lichaam. Daar een synthetische proteïne in zien te krijgen, in de juiste dosering en op het moment van leren, is iets dat in werkelijkheid nog ingewikkelder is dan het klinkt. Maar daarmee is niet gezegd dat ze het niet proberen. Het is een enkele genetische stoornis, aantrekkelijk voor eersteklas onderzoekers. Maar voor dit moment doet u precies wat Ben nodig heeft. Spraaktherapie en andere therapieën zullen hem helpen om te leren.'

'Maar als hij...' *geestelijk gehandicapt.* Natalie kon het niet hardop zeggen. Hij was net zoals Willie en Percy en Royboy. Zwakzinnig. Hoe wanhopig graag wilde ze vasthouden aan haar ontkenning. '*Kan* hij wel leren?'

'Natuurlijk. Maar alleen de tijd en Ben zelf kunnen ons leren tot op welke hoogte.'

Natalie had geen tranen, alleen paniek baande zich snel een weg door de verdoving. Ze liep naar de keukentafel. Ineens waren haar knieën niet sterk genoeg om haar te dragen. Ze wilde een eind maken aan dit gesprek, maar de dokter had nog meer op haar hart.

'U moet beseffen dat deze toestand genetisch is. Het zit op het X-chromosoom, wat betekent dat u de draagster bent, mevrouw Ingram.'

Weer die genetica. Ze had vermoed dat zij de draagster was, had gebeden dat met de nieuwe baby alles in orde zou zijn. Maar ze moest meer weten, al was ze er niet klaar voor om te horen wat de arts te zeggen had.

'Zijn er... cijfers bekend? Hoe groot is de kans om nog een kind te krijgen met dat... fragiele... X?'

'U hebt twee chromosomen. Het ene is waarschijnlijk goed, het andere slecht. Dat betekent dat u bij elke zwangerschap vijftig procent kans hebt om een kind met fragiele X te krijgen. Daarom ben ik blij dat u dokter Benson al gebeld hebt. U moet weten of het kind dat u nu draagt ook getroffen is.'

*

Vijftig procent.

Natalie kon het getal niet uit haar hoofd zetten. *Vijftig procent.* Ze was geen gokster, maar ze wist dat het een inzet was die alleen roekeloze gokkers aangingen.

Ze hoorde de garagedeur opengaan. Luke was thuis. Ze had hem meteen gebeld nadat ze het telefoongesprek beëindigd had en de muziektherapeute uitgelaten. Natalie kon niets zeggen, kon niet uitleggen waar het telefoontje over ging. Maar zo gauw ze Luke's stem hoorde, was ze in tranen uitgebarsten. Hij had gezegd dat hij binnen een uur thuis zou zijn.

Natalie zat naast Ben op de grond in de woonkamer. Ze had hem niet vast willen houden, uit angst dat hij haar verdriet zou voelen. Maar kon hij dat wel? Hij was niet zoals andere kinderen, die sociale aanwijzingen konden doorgronden. Misschien zou hij het niet eens merken als zijn moeder ontroostbaar huilde.

Maar het was lunchtijd en sommige dingen konden niet genegeerd worden, in elk geval niet voor Ben. Hij was altijd in staat geweest haar te laten weten wanneer hij honger had, en hij begon een beetje te zeuren. Ze pakte hem op en nam hem mee naar de keuken.

Luke stapte naar binnen en zonder een woord kwam Natalie in zijn armen, met Ben tussen hen in. Hij nam Ben van haar over. 'Dus het heeft een naam. Wat hij heeft, bedoel ik. Fragiele X.'

Vastbesloten haar tranen in bedwang te houden, knikte Natalie. 'Ik moet hem eten geven.'

Ze keek toe hoe Luke Ben hoger tilde, zoals Ben leuk vond. Ben lachte breed, al zijn tandjes waren zichtbaar. Terwijl Natalie zijn maaltijd klaarmaakte, keek ze naar Luke die zich gedroeg alsof er niets verschrikkelijks was gebeurd als een onomstotelijke uitslag van een bloedonderzoek. Op dat moment benijdde ze hem. Hoe kon hij zo onverstoorbaar zijn?

Luke zette Ben in zijn kinderstoel. 'Dit verandert niks, hoor.'

'Voor Ben misschien niet. Maar voor de nieuwe baby?'

Hij lachte grimmig. 'We vermoedden toch al dat het genetisch was...'

'Vijftig procent kans, Luke! Vijftig procent!'

Luke kwam bij haar staan. Maar pas toen hij zijn beide handen stevig op haar armen legde, besefte ze hoe ze over haar hele lijf trilde. 'Ik heb jou één ding te zeggen, Natalie.' Zijn stem klonk grimmig, maar kalm. 'En als je verder hebt gelezen in Cosima's dagboek, dan snap je wat ik bedoel. Vertrouw op Hem in alles. Natalie. In alles. Daar moeten we allebei aan denken, dan komen we er misschien doorheen.'

36

Ik struikelde op het trapje dat naar de veranda leidde en kon me nog net vastgrijpen. De deuren van de balzaal lagen voor me en ik waagde het niet om rond te kijken, uit angst dat iemand mijn kant op keek. Ik haalde diep adem en stond stil. Waarom was ik hierheen teruggegaan?

Het was de snelste weg terug in het huis. Ik kon niet anders dan door de balzaal heen lopen.

Terwijl ik mijn tranen wegveegde omdat ik bang was dat iemand ze zou zien, stapte ik door, vastbesloten om naar boven te gaan. Niemand kon me tegenhouden, zelfs niet de heer wiens naam als volgende in mijn balboekje stond. Gelukkig was de muziek nog niet begonnen na de pauze voor het souper.

Recht voor me uit starend om niemand aan te hoeven kijken, liep ik met vaste tred door de menigte. Aarzelen kon de aandacht trekken, maar te vlug lopen ook. En dus zocht ik met zorgvuldige passen mijn weg door de zaal, en durfde pas adem te halen toen ik bij de deuren was die uitkwamen op de deur daarachter...

'Cosima!'

Cosima deed of ze het niet gehoord had. Het was natuurlijk Beryl die haar riep, en hoe graag Cosima ook een vriendelijk gezicht wilde zien, ze mocht niet vertragen. Ze moest gaan en vlug ook, voordat de tranen die maar tijdelijk gevangen zaten, weer begonnen te stromen.

In de hal achter de balzaal stortte zich een schaduw op haar. Beryl sloeg stevig haar armen om Cosima heen. 'O! Ik heb het zo naar mijn zin. Ik heb je overal gezocht.' Beryl sprak in Cosima's oor en hield haar dicht tegen zich aan. 'Er is hier een fantastische man, iemand die ik eerder maar kort heb ontmoet. Zijn naam is lord Robert Welbey, en hij heeft zich drie keer in mijn boekje laten zetten. Hij is geweldig; wacht maar tot je hem ziet!'

Beryl maakte zich eindelijk los van Cosima en keek haar aan. Haar opwinding maakte plaats voor bezorgdheid. 'Cosima! Je hebt gehuild. Wat is er?'

'Ik... kan niet... Alsjeblieft, ik moet weg. Het spijt me.'

Ze wilde zich omdraaien, maar Beryl hield haar vast. 'Het bal verlaten? Maar het is nog niet half voorbij.'

'Nee, niet het bal,' zei Cosima. 'Ik moet jullie huis verlaten. Ik moet Engeland verlaten en naar huis gaan.'

Beryl deed haar mond open om iets te zeggen, maar er kwamen geen woorden. Ze keek over Cosima's schouder en voor het eerst zag Cosima de gestage stroom gasten die binnenkwam van het souper. De hal was nu vol mensen, die als een stroom om een eiland uit elkaar gingen om Cosima en Beryl te omzeilen.

Beryl pakte Cosima bij de hand en zigzagde snel door de menigte in de tegenovergestelde richting. Ze voerde Cosima langs de oranjerie en door een deur die ze niet eerder had gezien. Hij kwam uit op een smalle, onversierde trap, en wegens de kaalheid nam Cosima aan dat hij alleen voor bedienend personeel was bestemd. Even later waren ze boven in de gang, niet ver van Beryls kamer.

'Dank je,' bracht Cosima uit, wetend dat ze zich niet lang meer kon beheersen. Ze wist niet wat ze het liefst wilde doen: alleen zijn met haar tranen of vluchten. Maar hoe kon ze? Ze had alleen het geld dat de douairière haar had gegeven om Beryls dienstmeisje een fooi te geven, omdat haar eigen kamenierster op het landgoed van de Escotts was gebleven omdat het op het gala al druk genoeg was. Cosima moest meteen Millie laten halen en de overtocht naar huis regelen. Ze had geen idee hoe ze dat midden in de nacht moest aanpakken, maar het moest.

Beryl deed de deur achter hen dicht en stak een paar lampen aan.

Cosima haalde diep adem en wendde zich tot Beryl. Ze moest nog even sterk blijven.

'Niet blijven, Berrie,' zei Cosima, blij dat haar woorden helder waren, zij het een beetje onvast. Misschien kon ze toch flink zijn. 'Je genoot van het bal en ik wil het niet voor je bederven. Alles is in orde; ik moet gewoon alleen zijn.'

'Maar je zei dat je Engeland wilde verlaten! Denk je dat ik je nu in de steek laat, terwijl je zo overstuur bent?' Beryl kwam dichterbij en nam Cosima's in elkaar geklemde handen in de hare. 'Heb je met Peter gepraat? Gaat het daarom?'

Toen ze zijn naam hoorde, verbrijzelde het dunne laagje zelfbeheersing. Ze wrikte haar vingers los uit die van Beryl en sloeg haar handen voor haar gezicht terwijl ze haar tranen eindelijk de vrije loop liet.

Beryl trok haar tegen zich aan, dit keer zachter dan daarstraks beneden. 'O, Cosima,' fluisterde ze. 'Ik heb geen idee wat hij tegen je heeft gezegd. Ik weet zeker dat hij van je houdt.'

'Hij houdt van me... of hield... ik weet niet wat hij nu voelt.'

Beryl nam Cosima mee naar een canapé. 'Vertel me alles,' smeekte ze. 'Wat is er toch gebeurd? Als hij van je houdt, begrijp ik niet waarom je huilt.'

'O, Berrie, hij wist het niet!' huilde Cosima. 'Al die tijd heb ik gedacht dat hij het wist.'

'Wist... over die zogenaamde vloek, bedoel je?' Terwijl ze sprak stond Beryl op, liep naar de ladekast in de hoek en kwam terug met een zakdoek die ze Cosima overhandigde. Cosima veegde haar gezicht af. 'Reginald zei dat hij Peter alles had verteld. Hij zei duidelijk dat hij Peter over de vloek had verteld.'

'Heeft Reginald tegen je gelogen?'

Met de zakdoek onder haar neus knikte Cosima.

'Maar waarom?'

Nu schudde Cosima haar hoofd en bette haar ogen. 'Ik weet het niet! Hij zei dat hij niet wilde dat iemand trachtte hem ervan af te brengen om met mij te trouwen, omdat hij zo graag via mij hogerop wilde komen in de maatschappij. Misschien dacht hij dat Peter hem zou ontmoedigen, of misschien schaamde hij zich dat hij zo ver wilde gaan om zijn doel te bereiken. Ik weet alleen dat Peter geen idee had dat hij verliefd was op iemand met... met... iemand als ik.'

'Maar hij houdt van je.'

Cosima schudde haar hoofd weer. 'Nee, niet echt, Berrie. Hoe kan dat, aangezien hij niet alles wist wat hij over me moest weten? Ik weet zeker dat hij vanaf het begin niet de minste belangstelling had gehad als hij de waarheid had geweten.'

'Heb je er vanavond over gepraat? Is hij het op die manier te weten gekomen van je... familiesituatie?'

Cosima stond op en richtte haar blik op de koude haard, weg van Beryls meelevende blik. Ze wrong de zakdoek in haar handen. Hoe kon ze Beryl vertellen dat lady Hamilton Cosima beslist niet geschikt vond om haar schoondochter te worden? Beryls beide ouders waren duidelijk geweest in hun mening.

'Als ik gemerkt had dat hij het niet wist, had ik het hem lang voor vandaag verteld,' fluisterde Cosima.

Beryl kwam achter haar staan. 'Misschien heeft hij gewoon tijd nodig om eraan te wennen, om het risico te overwegen en te beslissen wat hij echt wil. Ik weet zeker dat hij van je houdt, Cosima, dat geeft hij niet op.'

'Je ouders maakten heel duidelijk dat ze nooit hun zegen zouden geven als hij toch met me wilde trouwen.'

'Mijn ouders? Weten die het?'

Cosima knikte en veegde nog meer tranen weg die begonnen te stromen bij de herinnering aan de blik op lady Hamiltons gezicht. Beryl zonk uitgeput neer op een van de canapés. Cosima was ook afgemat, maar ze kon toch niet rusten met al die emotionele beroering in haar hoofd.

'Het zou ons niet moeten verbazen,' zei Beryl, voor zich uit starend.

Nieuwsgierig zei Cosima: 'Waarom?'

Beryl keek haar aan. 'Ik bedoel dat het ons niet had moeten verbazen dat Reginald heeft gelogen. Hij is zo zelfzuchtig als het maar kan, Cosima, en als hier iets goeds uit voortkomt, is het dat je reden hebt om nooit meer met hem te praten. In elk geval ga je niet met *hem* trouwen.'

Cosima verhuisde naar de canapé tegenover Beryl. 'Ik had in Ierland moeten blijven. Daar had ik een toekomst die tot nu toe niet zo eenzaam leek.'

'Een toekomst als oude vrijster?'

'Ja, maar ik was van plan een school te openen voor kinderen zoals mijn broers. Dat plan had ik nooit willen laten varen. Ik hoopte alleen... tja, ik hoopte dat ik mijn tijd had kunnen verdelen tussen de school en hier. Als Peter en ik...'

Er vielen nieuwe tranen en ze bracht het natte zakdoekje weer naar haar gezicht.

Beryl zag hoe het lapje eraan toe was, stond op en haalde een nieuw. 'Een school vind ik een bewonderenswaardig plan,' zei ze zacht terwijl ze Cosima het schone zakdoekje gaf. 'Misschien kan ik je helpen. We kunnen de vrijgezelle schoolfrikken zijn die ons leven geven voor de kansarmen.'

Cosima probeerde te glimlachen om Beryls toon. Maar het lukte haar niet en ze veegde nog maar eens een traan weg. 'En die lord... Welby, zei je? Die met de drie dansen in je boekje.'

Beryl wuifde het weg. 'Ach, we zouden elkaars hart maar breken. Dit afgelopen uitgaansseizoen in Londen was mijn tweede, zie je. Nog eentje zonder een huwelijksaanzoek en ik word als mislukking aangemerkt. Het idee van jouw school bevalt me beter, Cosima. Ik wist niet dat ik nog andere opties had dan een of andere malloot te aanvaarden.'

'Ik had niet de indruk dat je lord Welby een malloot vond.'

Beryl haalde haar schouders op. 'Op dit moment jaagt de liefde me angst aan. Ik denk dat ik lord Welby maar ga laten wachten.'

'Je moet je niet door mijn ervaring laten beïnvloeden, Berrie. Als ik geen vloek droeg, zouden je broer en ik op ditzelfde moment plannen maken voor een bruiloft.'

Die verklaring bracht weer nieuwe tranen teweeg en Beryl kwam naast Cosima zitten en legde een arm om haar schouders. 'Ik zou mijn broer zo gauw niet opgeven, Cosima. Geef hem de tijd om erover na te denken. En zouden jullie allebei God niet betrekken bij jullie besluit?'

Cosima's hart voelde als ijs. God. Alleen Hij had de macht om een vloek op te heffen... en Hij had het niet gedaan.

Ze schudde haar hoofd. 'Nee, ik was dwaas om te geloven, zelfs maar voor een avond, dat ik geschikt zou zijn voor Peter. Ik heb al die tijd gelijk gehad dat ik hem wilde ontmoedigen. Het was duidelijk wat je moeder ervan vond. Ze kon de gedachte niet verdragen dat het Hamilton-erfgoed bij Peter zou eindigen.'

Op dat moment werd er aan de deur geklopt.

Cosima's hart sprong op en ze wisselde een verraste blik met Beryl.

'Wie is daar?' riep Beryl.

'Peter.'

Cosima sprong op; ze wist niet of ze naar de deur moest rennen of de andere kant op. Beryl keek haar aan en vroeg zwijgend toestemming om Peter binnen te laten.

'Ik... weet het niet...' fluisterde Cosima.

'Je moet met hem praten. Je *moet* gewoon.' Beryl liep naar de deur. 'Wacht even, Peter. Niet weggaan.' Ze liep naar Cosima toe en fluisterde: 'Je moet hem laten uitpraten, wat hij ook zegt. En je bent niet alleen. Ik blijf hier als je wilt, maar zo niet, God is altijd bij je.'

'O, Beryl... ik weet niet wat God heeft bedoeld om het allemaal zo vreselijk mis te laten lopen!'

'Ik weet het ook niet, Cosima, maar ik weet wel dat Hij ons beloofd heeft om bij ons te zijn in alles wat Hij ons laat overkomen. *In alles.* Denk aan de woorden van je grootvader.'

Cosima deed haar ogen dicht, die brandden van tranen. *In alles, God. In alles.*

Nog een laatste keer betten met het zakdoekje en ze knikte dat Peter mocht binnenkomen.

Hij stapte de kamer binnen en vond haar in de schaduw op de canapé. 'Cosima,' zei hij.

Nooit eerder was zijn vriendelijke toon haar zo welkom geweest. Ze wilde op hem toe rennen, haar armen om hem heen slaan.

Maar ze kon het niet. Een vriendelijk woord kon net zo makkelijk een afscheid betekenen als iets anders.

'Beryl,' zei Peter, nog steeds naar Cosima kijkend, 'zou je ons alleen willen laten?' Beryl liep om hem heen naar de deur en stond pas stil toen hij weer sprak. 'En als je moeder toevallig ziet, vertel haar dan niet waar ze me kan vinden.'

'Ik... geloof dat het daarvoor te laat is,' zei Beryl zacht.

Cosima volgde Beryls blik naar de deur. Daar, op de drempel, stond niet alleen lady, maar ook lord Hamilton.

Peter draaide zich naar hen om, met iets hards in zijn kaaklijn dat Cosima nooit eerder had gezien. Hij stapte lang genoeg opzij om Beryl door te laten en bleef toen onbuigzaam staan met één hand aan de deur, de andere op de deurpost, zodat ze er niet door konden.

'Je kunt niet van plan zijn om zonder chaperonne met Cosima alleen te blijven. En in Beryls slaapkamer nog wel!' De stem van zijn moeder klonk zo schril dat Cosima zich afvroeg of ze lady Hamilton wel ooit echt had gekend.

'Ja, moeder, dat is precies wat ik van plan ben.' Hij wilde de deur dichtdoen, maar Cosima hoorde lady Hamilton met haar hand op een van de panelen slaan.

'Dit is gewoonweg ongehoord, zelfs in zo'n progressief huis als dat van ons!'

Peter deed de deur zo ver dicht dat zijn brede schouders er nog tussen pasten. 'Progressief, moeder? Als vanavond een voorbeeld is van uw progressieve gedrag, zie ik niet in waarin dat verschilt van de meest bekrompen van uw gasten beneden.'

'Peter,' zei zijn vader. Zijn stem was veel kalmer dan die van zijn vrouw. 'Ik zie geen reden waarom we niet bij elkaar kunnen gaan zitten om de situatie te bespreken.'

'Nee, vader, niet voordat ik Cosima alleen heb gesproken.' Hij voegde eraan toe: 'Ga terug naar uw gasten. U zult onderhand ongetwijfeld gemist worden.'

'Luister eens, Peter.' Nu was het zijn vader die op de deur sloeg in plaats van lady Hamilton. 'Je kunt ons niet buiten deze kwestie laten. Je bent mijn erfgenaam, of het je bevalt of niet, en wij hebben een stem in de besluiten die je neemt die invloed hebben op deze familie. Ga nu opzij en laat ons erin.'

'Tenzij u ruzie wilt schoppen, zodat uw gasten straks op de trap in de rij staan om te kijken, stel ik voor dat jullie allebei vertrekken.'

Toen deed hij de deur helemaal dicht. Anders dan in de zilver met groene slaapkamer in het grote huis in Londen, zat hier geen slot op de deur om te zorgen dat hij dicht bleef. Daar had Peter aan gedacht en hij zette de stoel van Beryls kaptafel onder de deurknop.

Hij draaide zich om naar Cosima, die zich niet had bewogen. 'Gaat het?' Zijn toon was zacht en bezorgd.

Ze sloeg haar armen over elkaar omdat ze het koud had, en wist geen antwoord.

Hij kwam naar haar toe en ze wilde terugdeinsen, bang dat als hij te dichtbij kwam, ze zich op hem zou storten of hij wilde of niet. Ze deed een stap naar achteren.

Daarop stond hij stil alsof hij een jager was en zij de angstige prooi.

'Het spijt me zo, Peter.' Ze dempte haar stem in de zwakke hoop dat hij de trilling in elk woord niet zou horen. Ze staarde in zijn ogen en wenste dat ze zijn gedachten kon lezen. Ze zag alleen bezorgdheid, maar of die voortkwam uit liefde of uit medelijden, dat wist ze niet goed. 'Ik dacht dat je het wist.'

Hij knikte. 'Dat dacht ik al aan je gezicht te zien.' Hij deed nog een stap dichterbij, maar stond stil toen ze verstijfde. 'Er is niets om je voor te verontschuldigen, Cosima. Je bent net zo goed het slachtoffer van Reginalds onnadenkendheid als ik.'

Hij deed nog een stap, maar Cosima stond met haar rug tegen de muur en ze kon niet verder achteruit. Ze wist niet meer of ze dat wilde, zoals Peter naar haar keek. Het was of hij evenzeer gekwetst was als zij.

'Ik wil van jou over je familie horen,' zei hij. 'Ik heb gehoord wat anderen hebben gezegd, maar ik wil het van jou horen.'

'Het is vast en zeker waar wat ze gezegd hebben,' bekende ze. 'Het is zo goed als zeker dat ik nageslacht zal baren met een zieke geest, niet in staat om verder te komen dan het niveau van een kind.'

Peter slaakte een diepe zucht, alsof ook hij zijn adem had ingehouden. Hij keek van haar naar de canapé waar ze achter stond en toen weer naar haar. 'Kom je zitten?' vroeg hij. 'Naast me?'

Ze aarzelde maar even voordat ze knikte. Toen hij zijn hand uitstak, legde ze haar eigen bevende hand erin. Hij hield hem stevig vast en het trillen verdween.

Ze gingen zitten en bijna meteen sloeg Peter zijn arm om haar heen. Zijn vingers streken over haar schouder, duwden haar haar weg, dat naar voren was gevallen. Met dezelfde hand tilde hij haar gezicht naar het zijne en keek haar diep in de ogen.

'Ik houd van je, Cosima,' zei hij. 'En ik wil niet geloven dat God ons heeft samengebracht om ons weer uit elkaar te laten gaan uit angst. Dat is het toch? Angst voor een toekomst die niemand kan voorspellen?'

'Maar op basis van het verleden...'

Veilig in zijn armen keek ze naar zijn profiel. Hij was niet voorbijgegaan aan de ernst van de toestand, maar hij was ook niet weggevlucht zoals een ander misschien had gedaan.

'Het is allemaal als een verrassing gekomen – dat anderen op zo'n manier over je denken. Ik zou niet eerlijk zijn als ik zei dat het me niet raakte, Cosima,' zei hij. 'Maar ergens vraag ik me af of het zo heeft moeten zijn, dat ik je eerst heb moeten ontmoeten zonder aangetast te zijn door het weten van iets dat mijn denken oneerlijk had kunnen verdraaien.'

'Maar het is een feit dat zich niet van tafel laat vegen, Peter. Het is niet eerlijk dat je over mij hebt gedacht alsof ik als elke andere vrouw was.'

Hij keek op haar neer, zijn arm nog om haar schouders, en glimlachte. 'Ik heb jou nooit gezien als elke andere vrouw, Cosima.'

Ze streelde zijn wang, dankbaar voor zijn woorden. 'Peter, ik houd echt van je.'

Hij kuste haar en liet zijn lippen talmen op de hare. Ze verlangde dat zijn kus bleef duren, zelfs terwijl iets vanbinnen haar waarschuwde dat het delen van die intimiteit wellicht een ander soort verdraaien was dat hun denken kon aantasten.

'Dus dat is geregeld,' fluisterde hij in haar oor. 'We gaan trouwen.'

Cosima maakte zich geschokt van hem los. 'Wat?'

Peter nam haar handen in de zijne alsof hij bang was dat ze hem alleen op de canapé zou laten zitten. Met een zelfverzekerde glimlach zei hij: 'Je houdt van mij. Ik houd van jou. Mensen die van elkaar houden gaan trouwen, Cosima.'

'Maar... je erfgoed. Je ouders. Zwakzinnige kinderen, Peter!'

Hij schudde zijn hoofd. 'Wat is het alternatief, Cosima?' Hij liet haar handen los en legde zijn handen om haar gezicht. 'Ik laat je niet gaan. Voor niets ter wereld. God heeft ons samengebracht – ik zie geen reden waarom we uit elkaar zouden gaan.'

'Maar hoe weet je dat het God was, Peter? Er was niets nobels in het feit dat Reginald me hierheen heeft gehaald.'

'Is het echt belangrijk waardoor we elkaar hebben ontmoet, Cosima? Feit is dat het is gebeurd en we van elkaar zijn gaan houden. Weet je nog toen we in het rijtuig naar je grootmoeder reden, toen je haar voor het eerst zou ontmoeten? Ik zat tegenover je en zag hoe je je angst bij God bracht. Waarom zouden we dat nu niet kunnen doen? Wij beiden?'

'Dat wil ik, Peter,' zei ze ademloos.

'Nu meteen,' zei hij kordaat en hij pakte haar hand weer. 'We geven onze angsten aan God en vragen Hem om leiding. Samen.'

Zittend op de rand van de canapé boog Cosima haar hoofd, net als Peter. Hij begon te bidden, dankte God voor het geschenk dat hij Cosima had leren kennen. Hij vroeg om hemelse, geen aardse, wijsheid, en erkende dat ze Gods wil zochten te doen en niet die van anderen.

Toen sprak Cosima; er welden tranen in haar ogen op toen ze God loofde voor de liefde die Hij haar gegeven had door Peter. Ze vroeg om vergeving als ze zelfs maar een ogenblik had gedacht dat God iets te verwijten viel. 'We vragen U de harten van Peters ouders aan te raken, God. Zonder hun instemming zie ik niet in hoe Peter en ik met Uw zegen kunnen trouwen.'

Cosima deed haar ogen open en zag Peters sombere blik op haar rusten.

Er werd drie keer stevig op de deur geklopt.

'Peter, ik stel voor dat je die deur opendoet,' zei de boze stem van lord Hamilton. 'We hebben lang genoeg gewacht.'

Peter stond op en schoof, ondanks zijn gebed om wijsheid van een ogenblik geleden, ongeduldig de stoel opzij. Maar hij beheerste zich en met een glimlach naar Cosima om haar gerust te stellen deed hij de deur wijdopen.

'Kom binnen, vader,' zei hij. Lady Hamilton

kwam het eerst binnen. 'Moeder,' voegde Peter eraan toe.

Cosima stond op en keek naar de drempel, in de hoop dat Beryl bij hen was.

Maar Peter deed de deur dicht. 'Waar is Berrie?' vroeg hij.

'We hebben haar naar beneden gestuurd, zodat er tenminste een deel van de familie vertegenwoordigd is.' Lord Hamilton leidde zijn vrouw naar een canapé.

Peter en Cosima gingen tegenover zijn ouders zitten. 'Weet u wat we net aan het doen waren, vader?' vroeg Peter bijna uitdagend.

'We hebben geen idee,' antwoordde zijn moeder in zijn plaats. 'Daarom heb ik je vader aan laten kloppen. Het werd veel te stil.'

'We waren aan het bidden. We vroegen God om Zijn wijsheid en leiding.'

'Heel goed,' zei zijn vader. 'Zeer te prijzen. Zelf heb ik hetzelfde gedaan.'

Peter glimlachte, met zijn hand op die van Cosima. 'Mooi, als we dan allemaal naar God luisteren, moeten we er zonder misverstanden uit kunnen komen.'

Het ontging Cosima niet dat lady Hamiltons blik naar Peters hand op die van Cosima schoot. De verleiding was groot om zich los te maken om de onrust van zijn moeder te verlichten, maar het verlangen om Peters kracht te voelen, woog zwaarder dan de wens om haar gerust te stellen.

'Cosima en ik willen trouwen,' zei Peter.

'O, Peter.' Lady Hamilton sloeg haar hand voor haar mond. Er gleden tranen over haar wangen, die glansden in het licht van de olielamp op de tafel.

'Ondanks wat we je verteld hebben?' vroeg lord Hamilton. 'Ondanks alles wat haar grootmoeder heeft uitgelegd, over de toestand van de vrouwen in haar moeders familie?' Zijn toon was even rustig als die van Peter, maar de punt van zijn snor trilde krampachtig.

'Mijn grootmoeder?' herhaalde Cosima.

'De douairière heeft me over je familie verteld, Cosima,' zei lord Hamilton. 'Ze is jarenlang op de hoogte gebleven van je familie, door brieven van een man die op jullie landgoed woont. Je vader en zijn moeder mogen elkaar dan jarenlang niet gesproken hebben, Cosima, maar de douairière geeft nog steeds om haar jongste zoon. Ouderliefde, zie je. We willen allemaal het beste voor onze kinderen.'

Lady Hamiltons wenkbrauwen schoten omhoog. 'Dat begrijp je toch wel, Cosima? Ik weet dat je een lief kind bent! Ik ben van je gaan houden, en het doet me verdriet dat je dit probleem hebt. Maar hoeveel genegenheid we ook mogen voelen, we kunnen simpelweg niet toestaan dat je met onze zoon trouwt. Zijn toekomst is heel belangrijk. Generaties Hamiltons hebben gestreden om onze wetten en onze maatschappij te vormen, in dienst van koningin en vaderland. We kunnen zo'n geslacht niet laten eindigen met...'

'Zwakzinnigen,' maakte Cosima haar zin met gedempte stem af. Ze trok haar hand weg. 'Ik begrijp het, lady Hamilton. Ik heb alleen maar respect en bewondering voor uw familie en geen verlangen om u verdriet of teleurstelling te bezorgen.'

'Dus je trouwt niet met onze zoon?' vroeg lady Hamilton.

'Ik houd van hem.'

'Dan zul je natuurlijk willen wat het beste is voor hem,' zei lord Hamilton.

Cosima knikte en keek naar Peters vader, op wie hij zo leek. 'Dat wil ik. Zonder twijfel.'

'Dat is allemaal leuk en aardig,' zei Peter zakelijk. 'Maar het beste voor mij is trouwen met de vrouw die ik liefheb.'

'Dat zeg je nu, Peter,' antwoordde zijn vader, 'maar op den duur, als de hartstocht van de emotie is verflauwd...'

'Die zal niet verflauwen,' kondigde Peter aan met zo veel overtuiging dat lady Hamilton haar hand weer voor haar mond sloeg en nieuwe tranen in haar ogen opwelden. Cosima stond zonder iets te zeggen op, liep naar de ladekast en pakte nog een zakdoekje. Ze overhandigde het aan lady Hamilton.

'Dank je,' zei Peters moeder met een piepstemmetje.

Cosima nam haar plaats weer in naast Peter, die meteen haar hand weer pakte.

'Ik verander niet van gedachten, vader,' zei Peter.

'U beseft toch dat het angst is die het zo moeilijk voor u maakt? Angst voor iets wat u niet kunt weten. Hoe kunt u met zoveel stelligheid geloven dat Cosima alleen maar zwakzinnige nakomelingen zal krijgen?'

'En ik zeg: hoe kun jij denken dat het anders is, de laatste twee generaties in haar familie in aanmerking genomen? Denk toch eens na, jongen! Zie jezelf voor je over tien jaar, met alleen maar gehandicapte kinderen in je kinderkamer. Dan vergeet ik nog even de geschiedenis waaraan je moeder daarnet refereerde. De lange lijn van Hamiltons die dit rijk hebben gemaakt tot wat het nu is. Ik stel voor dat je bedenkt wat je allemaal zult missen als je niemand hebt om je bekwaamheden en krachten te erven, zonder hoop je kind beter te zien presteren en leven dan jijzelf. In plaats daarvan zul je bedienden hebben om kinderen te verzorgen die alle dagen van hun leven verzorging nodig zullen hebben. Je zult de hoop niet kennen die het krijgen van kinderen met zich meebrengt. Je zult geen liefde van hen krijgen, omdat ze niet in staat zijn die te geven. Is dat wat je wilt? Denk je dat je nog steeds van Cosima zult houden als de jaren zijn verstreken en je zo veel hebt verloren?'

'Dan houd ik nog steeds van haar,' hield Peter zonder enige aarzeling vol. 'Dan zal ik van haar houden zoals ik nu van haar houd, misschien nog meer nadat we samen geleerd hebben en gegroeid zijn en geweten hebben wat het is om door Gods eigen hand gescherpt te worden. Ik laat me niet door angst de wet voorschrijven, vader. Noch door u.'

'Peter!' schoot lady Hamilton uit haar slof. 'Hoe kun je zoiets zeggen? De bijbel die je zegt te geloven, gebiedt je je vader en je moeder te eren.'

'Ik ben geen kind meer, moeder,' zei hij stijf. Toen keek hij naar de grond en zijn schouders zakten. Cosima legde haar hand op één schouder, die sterke schouders die vanavond zo veel moesten dragen.

'Ik wil u ook eren, moeder.' Peter keek op naar zijn vader. 'En u, vader. Maar het is niet tegen Gods wil dat ik met Cosima trouw, en het is Zijn wil die ik als eerste zoek.'

'Peter,' zei Cosima zacht, haar hand nog op zijn schouder. 'Ze hebben gelijk.'

Hij keek haar aan met rimpels in zijn voorhoofd van verbazing. 'Wat bedoel je?'

'We moeten je vader en moeder eren.'

'Zelfs als ze handelen zonder geloof?'

Ze raakte zijn gezicht aan. 'Ik houd van je, Peter. Het verlangen om met jou getrouwd te zijn, weegt veel zwaarder dan mijn eigen angst voor onze toekomst. Maar... ik kan niet met je trouwen.'

'Wat!' Hij draaide zich helemaal naar haar om, pakte haar handen in de zijne en hield ze stevig vast. 'Je kunt je niet door hen laten overtuigen.'

'Er zit iets in, wat je vader zegt,' zei ze zacht. 'Heb je goed geluisterd? Ik wil niet over tien jaar wakker worden met de wetenschap dat ik jou verdriet heb gedaan.'

'Dat gebeurt niet!'

'Het is precies waar ik al die tijd bang voor ben geweest, alles wat hij zei. Daarom heb ik zo hard gevochten om niet van je te houden of te hopen dat jij van mij zou kunnen houden.'

'Maar we houden van elkaar! Je ziet toch de hand van God hierin, we waren geen van beiden van plan om van elkaar te gaan houden. Hoe kun je zelfs maar even denken dat we die liefde nu kunnen laten varen?'

Cosima schudde verward haar hoofd. Ze wilde niets meer dan hem liefhebben, maar de angst keerde nu al terug, zo kort nadat ze zich uitgesproken hadden. Hoe kon ze de angst negeren?

'Luister naar haar, Peter,' zei lady Hamilton. 'Ik geloof dat ze genoeg van je houdt om te willen wat het beste voor je is, al is zij het niet.'

Peter stond op en keek zijn ouders aan. 'Ik vind dat jullie allebei moeten gaan. We hebben ons duidelijk uitgesproken. We begrijpen elkaars standpunt. Er valt niets meer te zeggen.'

Cosima stond ook op en legde een hand op zijn onderarm. 'Wacht, Peter. Er is nog één ding dat we kunnen overwegen.'

Hij keek haar aan. 'Als het uitloopt op onze bruiloft, ben ik bereid om te luisteren.'

'Ik weet niet waar het op uitloopt,' gaf ze toe. 'Maar ik heb wel een voorstel.'

Lord en lady Hamilton stonden op. 'We zullen horen wat je te zeggen hebt, Cosima,' zei lord Hamilton en naast hem knikte zijn vrouw.

'Ik zal teruggaan naar Ierland...'

Peter schudde zijn hoofd, keek haar aan en legde beide handen op haar schouders.

Maar ze zweeg niet. 'Nee, Peter, luister naar me. Als ik terugga naar huis en jou tijd geef om na te denken over de onaangename gevolgen als we trouwen, zal je besluit misschien meer rationeel dan emotioneel zijn.'

'Dat lijkt me een redelijk plan, zoon,' zei lord Hamilton.

'Goed,' zei Peter met een glimlach en een blik van triomf in zijn ogen. 'Maar ik stel één kleine wijziging voor. Als je wilt dat ik met ratio en informatie een afweging maak en niet met emotie, dan valt er maar één ding te doen. Je mag inderdaad terugkeren naar Ierland, Cosima. Een uitstekend idee. Alleen ga ik met je mee.'

37

Natalie wilde net aankloppen bij Dana's appartement, toen ze zich bedacht. Ze keek op naar Luke, die Ben op zijn schouders droeg. Ben zoog tevreden op zijn vinger, zijn lijfje een beetje over zijn vaders hoofd heen gezakt.

Natalie klemde Cosima's dagboek vast. Ze had het gisteravond uitgelezen en wist dat Dana de volgende was die het moest zien. En dan misschien Aidan, *als...*

Luke keek ernstig, net als zijzelf. Hij wachtte grimmig tot ze aan zou kloppen. Ze deed het, omdat het moest.

Bijna meteen werd er 'ik kom eraan!' geroepen.

Natalie keek weer naar Luke. Dana klonk zo vrolijk dat Natalie er nog even van wilde genieten. Ze betwijfelde of ze haar stem nog eens zo zouden horen, althans voor een tijdje.

Maar ze had geen tijd om haar gedachten tegen Luke uit te spreken. De deur zwaaide open en daar stond haar zus, met haar eigen bijzondere glimlach. De glimlach die zei dat de wereld een geschenk was vol hoop en geluk.

Natalie duwde een nieuwe golf van verdriet en angst weg. *Ademhalen, gewoon ademhalen.*

'Kom erin!' Dana hield de deur wijdopen en

deed een stap opzij. 'Toen jullie gebeld hadden, ben ik meteen naar de bakker gerend en ik heb van die lekkere koffie gekocht waar jullie zo van houden. Was het lastig om een parkeerplaatsje te vinden?'

In de buurt waar Dana woonde, stonden de straten meestal stampvol met geparkeerde auto's, maar het was zaterdagochtend en ze hadden geen problemen gehad.

Natalie hield haar zus nauwlettend in de gaten en wenste dat ze ander nieuws had. Dana's vrolijkheid kwam waarschijnlijk deels voort uit het feit dat ze hen wilde opvrolijken. Maar ze vertrouwde nog steeds op de foute informatie dat Bens achterstand aan autisme te wijten was, een toestand die alleen hem betrof. Natalie slikte moeilijk. Klassiek autisme zou een betere diagnose zijn geweest, tenminste wat Dana aanging.

Dana liep naar de eethoek, waar haar tafel gedekt stond met een kleurig roze met oranje tafelkleed, groene glazen borden en Natalie's oude witte koffiekopjes. Naast een stapel bagels stond een kuipje losgeklopte roomkaas.

Zonder te letten op hun ernstige zwijgen schonk Dana al babbelend koffie in. Het rook vast lekker, maar na het telefoontje van twee dagen geleden was Natalie's maag gestopt met om eten vragen. Het bezoek van gisteren aan dokter Benson had haar zorgen niet kunnen verlichten. De dokter had Luke en haar bewapend met informatie, informatie waarvoor ze gekomen waren, maar waar Natalie helemaal niet van opgeknapt was. Ze dwong zichzelf om voedsel tot zich te nemen omwille van de nieuwe baby, en zelfs met zo'n oprechte motivatie was het moeilijk om te eten.

Omdat de eethoek open was, bleef Ben makkelijk zichtbaar op de deken die Natalie op het kleed in de woonkamer had uitgespreid. Ze omringde hem met speelgoed – waar hij niet mee speelde. Ze had eraan gedacht het speelgoedje mee te nemen dat hij kon gebruiken en legde het op zijn schoot. Algauw wezen klassieke kinderliedjes erop dat er een baby in huis was.

'Ik neem aan dat je Aidan vanavond ziet?' vroeg Natalie terwijl ze ging zitten.

'Tuurlijk. We gaan naar de film.'

Natalie had geoefend, maar de woorden die ze aanvaardbaar had gevonden, ontgingen haar nu. Hoe kon ze haar zusje vertellen dat ze draagster was van fragiele X, net als Natalie?

Ze moest eraan denken dat er niets gebeurde buiten Gods plan. Vertrouw op Hem in alle dingen. In alles...

Natalie zocht Luke's blik. Ze had hem nu nodig. Bens diagnose was voor hem even erg als voor haar, maar in zijn verdriet bleef hij kalm – de enige rots in haar leven in deze tijd. Ze had geprobeerd op haar geloof te vertrouwen, maar Luke was het beste tastbare bewijs van dat geloof.

Hij keek van haar ogen naar het dagboek in haar

handen, alsof hij haar wilde wijzen op de betekenis daarvan in dit alles.

Ze sprak. 'Dana... we hebben je iets te vertellen, iets over Ben. En over ons. Met ons bedoel ik jou en mij... niet Luke en ik.'

Dana was op de stoel naast Natalie gaan zitten. Ze zette haar koffie opzij en keek Natalie nieuwsgierig aan. Haar ogen waren erg blauw vandaag, stralend van de blijdschap die Dana altijd bij de hand had.

Natalie haalde één keer diep adem. 'Het blijkt dat de diagnose autisme fout was.'

Ze wist dat ze de verkeerde woorden had gekozen, want Dana keek blij. 'Dat is geweldig! Ik heb steeds gehoopt dat het gewoon een achterstand was, dat als je hem maar genoeg tijd geeft...'

Natalie schudde haar hoofd. 'Nee, er is een nieuwe diagnose. Uit het bloedonderzoek is gebleken dat hij het fragiele X-syndroom heeft.'

Dana fronste haar wenkbrauwen. 'Wat is dat?'

Natalie keek naar Luke, die de wenk begreep. 'Het is een genetische stoornis op het X-chromosoom,' zei hij. 'Het komt erop neer dat de toestand daarvan er verantwoordelijk voor is dat de hersenen niet genoeg produceren van een specifieke proteïne om te functioneren... om te leren.'

'We hebben gisteren een erfelijkheidsdeskundige gesproken, Dana.' Het verbaasde Natalie dat haar stem zo vast klonk. Vanbinnen was ze allesbehalve kalm. 'Ze zei dat ik de draagster ben. En dat klopt met wat we weten over onze familiegeschiedenis.'

De verwarring op Dana's gezicht veranderde in verbazing. 'Wat weten we dan over onze familiegeschiedenis, behalve dat iedereen gezond is? Is het mogelijk dat iemand anders het in de familie heeft gehad, maar dat we het nooit geweten hebben? Omdat Ben ook over zijn achterstand heen zal groeien?'

Natalie schudde haar hoofd, ze sloot haar ogen tegen nieuwe tranen. 'Nee. Het spijt me dat ik het niet zo goed uitleg. Ten eerste vertelde de erfelijkheidsdeskundige ons dat het van mij moet komen, omdat Ben een volledige mutatie is zoals ze dat noemen, en alleen moeders kunnen volledige mutaties produceren.'

'Wat maakt dat hij een... volledige mutatie is?'

'De proteïne in zijn bloed is zo beperkt dat het indicatief is voor wat er omgaat in zijn hersenen. Zonder die proteïne leert hij niet. Zijn brein zal nooit werken zoals het moet.'

Natalie zag Dana naar Ben kijken. Je kon makkelijk denken dat er niets met hem aan de hand was; hij was nog zo klein. Maar ze wisten allemaal dat dat niet waar was. Met zestien maanden kon hij niet lopen, niet zelf eten, hij maakte bijna geen oogcontact, had een lage spierspanning... er stonden zo veel punten op de lijst dat het Natalie verbaasde dat ze zo lang had kunnen ontkennen dat er iets mis was. Zelfs terwijl de neven aan vaders kant van de familie volkomen gezond waren.

'Gisteravond heb ik mam gebeld, Dana. We hebben hier afgesproken.'

Dana keek Natalie aan. 'Hier?'

'Ik heb gezegd dat we het je vanmorgen gingen vertellen.'

Opnieuw verwarring. Hoelang zou het duren voordat Dana besefte dat de diagnose ook haar trof? Op dit moment zag Natalie, afgezien van die lichte verwarring, alleen maar medeleven bij haar.

'Wat akelig,' zei Dana. 'We wilden allemaal dat de diagnose er niet was. Nu is hij alleen veranderd.'

Natalie knikte, ze wist dat ze moest doorzetten. 'Het zit zo, dat dit hoogstwaarschijnlijk van papa afkomt.' Ze slikte moeilijk en nam ineens een afslag van de richting die ze uiteindelijk in zou moeten slaan. 'We denken dat papa het aan mij heeft doorgegeven omdat... nou ja, er waren er nog meer in zijn familie zoals Ben, alleen hebben we die nooit ontmoet. De baby die ik nu draag, heeft een kans van vijftig procent om ook fragiele X te hebben.'

Dana's ogen werden groot – of het van afgrijzen was of nog inniger medelijden was moeilijk te zeggen. Het paste allebei.

'Kun je weten of met de nieuwe baby alles in orde is?' vroeg Dana. 'Ik bedoel, nu? Voordat hij of zij geboren wordt?'

Ben liet het speelgoedje van zijn schoot vallen en begon te huilen toen het met een bons op de grond belandde. Natalie stond op om hem te gaan pakken en liet Luke het gesprek voortzetten.

'We kunnen een vruchtwaterpunctie laten doen. De erfelijkheidsdeskundige raadde het aan, maar...'

'Maar wat? Wil je het niet weten? Ik zou snakken om het te weten.'

Met Ben in haar armen viste Natalie het flesje sap dat ze had meegebracht uit de luiertas. 'Wij willen het ook weten, Dana, maar hoe meer we erover nadenken, hoe minder we het kunnen rechtvaardigen.'

'De punctie bevat een klein risico voor de baby,' zei Luke.

Natalie ging weer zitten en stopte het flesje in Bens gewillige mondje. 'Stel dat deze baby gezond is? En dat we hem verliezen door een test die we niet hoefden te laten doen? Na deze krijgen we geen kinderen meer, nu de kansen er zo voor staan. We weten dat God deze baby heeft geschapen, net als Ben. Wat kan een vruchtwaterpunctie voor ons betekenen? We gaan toch niet handelen naar bevinding. We kunnen geen einde maken aan deze zwangerschap; het is een baby die God ons wil geven – fragiele X of niet.'

'Misschien kan het je helpen voorbereiden... hoe dan ook.'

'Ik ben voorbereid genoeg.' Natalie's stem klonk hard, harder dan ze ooit van zichzelf had gehoord. Ze haalde diep adem en hoopte dat de scherpte verdween. Ze had nog meer te zeggen... woorden die Dana veel persoonlijker zouden beïnvloeden dan alles wat tot nu toe gezegd was. Kennelijk had Dana de biologische basisfeiten die ze op school had geleerd vergeten, anders had ze het onderhand wel begrepen.

'Er is nog iets wat je moet weten.' Natalie kreeg weer een brok in haar keel. 'Als het van papa afkomt, dan zijn jij en ik... *allebei* draagster.'

'Wat?' Als er paniek wilde opkomen naast medeleven, dan verborg Dana het goed. Afgezien van een lichte trilling in haar stem leek ze bijna normaal. Alleen werd de vrolijkheid in haar ogen licht gedimd.

'Het wordt doorgegeven op het X-chromosoom. Weet je nog van biologie? Vrouwen hebben twee X-en, en mannen maar één. Die hebben een X en een Y. Mannen geven het Y-chromosoom door aan hun zoons, geen X. Ze geven de enige X die ze hebben door aan al hun dochters, en als die is aangedaan door fragiele X, dan is elke dochter die een mannelijke drager verwekt automatisch draagster.'

Dana schudde haar hoofd en er vormde zich het eerste spoor van een frons. 'Wacht eens even, je gaat me te snel.' Ze boog voorover en wreef over haar slapen met haar vingertoppen.

'We krijgen allemaal een stoomcursus erfelijkheidsleer op de meest vreselijke manier. Het betekent dat wij allebei het fragiele X-gen van pa hebben geërfd. Als we jongens waren geweest, was het probleem afgelopen, want dan had hij ons een Y gegeven en geen X. Maar omdat we meisjes zijn, heeft hij ons de enige X gegeven die hij had. Een slechte. En wij zijn geen volledige mutaties omdat nog nooit is aangetoond dat een mannelijke drager een volledige mutatie kan produceren. Alleen moeders kunnen dat hun kinderen aandoen.' Het woord *vloek* lag op het puntje van haar tong, maar ze slikte het in.

'*Mutaties...* het lijkt wel sciencefiction.' Dana lachte vreugdeloos. Zoals voorspeld, was haar eerdere toon volledig verdwenen. De vonk in haar ogen verflauwde. Natalie wenste dat ze het allemaal terug kon halen, maar ze had geen inspiratie.

'Ik begin het net pas een beetje te verwerken,' zei Natalie. 'Het was makkelijker om mezelf te overtuigen dat alles in orde was, na mijn gesprek met tante Virg. Als het genetisch was, zou het toch logisch zijn als hun kant van de familie ook getroffen was?'

'Maar dat zijn ze niet,' zei Dana, maar toen keek ze Natalie achterdochtig aan. 'Of wel?'

Natalie schudde haar hoofd. 'Papa's moeder moet draagster zijn geweest, net als jij en ik. Elke baby die ze kreeg, werd geboren met dezelfde vijftig procent kans om haar goede, of haar slechte X te krijgen. De slechte produceert niet automatisch iemand als Ben. Papa kreeg de slechte X, maar hij was alleen maar drager. En oom Steve moet de goede hebben gekregen, want in zijn familie heeft niemand een probleem.'

'Fijn voor hem,' fluisterde Dana.

Maar Natalie wist dat haar zus net zo min als zij geloofde in pech of geluk. Dit lag allemaal in Gods hand.

Op dat moment werd er aangebeld en Dana sprong geschrokken op. Natalie keek haar zus na die naar de deur liep als een opwindspeeltje van Ben, stijf en onnatuurlijk.

O, God... wees met ons. Maar in plaats van een hemelse vrede te ontvangen, voelde Natalie alleen maar een koud, loden gewicht.

Hun moeder stond aan de deur, met een blik op haar gezicht die Natalie niet meer had gezien sinds ze in het ziekenhuis te horen hadden gekregen dat hun vader kanker had. Val kwam zonder iets te zeggen binnen en liep langs Dana heen naar Natalie. Ben had zijn sap op en zat rechtop. Val nam de baby over en klopte op zijn rug alsof ze wist dat hij moest boeren en net op tijd gearriveerd was. Ze zei niet eens gedag.

'We komen er wel doorheen, hoor,' zei Val over de schouder van het kind.

Natalie knikte, al was ze er niet zo zeker van.

'Wil je koffie, mam?' vroeg Dana achter haar.

'Nee, nog niet.' Ze ging in de stoel zitten waaruit Dana was opgestaan.

'Ik heb vanmorgen mijn huisarts gebeld,' zei Val. 'Maar ik heb er weinig aan gehad. De assistente had niet eens *gehoord* van fragiele X.'

'Misschien heb je een receptioniste gesproken,' zei Natalie.

'Toen de dokter eindelijk terugbelde, zei hij dat hij er ook niet veel van wist. Hij is natuurlijk geen kinderarts, maar zijn er geen volwassenen met deze stoornis?'

'De erfelijkheidsdeskundige zei dat er waarschijnlijk een heleboel volwassenen een verkeerde diagnose hebben gekregen, omdat er nog niet zo lang een betaalbaar, betrouwbaar bloedonderzoek voor fragiele X bestaat.'

'Een dokter moet er toch wat vanaf weten, zou je denken.' Val zuchtte, verschoof Ben op haar schoot en keek naar Natalie. 'Je bent erg flink, lieverd.'

Natalie was meteen op de rand van tranen. Haar moeder veegde Bens kinnetje af; hij kwijlde weer. 'Ik heb mijn vriendin Ronnie vanmorgen ook opgebeld, terwijl ik wachtte tot de dokter terugbelde. Ronnie is zo'n troost voor me geweest, Natalie; ik vroeg me af of jij graag een bezoekje van haar zou willen.'

Ronnie, de buurtdeskundige op het gebied van verdriet. Natalie moest niet hard over haar oordelen; de vrouw had haar portie wel gehad, ze was met vijftig jaar weduwe geworden. Maar dat was niet wat haar tot deskundige maakte. Dertig jaar geleden had ze haar enige kind verloren aan wiegendood.

Natalie zat al nee te schudden. 'Nee, mam, voorlopig niet. Ik wil gewoon... wennen, denk ik. Ik heb geen zin in bezoek.'

'Maar dit zou meer een pastoraal bezoek zijn.

Van iemand die het ergste in het leven heeft ervaren.'

Ze nam Ben over van haar moeder. 'Nee. Nog niet.'

Val klopte op Natalie's arm. 'Denk er maar eens over na. Maar het kan fijn zijn om te praten met iemand die zo veel heeft meegemaakt. Ik weet dat ze nog steeds rouwt om de baby die ze verloren heeft. Een moeder komt nooit over de dood van een kind heen.'

'Mam, je begrijpt het niet, hè?' Natalie's stem klonk niet veel luider dan een fluistering, maar het verwijt was onmiskenbaar. Misschien had ze het over haar kant moeten laten gaan, ze hadden het allemaal moeilijk. Maar het was eruit en ze kon het niet meer inslikken.

'Wat bedoel je?'

Ze kon nu niet meer stoppen. 'Ik bedoel dat Luke en ik precies hetzelfde voelen wat Ronnie dertig jaar geleden moet hebben gevoeld. Wij voelen ons ook alsof we een baby hebben verloren. We dachten dat we een zoon hadden die zou opgroeien met grote dromen – misschien niet onze dromen, maar in elk geval die van hem. Een kind dat we konden opvoeden tot hij uit het nest zou vliegen, klaar om zijn eigen nest te bouwen. Deze diagnose voelt als de dood van het kindje dat we dachten te hebben.'

'Natuurlijk, lieverd,' zei Val. 'Ik bedoelde niet dat Ronnie meer geleden heeft dan jij.'

'Verdriet is verdriet,' zei Dana.

'Als je het mij vraagt, was Ronnie beter af,' mopperde Natalie.

'Beter af? Maar lieverd, ze heeft maar drie maandjes van haar kindje kunnen houden en het verzorgen.'

Natalie keek haar moeder strak aan. 'Haar kind is in de hemel, mam. Ze hoefde niet toe te kijken hoe hij opgroeide en elke dag moest worstelen om de eenvoudigste dingen te leren. De strijd van haar baby eindigde op de dag dat hij stierf. Die van Luke en mij zal ons overleven. Wie gaat er voor Ben zorgen als wij er niet meer zijn? Hij zal de rest van zijn leven verzorging nodig hebben, als hij een beetje lijkt op...'

Ze zweeg abrupt. Ze wisten niets van Royboy, Willie of Ellen Dana. Ze keek naar het dagboek naast haar op de tafel en wist dat ze het hun moest vertellen, ze wist alleen niet hoe.

Haar moeder reikte naar een servetje op tafel en veegde haar tranen af. 'Het spijt me dat ik erover begonnen ben. Ik wilde alleen maar helpen.'

Luke sloeg zijn arm om Natalie heen en zijn aanraking bracht meer over dan woorden konden doen. Ze gaf Ben aan Luke en keek haar moeder aan. Vals gesnik maakte ook bij haar de tranen los en ze klampten zich verontschuldigend aan elkaar vast.

Uiteindelijk pakte Val nog een servetje en gaf het aan Natalie. 'Dit zal onze familie niet uit elkaar rukken,' verkondigde ze. 'Ik bid dat het ons zelfs dichter bij elkaar zal brengen. Dat gaat zo met nood, hoor. Het zou in elk geval zo moeten. We hebben elkaar nu nodig. En God.'

Natalie zuchtte met lichte wrok.

'God blijft God, Natalie,' zei Val. 'En Hij houdt nog steeds van ons allemaal. Van mij, van jou. Van Ben en van Dana.'

Natalie keek haar moeder waterig aan. 'Weet... ik...'

Haar moeder moest haar moeite zien, de moeite die niet twijfelde of God God was, maar of Hij goed was. Natalie keek Dana aan. Was het al een beetje tot haar doorgedrongen? Besefte ze wat voor haar persoonlijk de gevolgen konden zijn? Wat het allemaal betekende voor haar... en voor Aidan? 'Ik neem aan dat je vragen hebt, Dana.'

Dana haalde haar schouders op. 'Het is allemaal moeilijk te geloven. Als wij draagsters zijn van mentale retardatie, hoe komt het dan dat wij helemaal niet getroffen zijn? We zijn allebei cum laude afgestudeerd.'

'Draagsters zonder symptomen,' zei Natalie, alsof een term alles kon verklaren.

Dana staarde haar aan. Natalie hoorde haar zus slikken. 'Hoe weet je zo zeker dat dit ons allebei treft?'

'Het komt van pa. Genetisch gesproken is het een zekerheid.'

'Maar hoe wéét je dat het van pa komt? Als het

van mam kwam, zou die vijftig procent toch nog steeds opgaan?'

Natalie pakte het dagboek op. 'Hier staat het in, Dana.'

'Wat?' vroeg Val.

Maar Natalie keek niet naar hun moeder. Ze staarde Dana aan.

Dana pakte het dagboek aan. 'Hier staan familieleden in die gehandicapt waren, hè?'

Natalie kon het niet ontkennen; Dana moest het aan haar ogen zien. De waarheid begon door te dringen.

'En je hebt ons niets verteld? Je bracht Bens achterstand niet in verband met wat hierin staat?'

'Kijk eens naar de datum, Dana: 1849. Ik dacht dat iets wat zo lang geleden is gebeurd onmogelijk te maken kon hebben met...'

'Maar Bens achterstand... was dat niet genoeg?'

'Ik heb je al verteld dat ik het niet wilde geloven. Ik wilde dat alles in orde met hem was.'

'En dus verzweeg je dit al die tijd.'

Het klonk als een beschuldiging.

Als er nog medeleven was geweest in Dana's blik, werd dat nu verduisterd door woede. 'Je wist voordat ik met Aidan ging dat er iets in onze familie kon zitten.'

Weer een beschuldiging, dit keer volkomen onverhuld.

Natalie stond op en legde haar hand op Dana's schouder. 'Ik... ik geloofde er eerst niet in. Ik wilde niet dat het waar was. Gisteravond pas heb ik het dagboek uitgelezen. Ik had het verstopt, uit het zicht en uit mijn gedachten.'

Dana schudde haar hand weg en keerde zich van haar af. Ze liep zo ver weg als ze kon zonder de kamer helemaal uit te gaan en ging aan de andere kant van de woonkamer voor het raam staan.

Luke stond op en zei dat hij met Ben naar de badkamer ging om hem te verschonen. Natalie nam het hem niet kwalijk; zelfs de onaangename lucht van een vieze luier was te verkiezen boven de spanning in de kamer. Hun moeder zat er zwijgend bij. Misschien begreep Val hoe diep de strijd ging, maar ze zei niets dat erop wees aan welke kant ze stond.

Ten slotte trok Val Natalie overeind en stuurde haar in de richting van Dana. Natalie wilde niet volgen, maar als ze het niet deed, zou haar moeder haar toch meetrekken. Net als toen ze kinderen waren. Tijd om het af te zoenen.

'Ik weet niet wat er in dat dagboek staat. Ik heb het voor vandaag nog nooit gezien, maar ik neem aan dat het uit die doos met de familiebijbel is gekomen.' Val zweeg en keek van de ene dochter naar de andere. 'Het is duidelijk dat jullie allebei op dit moment verdriet hebben. Maar er is geen sprake van boos opzet. Niet aan Gods kant naar jou toe, Natalie. En niet aan Natalie's kant naar jou, Dana. De wereld is vol verdriet en er is geen reden dat iemand van ons gespaard zou moeten worden. We zijn nog niet de in hemel, meisjes.

Daar moeten jullie allebei goed om denken.'

De dochters zeiden niets. Natalie kon niets bedenken, en ze vermoedde dat Dana nog niet aan praten toe was. De boosheid was nog te vers.

Misschien was Dana's boosheid gerechtvaardigd. Misschien zou ze nooit begrijpen waarom Natalie had getreuzeld om het haar te vertellen. Misschien zou Dana zich alleen maar herinneren dat Natalie haar had kunnen waarschuwen voordat het serieus was geworden met Aidan, maar dat ze in plaats daarvan had gekozen voor ontkenning. Misschien had Natalie het mis gehad, maar ze had geen idee hoe mis totdat ze deze diagnose had ontvangen.

'Ik ga naar Natalie's huis,' zei Val. 'Ik blijf de hele dag om op te passen, want ik wil dat ze uitgaan en afleiding zoeken. Winkelen, naar een museum. Misschien uit eten. Zei je gisteren door de telefoon niet dat Aidan en jij vanavond naar de film gaan, Dana?'

Dana rechtte haar rug en zei ijskoud: 'Aidan en ik zullen vanavond niet uitgaan.'

Ze keek nog een keer naar Natalie, die de ijspegels haar kant op voelde komen, ondanks hun moeders verzoeningspoging. Hoe kon ze Dana vertellen – haar laten geloven – dat ze er alles voor over zou hebben als het allemaal niet waar was?

Natalie draaide zich om toen ze Luke hoorde terugkomen, met Ben in één arm en een klein blauw plastic tasje met een zware luier in de andere. Ze namen hun troep mee als ze vertrokken, zeker de stinkende soort.

Op dat moment viel haar voor het eerst Dana's wandversiering op. De klok, de zwart-witfoto's vergroot en ingelijst in het verweerde lijstje. Maar het kabinet er tussenin trok haar aandacht en hield hem vast. Er hing een kruis in, niet groter dan de palm van Natalie's hand. Het had een rand van ijzer.

Natalie liep erheen.

Luke moest het ook gezien hebben, maar Natalie keek niet om. Ze hoorde Bens geluidjes vlak achter zich.

'Zie je dat?' fluisterde Natalie.

'Het lijkt op...'

'Dana,' zei Natalie, luider nu, 'hoe kom je aan dat kruis dat aan de muur hangt?'

'Van zolder. Het zat bij pa's spullen. Waarom?'

Natalie keek naar Luke, die terugstaarde met in zijn ogen het eerste spoor van licht dat ze in dagen had gezien.

'Dit moet het zijn. Waar kan het anders vandaan zijn gekomen, als je vader het had? Kijk.' Luke boog zich er dichter naar toe. 'Daar is het midden, glad gewreven door al die duimen.'

Dana kwam erbij staan. 'Waar hebben jullie het over?'

Natalie keek naar haar zus om en glimlachte. Het voelde vreemd aan, alsof de spieren die ze daarvoor moest gebruiken, verstijfd waren. 'Lees het dagboek, Dana. En denk eraan: vertrouw op Hem, in alles.'

38

Ik ben nalatig geweest in het opschrijven van de gebeurtenissen van de afgelopen dagen. Maar ik moet bekennen dat het veel bevredigender is om de liefde van Peter en mij te beleven dan er alleen maar over te schrijven. Hoewel ik weet dat die gebeurtenissen voor altijd in mijn hart gegrift zijn, wil ik dit geschreven verslag compleet hebben voor degenen die nog niet geboren zijn. Ja, ik kan nu met blijdschap over die hoop schrijven! Dit dagboek en wat het wellicht te bieden heeft, kan eens in de handen liggen van onze kinderen, de kinderen van Peter en mij, en elke generatie daarna als God ons daarmee wil zegenen.
Het is nu drie dagen geleden dat mijn wereld op één avond verpletterd werd en nieuw leven kreeg. Drie dagen van geluk zoals ik nooit eerder heb gekend, zwelgend in de liefde die Peter zo graag wil geven.
Ik heb Peter alles verteld – van Royboys ergste zwakheden tot de vreselijke dag dat mijn ouders en ik Percy en de anderen vonden in de restanten van het jachthuis. Ik huilde toen ik het hem vertelde, en Peter hield me dicht tegen zich aan en huilde ook. Steeds weer bood ik hem aan zich vrij te maken van zijn aanzoek, en steeds opnieuw weigerde hij ronduit.
Beryl en Christabelle zijn dolblij met onze plannen om te trouwen, maar van al mijn familieleden

was de reactie van douairière Merit het meest onverwacht. Zij was degene geweest die de Hamiltons voor me gewaarschuwd had, en daardoor had ik de conclusie getrokken dat ze de verbintenis niet zou goedkeuren.

Maar toen ze ons samen zag, die ochtend na het bal, pakte de douairière mijn hand en fluisterde: 'Hij moest een weloverwogen besluit nemen, kind. En dat heeft hij gedaan. Het is niet onmogelijk dat je hem een gezonde zoon schenkt. Je hebt gezonde neven die daar het bewijs van zijn. Zorg dat je dat doet, omwille van Engeland – hoeveel kinderen je er ook voor baren moet.' Toen gaf ze me een kus op mijn wang en gaf me haar zegen zodat iedereen het horen kon!

De avond voordat we naar Ierland vertrokken, kwam ik met de familie Hamilton in de salon bij elkaar om te bidden. In zijn gebed om een veilige reis, bespeurde ik in lord Hamiltons stem de oprechtheid om Gods leiding te zoeken en te volgen, zelfs toen hij hem vroeg de toekomst van het Hamilton-erfgoed te bewaren. Ik bad dat we allemaal Zijn wil voor die van onszelf zouden laten gaan.

Toen we Hamilton Hall verlieten, kwam Peter naast me zitten in het rijtuig dat ons naar de trein bracht. Hij hield mijn hand vast, en hoewel onze glimlach werd ingegeven door elkaar, lachten we vrolijk naar iedereen om ons heen. Ook met Beryl, die tegenover ons naast Millie zat. Berrie had gevraagd of ze met ons mee mocht naar Ierland, en niemand, zelfs lady

Hamilton niet, had een reden kunnen bedenken om het niet toe te staan.
Eenmaal gezeten en onderweg wilde Peter me meteen kussen. Berrie plaagde hem dat ze de koetsier zou vragen Millie en haar op het bagagerek te hijsen om ons de privacy te geven die we kennelijk wilden. Maar natuurlijk was Peter de galante heer, zoals zelfs Beryl hem kent.
Pas toen we de lange laan naderden die naar het landhuis voer, werd mijn opwinding getemperd door de werkelijkheid dat Peter eindelijk met eigen ogen de gevolgen van de vloek zou zien. Ik was er zeker van dat mama zou zorgen dat Royboy niet de eerste was die onze gasten zouden ontmoeten. Maar toch vond ik geen woorden om Peter voor te bereiden op wat hij uiteindelijk zou zien.
Toen ik probeerde mijn bezorgdheid tegen hem te uiten, legde hij een hand op mijn wang en zei met een glimlach: 'Je moet niet bang zijn. Ik houd van je.'
Ik koesterde me in zijn aanraking, maar kon niet teruglachen. 'Jouw liefde wil ik juist zo graag behouden.'
'Denk je dat die zo broos is?' vroeg hij me. 'Als het andersom was, zou jij dan bang zijn dat je liefde ineens zou verdwijnen?'
'Nee. Ik weet dat ik altijd van je zal houden.'
'Weet dan hetzelfde van mij.'

Niet veel later waren ze allemaal uit het rijtuig gestapt en begroet door jongens die Cosima kende uit het dorp en die kennelijk in dienst waren genomen als livreiknecht. En daar, op de stenen trap van het landhuis dat generaties lang Kennesey-bloed had gehuisvest, stonden haar ouders.

Cosima rende in hun open armen en ze trokken haar tussen hen in voor een verstikkende omhelzing. In de uitbundigheid van de begroeting verloor Cosima haar hoed, en een van de livreiknechten rende erachteraan toen het ding werd opgepakt door de wind. Het liet Cosima koud.

'Papa.' Ze noemde hem bij de naam die ze als kind had gebruikt en keek toen naar haar moeder: 'En mama. Wat heb ik jullie gemist!'

Ze draaide zich om en met één hand in de hand van elke ouder voerde ze hen mee naar Peter en Beryl die voor het rijtuig stonden. 'Moeder, vader, dit is juffrouw Beryl Hamilton en haar broer lord Peter Hamilton, baron.'

Ze zag dat haar moeder naar het lege rijtuig keek alsof ze verwachtte dat er nog iemand uitkwam. Sir Reginald misschien?

Na de beleefde begroeting gingen ze naar binnen. Zoals Cosima had verwacht, was het landgoed volledig in gebruik. Ze werden meegenomen naar een grote kamer aan de voorkant van het landhuis, een kamer waar Cosima niet meer was geweest sinds lang voordat ze een paar maanden geleden was vertrokken.

Alle meubelhoezen waren weg, en de groen met witte kamer glansde van het schrobben en poetsen en was fris van het grondige luchten. Hoeden werden aangenomen en er werd thee geserveerd en algauw zaten ze te praten over iets van groter betekenis dan de prachtige dag en het gemak en de veiligheid van hun reis.

'Hamilton,' zei haar vader peinzend. 'Zeg eens, bent u familie van lord Graham Hamilton, de burggraaf?'

'Ja meneer, dat is mijn vader.'

Haar vaders wenkbrauwen schoten omhoog, maar ze wist niet goed of hij aangenaam getroffen of ontsteld was, want de kleur verdween van zijn verweerde wangen.

'Mama, papa, lord Hamilton heeft me naar huis vergezeld in de hoop onze familie beter te leren kennen,' begon Cosima voorzichtig. Haar moeders ogen begonnen te dansen van geluk. 'Hoewel ik hem heb verteld over... onze familie... gelooft hij dat we misschien... tenminste, we hebben de *mogelijkheid* overwogen...'

Peter, die in de stoel het dichtst bij haar zat, zette zijn thee opzij en pakte haar hand. 'Ik ben gekomen met de bedoeling om met uw dochter te trouwen, meneer en mevrouw Escott. Vergeef me mijn openhartigheid, maar ik ben niet zo onzeker als Cosima op dit moment.'

'Trouwen met Cosima?' zei haar vader. 'Ik moet zeggen dat het me niets verbaast. Ik zag meteen toen Cosima u voorstelde dat ze u hoogacht. Maar eerst zal Cosima haar moeder en mij over enkele dingen moeten adviseren.' Hij staarde zijn dochter aan. 'Ik ben blij dat lord Hamilton openhartig is geweest. Ik zal het ook zijn. Hoe kan het dat je lord Hamilton hebt ontmoet, Cosima, en wat is er in vredesnaam gebeurd met die kerel met wie je vertrok?'

'Alstublieft, meneer,' zei Beryl. 'Mag ik die vraag beantwoorden? Aangezien we vandaag toch openhartig zijn, mag ik zeggen dat ik twee dagen met hen heb gereisd en dat ze me buiten bijna alle gesprekken hebben gehouden? Ik ben bij Cosima geweest vanaf de dag dat ze aankwam in Londen, dus wellicht weet ik meer details dan Peter zelf. Mag ik?'

Cosima's ouders keken van Beryl naar Cosima, als om toestemming te vragen, en ze knikte dankbaar. Ze genoot van de aanblik van haar luisterende ouders en dronk haar lievelingsthee. Mama had eraan gedacht die te serveren.

Beryls stem, die zo leek op die van haar moeder, vertelde het verhaal alsof het een roman van Dickens was. Dat Cosima's ouders het meteen goedkeurden, was vanaf het begin duidelijk.

Cosima zou ervan genoten hebben, van de liefde die ze voelde tot de plannen die Peter en zij hoopten te maken.

Maar er was nog één ding: Peter moest Royboy nog ontmoeten.

39

In bed naast Luke wachtte Natalie tot haar man gelijkmatig ademhaalde. Hij viel altijd eerder in slaap dan zij, ook al voordat de vele zorgen haar de laatste tijd 's nachts wakker hielden.

Maar vanavond kwam het gelijkmatige ademhalen niet. Hij leek stiller dan ooit, afgezien van nu en dan een zucht.

'Luke?'

Hij draaide zich op zijn rug. 'Sorry. Heb ik je wakker gemaakt?'

'Nee, ik sliep niet. Is alles... goed?'

Hij bracht zijn hand naar zijn gezicht en ze begreep dat hij gehuild had. 'Er viel me vanavond iets op toen ik Ben zijn pyjamaatje aantrok.' Zijn stem klonk zo kalm; misschien had ze zich vergist. 'Toen hij geeuwde en zijn mond heel wijd opendeed... zag ik voor het eerst zijn gehemelte. Het is zo hoog, zo nauw.' Luke zuchtte nog eens, alsof hij de lucht had vastgehouden. 'Ik geloof dat ik behoorlijk stom ben geweest, Naat. Al die tijd heb ik diep vanbinnen eigenlijk niet geloofd dat er iets mis was. Zoals Dana zei vandaag, het is allemaal moeilijk te geloven. Zelfs het bloedonderzoek overtuigde me niet. Of het dagboek. Vanavond was het voor het eerst dat ik echt iets *zag*. Het bewijs dat het waar is: er is echt iets mis met hem. Iets wat we niet kunnen repareren.'

Natalie legde haar hoofd op zijn schouder en hij sloeg zijn armen om haar heen. De tranen stroomden over haar wangen en maakten zijn T-shirt nat. Even later voelde ze hem verstrakken en schokken van het huilen om de zoon die ze verloren hadden, om de zoon die ze wel hadden maar die zo anders was dan de zoon die ze dachten te kennen.

'God...' zei Luke eindelijk, met een stem die niet vast meer klonk, '... kom ons in ons ongeloof te hulp; neem weg ons gebrek aan vertrouwen in Uw goedheid en help ons eraan te denken dat U het beste voor ons wilt. Dat U ons de kracht kunt geven om alles te doorstaan.' Hij zuchtte diep en voegde eraan toe: 'God, ik wil dat dit weggaat, omwille van ons allemaal... ik wil het begrijpen... maar ik begrijp het niet...'

Hij zweeg en Natalie nam het over. 'We hebben Uw kracht nodig, God, omdat onze kracht tekortschiet. We weten dat we U moeten danken onder alles... maar dit... help ons, God, om de weg te vinden.'

Het gebed maakte geen eind aan de tranen, maar Natalie had het gevoel dat de Heilige Geest er was.

Na een poosje, toen Natalie dacht dat Luke sliep, verraadde zijn zachte stem dat hij nog wakker was. 'Heb je ooit gedacht aan Gods liefde en goedheid? Ik bedoel, echt stilgestaan bij die dingen, Natalie?'

Ze gaf geen antwoord, want op dat moment

vroeg ze zich af of ze het had gedaan, op de bijzondere manier die hij bedoelde. De laatste tijd leek Gods liefde moeilijk lang vast te houden. En Zijn goedheid? Tot haar eigen schande had ze daar meer dan eens aan getwijfeld.

Hij kuste haar schouder. 'Weet je nog die preken die we hoorden over de reden dat God ons een vrije wil geeft... om ons te leren liefhebben? Zonder te *kiezen* voor liefde is het geen echte liefde.'

Ze wist het nog, maar ze zei niets. God had haar lief; dat wist ze altijd al. Ze voelde het alleen niet.

'Daar moet ik nu aan denken, Naat,' fluisterde Luke. 'Want anders begin ik eraan te twijfelen of God echt goed is. En als ik daaraan ga twijfelen... nou ja, dat mag niet.'

Natalie's hart bonsde. 'Ik twijfel er *wel* aan, Luke. Een goede God die ons liefheeft, gaf ons... dit?'

Ze hoorde hem rustig ademhalen, maar haar eigen ademhaling stokte.

'Dat is het hem nu juist. Was het niet vanwege Zijn goedheid dat Hij ons in de eerste plaats die vrije wil gaf? Die moest komen met al het slechte, om het goede te leren? En een uitweg uit het slechte... door Zijn Zoon?'

Natalie wilde niet argumenteren over de filosofische nuances van hun geloof. Maar ze wilde zich ook niet voelen zoals ze zich voelde. Alsof God haar niet liefhad zoals Hij anderen liefhad. Anderen, met gezonde kinderen.

'Is de manier waarop Hij ons liefheeft niet

de manier waarop Hij wil dat wij Ben liefhebben?' ging Luke verder. 'De manier waarop Hij wil dat alle ouders van hun kinderen houden? Onvoorwaardelijk?'

'Ik houd op die manier van Ben, maar...' Ze wilde het niet zeggen. Ze wilde niet het ergste over zichzelf onthullen, zelfs niet aan de man die beloofd had haar lief te hebben tot de dag dat een van hen stierf. Misschien vooral niet aan hem. En toch voelde ze zich gedwongen om verder te gaan. 'Maar Ben kan nooit van ons houden, Luke. Misschien zal hij het nooit kunnen laten zien als hij van ons houdt, of weten hoe hij het moet zeggen.'

'Dus... onze liefde moet gebaseerd zijn op wat we in ruil daarvoor krijgen?'

'Nee, natuurlijk niet. Maar is het niet moeilijker om van iemand te houden die niet van jou kan houden?'

'Ik denk dat onze liefde daarom meer op de liefde van God zal lijken. Hij ziet alle rottige dingen die we ooit in ons leven hebben gedaan en houdt toch van ons. Als Ben hier is om te leiden wat iedereen op aarde een "betekenisloos leven" zou noemen, zonder productiviteit, zonder kennis, dan zijn het de mensen om hem heen die God het diepst wil raken en veranderen. Omdat Hij ons liefheeft.'

'Grappig, ik dacht dat we vóór dit alles genoeg van elkaar hielden en van Hem.' Maar natuurlijk was het helemaal niet grappig.

Luke trok Natalie naar zich toe. Zijn gezicht

zweefde ernstig boven het hare. 'Ik worstel er ook mee, Natalie. Maar Ben zal kunnen laten zien dat hij van ons houdt. Hoe dan ook.'

Ze moest wel glimlachen, zich vasthouden aan wat ze in zijn ogen zag. Hij worstelde misschien, zoals hij beweerde, maar daarnaast was er iets wat haar hoop gaf. Iets wat ze niet anders kon noemen dan... kracht. 'Dat zal dan genoeg zijn.'

40

Er is een oud Iers gezegde dat luidt: 'Eenvoud brengt geluk.' Misschien, als ik dat gezegde een beetje mag verdraaien, brengen de eenvoudigen geluk. Je ziet Royboy haast nooit zonder glimlach. Er zijn dagen dat ik veel kan leren van hem.
Ik zit hier in de ochtendzitkamer en terwijl ik schrijf, zie ik Peter en Royboy door het raam. Ze spelen een nogal onconventioneel kegelspel. Royboy rolt de bal van een verboden klein afstandje naar de kegels. Peter zet ze weer rechtop als hij er eentje raakt, en moedigt hem aan als hij er geen eentje raakt. Royboy gooit er haast nooit een om, maar ik zie de vrolijkheid van mijn broer in het bekende fladderen met zijn handen. Zijn mond vormt een grote ronde O om geluiden te maken die alleen Royboy kan...

'Is de thee nog warm?'

Cosima keek op en zag haar vader de ochtendzitkamer betreden. Het was nog vroeg, even over half tien. Vader was gekleed als elke Engelse heer, in een witte broek, gepoetste schoenen, een donkerblauw jacquet, en een vest waarvan de kraag op zijn plaats werd gehouden tegen zijn hals door een witte das.

'Ja,' antwoordde ze, terwijl ze haar kopje optilde en een slok nam.

Haar vader nam thee, maar liet de ham en eieren die warm werden gehouden op een réchaud links liggen. Hij kwam naast haar op de canapé bij het raam zitten.

'Peter is een voortreffelijke jongeman gebleken in de twee dagen dat hij hier is.'

Cosima knikte. Daar twijfelde ze niet aan.

'Ik neem aan dat je weet dat hij me vanmorgen te spreken heeft gevraagd.'

'Hij zei dat hij dat van plan was,' antwoordde Cosima. 'Ik wist niet wanneer.'

Haar vader liet zijn theekopje zakken en keek Cosima aan. 'Ik denk dat hij wil vragen hoe ik besloten heb met je moeder te trouwen, aangezien de omstandigheden enigszins gelijk waren. Je moet weten dat ik volkomen eerlijk tegen de jongen wil zijn.'

Cosima keek hem aan en glimlachte, ze legde een hand op zijn pols. Even dacht ze na over zijn woordkeus – hij had niet gezegd dat hij *van plan was* om eerlijk te zijn, alleen dat hij het *wilde* zijn. 'Geen van ons beiden zou het anders willen, papa. Vanuit mijn standpunt heb ik ook niets achtergehouden. Als Peter met me wil trouwen, heb ik liever dat hij het ergste verwacht en verrukt is als het meevalt, dan andersom.'

Hij nam zijn theekopje in één hand en legde zijn vrije hand op de hare. 'Heb ik je verteld, Cosima, hoe trots ik op je ben?'

Soms was het goed om je weer een kind te voelen, goedgekeurd door een ouder. ‘Dank u, papa.’

Algauw kwamen Peter en Royboy binnen. Ze droegen allebei makkelijke kleding, Royboy had nooit anders aan. Peters witte linnen overhemd paste bij dat van Royboy, evenals zijn nonchalante donkere broek. Nadat ze goedemorgen hadden gezegd, schepten ze zichzelf ontbijt op. Cosima zorgde dat Royboy een bord gebruikte en bestek en wees hem erop dat hij zijn mond niet mocht volstoppen. Hij gedroeg zich zo netjes dat ze niet wist of ze opgelucht moest zijn of ongerust. Tot nu toe had Peter alleen de positieve kant gezien van Royboys spectrum.

Na het ontbijt kwam Decla Royboy ophalen. Hij moest regelmatig naar het toilet worden gebracht, anders vergat hij het tot het te laat was. Daarna zou Decla, zoals ze vanaf zijn geboorte had gedaan, dienen als privélerares en kinderjuffrouw, en met hem lezen en de spelletjes doen die hij leuk vond. Decla had meer geduld met Royboy dan de meeste andere mensen.

Het werd stil in de kamer toen Royboy weg was.

Cosima besloot dat ze moest vertrekken zodat Peter en haar vader vertrouwelijk konden praten.

‘Ik wil graag een brief schrijven, vader, Peter. Dus als jullie me willen excuseren...’

Peter en Cosima’s vader stonden even op toen Cosima van tafel ging, maar Peter, naast haar, raakte zachtjes haar hand aan. ‘Moet je gaan?’

'Misschien is het nu een goed moment voor je om met mijn vader te praten. Ik wil niet dat mijn aanwezigheid de vragen – en de antwoorden – in jullie discussie beïnvloedt.'

'Maar ik had me voorgesteld dat je erbij zou blijven,' zei Peter. 'Dit is een besluit van ons samen, niet van mij alleen. Ik vind dat je op de hoogte moet zijn van alle punten die meegenomen worden in de toekomst waarover we beslissen.'

Cosima wilde graag blijven, maar ze keek haar vader aan. 'Vader?'

'Ik heb de bedoeling om eerlijk te zijn, met of zonder jouw aanwezigheid.'

'Goed dan.'

Ze namen plaats in de witte rieten stoelen die uitkeken over de uitgestrekte gazons en de akkers daarachter. Cosima had het uitzicht gemist: de groene velden omzoomd door donkergroene heggen en glooiende heuvels.

Maar toen ze haar plaats innam en gewoontegetrouw een dankgebed zei, voegde ze er een smeekbede aan toe. *Alstublieft, God, help ons allen te horen en te zeggen wat gehoord en gezegd moet worden.*

'Meneer,' zei Peter terwijl hij zijn stoel dichter naar die van Cosima schoof, 'ik merk dat ik verlegen zit om vaderlijk advies nu mijn eigen vader zijn gezonde verstand verloren schijnt te hebben. Misschien heb ik meer aan uw advies, omdat u zelf hebt meegemaakt wat wellicht voor Cosima en mij in de toekomst ligt. Cosima vertelde me dat er al geruchten over haar moeder gingen voordat u trouwde, en toch bent u getrouwd.'

'Ja, we zijn getrouwd. Maar ik moet zeggen...' Zijn stem stierf weg toen zijn blik op Cosima bleef rusten. 'Enkele dingen die ik zeg, zul je misschien moeilijk vinden om te horen, van je vader. Ik denk dat het niet makkelijk is voor een kind om een ouder te zien als iets anders dan dat, en niet gewoon als een mens zoals ieder ander, vol fouten en gebreken.'

Peter pakte Cosima's hand. 'Ik denk dat het het beste is als je het hoort, hoe moeilijk het ook is.'

Ze schudde haar hoofd en keek van de een naar de ander. 'Bezwijmen of een toeval krijgen, is dat wat jullie verwachten als jullie allebei eerlijk zijn waar ik bij ben?'

Peter grinnikte. 'Het lijkt me allebei aannemelijk, gezien mijn ervaring met het gedrag van Beryl en Christabelle.'

Cosima glimlachte. Ze was blij met zijn poging om haar te kalmeren, ze gingen dingen bespreken waar de meeste andere mensen nooit voor kwamen te staan. 'Wees gerust, ik ben helemaal opgewassen tegen alles wat ik moet horen.'

'Heel goed dan, Cosima,' zei haar vader. 'Ik zal beginnen met jullie te vertellen dat toen ik je moeder voor het eerst ontmoette, geen haar op mijn hoofd aan een huwelijk dacht.'

Cosima keek hem verbaasd aan, maar ze durfde geen woord te zeggen uit angst dat een van beiden zou denken dat ze haar eigen belofte niet nakwam.

'Ik was naar Ierland gekomen om te ontsnappen aan elke gedachte aan een huwelijk, zie je. Ik was net tweeëntwintig jaar. Ik ging omdat het precies de plek was die mijn ouders het meest zouden afkeuren. Ik weet dat jullie allebei mijn moeder kennen, en ik verzeker je dat ik geen behoefte heb om jullie gevoelens voor haar te beïnvloeden. Maar ik kan niet anders dan jullie mijn mening geven: ze is veeleisend, bekrompen en kritisch. Ze hecht meer waarde aan regels dan aan elke vorm van genade – dat woord kent ze niet eens, naar wat ik me herinner.

Mijn moeder stelde de vrouw met wie mijn broer John moest trouwen aan de familie voor. Wij wisten het niet, maar er was aanvankelijk een misverstand en Meg dacht dat ik het was die ze moest huwen. Ik ben bang dat ik het misverstand heb aangemoedigd toen ik vermoedde wat ze dacht, en ik sprak met haar af in een lege salon. Ik weet niet of ik me tot haar aangetrokken voelde of dat ik mijn oudste broer wilde verslaan, maar dat was het begin van wat uiteindelijk een akelige breuk in de familie werd. Mijn moeder vond ons – we waren gewoon aan het praten, begrijp me goed, maar toch. Heel onbetamelijk.

Ondanks het feit dat Meg in verlegenheid was gebracht, werden zij en ik vrienden, hoewel ze ermee instemde met John te trouwen. Dus ze raakten verloofd. Hij was tenslotte de erfgenaam en ik, als tweede zoon, een gewone burger. En het is moeilijk om een vrouw als mijn moeder iets te weigeren. Ze had Meg uitgekozen om de volgende burggravin te worden, en John noch Meg had veel te zeggen in de kwestie. Ik nam het hen niet kwalijk.

Alles zou in orde zijn geweest, behalve dat Meg en ik toen we een keer alleen waren, elkaar kusten. Het had eigenlijk niets te betekenen, het was maar een experiment, want tot dan toe waren we alleen maar goede vrienden. Ik vond het raar om bevriend te zijn met een vrouw, en misschien vond zij het vreemd om een vriend te hebben in mij. Het was een heel prettige kus en ik geloof dat we, als we getrouwd waren, vrienden waren gebleven. Maar helaas hoorde mijn moeder van mijn overtreding en ze vernederde me waar John bij was: ze beschuldigde mij ervan dat ik zijn verloofde probeerde af te pikken en verweet hem dat hij blind was.

Het was maar een klein incident vergeleken met enkele ruzies die we door de jaren heen hebben gehad, mijn moeder en ik. Ze had zo weinig genade voor andermans gebreken. Maar die onenigheid was de laatste. Ik vertrok en ik ben nooit teruggegaan.'

'Weet u, vader, dat grootmoeder iemand heeft betaald om rapport over u uit te brengen? Ze moet zich toch al die jaren om u hebben bekommerd, en u gemist hebben.'

Hij knikte. 'Er waren moment dat ik haar ook miste.'

'Maar wist u het? Van die rapporten, bedoel ik?'

'Ja, dat handelt Melvin af. Ik heb er zelfs een paar zelf geschreven,' zei hij met een lachje. 'Ik wilde zeker weten dat alle details klopten.' Hij richtte zich tot Peter. 'Maar wat heeft dat allemaal te maken met het besluit dat je moet nemen, Peter? Ik hoop je te laten zien in welke stemming ik was toen ik Cosima's moeder voor het eerst ontmoette. Van vrouwen had ik, op dat punt in mijn leven, meer last dan gemak. Ik had besloten niet te trouwen, maar het meeste te maken van het investeringsgeld dat ik mee had gebracht – ja, geluk te zoeken op de plek die mijn moeder het meest zou ergeren.

Toen hoorde ik van dit landgoed, Cosima. De vader van je moeder had bekendgemaakt dat hij bereid was zijn land te verkopen, omdat het erop leek dat zijn erfgenaam – je moeder – onwillig was om te huwen. Haar jongere zus was getrouwd en naar het noorden verhuisd. Destijds was je moeder van plan naar haar toe te gaan en hun broer Willie mee te nemen, met een flinke som geld tot haar beschikking, aangezien haar vader van plan was om haar de opbrengst van de verkoop na te laten.'

Hij leunde achterover in zijn stoel en strekte zijn benen voor zich. 'En zo kwam ik hier voor het eerst als potentiële koper. De dorpsbewoners dachten dat ik het land wilde krijgen door te trouwen en niet door het te kopen, en dus vertelden ze me vlug over Willie, de broer die als de dorpsgek werd beschouwd. Een wrede benaming, maar zo was het nu eenmaal. Een wrede herinnering ook, aan dorpsbewoners die al te enthousiast hun verhalen over een vloek over de Kenneseys wilden verspreiden. Ik ontmoette je moeder voor het eerst op een ochtend als deze.'

Hij keek uit het raam alsof hij niet meer aanwezig was maar in een andere tijd verkeerde, lang voordat Cosima was geboren. 'De zon scheen op haar haren, en het glansde als goud. Ze had een mand met bloemen in haar ene hand en een schetsboek in de andere, en toen ik de laan op kwam, liet ze ze allebei vallen in de wind. We verdrongen elkaar om de papieren bij elkaar te zoeken en toen ik ze aan haar gaf, werd ik getroffen – ik zag nauwelijks de tekeningen, waar ik anders van onder de indruk zou zijn geweest. Het enige dat ik zag, was zij.'

Cosima en Peter wisselden een blik. Ze begrepen allebei wat haar vader op die dag zo lang geleden had gevoeld.

'Zoals ik al zei, ik was gewaarschuwd voor het feit dat ze een broer had die zwakzinnig was. Ik had ook te horen gekregen dat haar zus jaren geleden was getrouwd en een klein kind had van wie vermoed werd dat hij ook zo was. Er gingen geruchten over anderen aan haar moeders kant, nog een stel neven die ook getroffen waren. Die twee waren weggestopt in een inrichting, maar als die tak van de familie had gehoopt zo aan het stigma te ontkomen, dan hadden ze het helemaal mis. Niemand vergat het, en ze zorgden dat ik alles wist. Als ik met een Kennesey trouwde, kon hetzelfde lot mij treffen.

Ik was bang, denk ik. Maar ik was ook jong en dwaas.' Cosima's vader keek naar Peter en voegde eraan toe: 'Jij ook misschien. Vol jeugdige onoverwinnelijkheid. In mijn geval redeneerde ik verder dat aangezien het niet mijn bedoeling was om te trouwen, een gezin stichten voor mij niet nodig was. Maar ik was opgevoed in een streng gezin, waar het ondenkbaar was om de regels te overtreden, en dus stond het buiten kijf dat als ik bij Cosima's moeder wilde zijn, ik met haar moest trouwen. En waarom niet? dacht ik. Anders dan jij, Peter, had ik geen erfgoed, geen verantwoordelijkheid voor de toekomst. En dus negeerde ik, nogal luchthartig denk ik, de waarschuwingen en vroeg Cosima's moeder ten huwelijk. Wat had ik te verliezen, aangezien een gezin nooit mijn doel was geweest?

Toegegeven, in het begin was het misschien een mengeling van liefde en lust, maar het duurde niet lang voordat de liefde het sterkst was. We kregen onze Percy en toen jou, Cosima, en voor een heel korte tijd dacht ik dat het leven niet gelukkiger kon zijn. Willie was bij ons, maar we hadden meer dan genoeg hulp om voor hem te zorgen. Er gingen beroerde verhalen over inrichtingen en we peinsden er niet over om hem weg te sturen naar een plaats waar hij slecht behandeld zou worden. Wisten jullie dat de patiënten in sommige inrichtingen naar een open ruimte worden gebracht waar een bezoeker tegen betaling naar ze mag kijken en lachen om die hulpeloze mensen? Daar hoort geen mens thuis die gemaakt is naar Gods beeld – aan geen van beide kanten van het kijkraam, als je het mij vraagt. Er was geen andere keus dan hem bij ons te houden, begrijp je. Hij was een goedhartige kerel.

En zo werd ons gezinnetje gesticht en ons landgoed werd steeds welvarender. We kregen het idee dat de mensen niet meer spraken over de Kennesey-vloek. We waren gelukkig, en gelukkige mensen zijn minder vaak het mikpunt van roddel, of misschien merken gelukkige mensen er minder van. We hadden vrienden en gingen naar feesten en leidden een eenvoudiger en serener leven dan ik voor mogelijk had gehouden.

Totdat Percy achteraf toch tekenen van achterlijkheid vertoonde. Het was de vloek weer, en je moeder raakte in een ondraaglijke depressie. Dat was het ergste, misschien erger dan het besef dat ik een zoon had die niet in staat was me op te volgen. Een zoon van wie ik meer hield dan ik ooit had verwacht. Nu ik mijn gezin had, was niets belangrijker voor me. Maar ik had Cosima nog om ons op te volgen, die intelligent is en gezond, en daar heb ik altijd troost in gevonden. Maar voor je moeder was het onverdraaglijk. Ze hield van me en wilde me een gezonde zoon geven.'

Hij nam een slok thee, alsof de woorden zijn mond droog hadden gemaakt. 'Het leek of we zo een eeuwigheid leefden, maar achteraf gezien was het maar een paar jaar. Cosima, herinner je je de tijd dat je moeder nooit van haar kamer kwam?'

Ze schudde haar hoofd. 'Nee, papa.'

'Een herinnering die ongetwijfeld door de Almachtige uit je hoofd is gehaald.'

'Waardoor kwam er verandering in?' vroeg Peter.

Cosima's vader haalde zijn schouders op. 'Tot op de dag van vandaag zou ik het niet kunnen zeggen. Het was een langzaam proces, dat staat vast. Ze begon weer te eten, en stond mijn gezelschap toe. We waren vreemden voor elkaar en ik ging bij haar op bezoek alsof ik haar het hof maakte. Het kostte tijd, maar we hebben alles teruggekregen wat we verloren hadden.'

'Gaf ze zichzelf er de schuld van dat Percy zo was, vader?'

Hij knikte. 'Maar na een poosje, nadat ze weer in haar bijbel ging lezen en naar de kerk ging, aanvaardde ze dat God uiteindelijk alles bestuurt. Dat Hij nog steeds goed is, al leven we in een wereld die soms niet goed is. Op een dag keek ze me aan en zei dat het misschien een zegen was om Percy te hebben, want hij deed haar verlangen naar de dag dat hij heel zal zijn, in de hemel. Kan iets dat ons doet verlangen om bij God te zijn, zo vreselijk zijn?'

Cosima's vader keek naar Peter. Hij liet zijn onderarmen op zijn knieën rusten, vouwde zijn handen en staarde lange tijd voor zich uit voordat hij verder sprak. 'We hebben een toekomst voor onze zoons onder ogen moeten zien die geen ouder zou kiezen. Er waren tijden, voor ons allebei, dat we geloofden dat er nooit meer blijdschap in ons gezin zou zijn, niet alleen toen we beseften dat de vloek op ons rustte, maar ook nadat we onze Percy hadden verloren. Het was verkeerd van Rowena om te doen wat ze deed, al dacht ze dat ze met haar daad de vloek kon uitwissen.

Maar mettertijd leerden we leven met de onzichtbare littekens. En Royboy... hij is beperkt, dat is waar, en het is droevig voor ons om te zien wat hij mist. Maar we houden van hem omdat hij een zuiver mens is, die onvoorwaardelijk vertrouwt, en die onbeperkte vriendelijkheid schenkt zelfs als we kwaad op hem zijn – soms ten onrechte. In Royboy heb ik de genade gevonden die mijn moeder me nooit kon geven.'

Hij leunde achterover en wreef met zijn handen over zijn knieën. 'Draagt hij iets aan ons leven bij? Misschien niet zoals wij zouden willen, maar wel op een manier die ons erop wijst hoe gezegend we zijn met een gezond verstand.' Hij zuchtte en sprak toen op luchtiger toon. 'Kijk, ik heb mezelf nooit gezien als een grappige man. Maar in mijn zoon vind ik een gretig publiek, of ik nu geestig ben of niet. Hij mag dan niet in staat zijn me te vertellen dat hij van me houdt, maar hij toont het in zijn blije lach, elke dag van zijn leven. Ik zou mijn leven geven om hem gezond te maken, maar aangezien dat niet kan, aanvaard ik hem zoals hij is en wacht, met mijn vrouw, op de dag dat hij heel zal zijn. In de hemel.'

Een tijd lang zei niemand iets, tot haar vader verder ging. Hij keek Peter peinzend aan. 'We hadden onze zwakzinnige zoons kunnen verstoppen, zoals sommige mensen doen. Maar het lijkt mij dat God bepaalt waar een kind wordt geplaatst. Als een mens aan een gezin wordt toevertrouwd, is het aan die familie om de zegen te zien door de lasten heen. Misschien hebben gezinnen als het onze wat meer hulp nodig bij de dagelijkse verzorging, en het is goed om die hulp te zoeken. Maar op een manier die iedereen rechtdoet, ook een kind als Royboy.'

Hij stond op, liep naar het raam en staarde naar buiten. 'Jullie moeten weten – allebei – dat een inrichting niet de oplossing is, mochten jullie kinderen krijgen zoals Royboy. Slecht eten, slaag, opsluiting en vergeten worden, behalve door degenen die hen belachelijk maken en voor het kijkraam staan te wachten tot ze iets raars doen...'

'O, papa!' zei Cosima. 'U moet geen ogenblik denken dat een van ons beiden dat zou overwegen.'

Peter stond op en Cosima zag hoe de twee mannen van wie ze het meest hield op de wereld elkaar aankeken. 'Meneer, mijn plicht als vader, mocht God me zodanig zegenen, zou zijn om elk kind dat God me geeft de beste zorg te verschaffen.'

Cosima's vader knikte en legde een hand op Peters schouder in stille aanvaarding van zijn woorden. Cosima kwam naast Peter staan en haar vader nam van elk een hand in de zijne. 'Royboy is niet waar elke vader om zou bidden. Kijkt niet elke ouder in het gezicht van zijn kind en denkt: "Ah, jij zult degene zijn die de wereld tot een betere plek maakt?"' Hij keek naar Cosima en glimlachte. 'In jou, Cosima, ben ik niet teleurgesteld.'

Cosima keek Peter aan, die zweeg. Hij glimlachte zwakjes.

'Ik heb maar één echt advies voor je, jongeman,' zei Cosima's vader. Hij bleef Peter aankijken, deed een stap naar achteren en sloeg zijn armen over elkaar. 'Als je je besluit neemt, vraag jezelf dan af welke echtgenote, welk kind – sterker nog, welk deel van het leven – geluk garandeert? Een andere vrouw, een vrouw zonder een vloek? Jongen, ik denk dat er nooit garanties zijn.'

41

'Vertrouw op Hem in alles.'

Natalie herhaalde de woorden toen ze de volgende ochtend Dana's telefoonnummer intoetste. Ze waren gisterochtend niet vriendschappelijk uit elkaar gegaan, maar in elk geval was het kruis een herinnering dat God hen niet verlaten had. Het had geholpen om vannacht met Luke te praten en te bidden. Misschien had Dana ook een herinnering nodig.

De telefoon ging zo vaak over dat Natalie bang was dat Dana niet op zou nemen. Natalie keek naar de klok. Half acht. Het was zo vroeg dat Dana nog niet naar de kerk kon zijn, en ze kon niet door de telefoon vlak naast haar bed heen slapen.

Vijf minuten later probeerde Natalie het nog eens, en Dana nam op bij de tweede bel.

'Ik probeerde je een paar minuten geleden te bellen,' zei Natalie. 'Was je in de douche?'

'Nee. Aan de telefoon met Aidan – nog steeds, maar ik heb hem even in de wacht gezet om aan jou te vragen of hij voor kerktijd Luke kan spreken. Hij kan er over een half uur zijn. Is dat goed?'

'Wil hij met Luke praten?'

'Ja. Dus het is goed? Ik moet het Aidan laten weten.' Dana was kortaf.

'Tuurlijk, we zijn thuis. Maar we gaan naar de dienst van negen uur. Kom jij ook mee, of zullen we na de kerk afspreken?'

'Ik... weet het niet... Hoor es, ik moet ophangen.'

Toen hoorde Natalie een klik.

Zo makkelijk was het allemaal niet.

*

Vijfendertig minuten later klopte Aidan op de deur. Hij was alleen.

Natalie had zich afgevraagd of hij tot maandag zou wachten met Luke om advies te vragen. Als Aidan per slot van rekening in Luke's voetsporen zou treden, kon hij evengoed advies inwinnen bij de nieuwste deskundige op het gebied van trouwen in een familie als die van Natalie. Kennelijk kon het zo lang niet wachten – of hij wilde zo'n persoonlijk gesprek niet op de werkvloer voeren.

Toen ze Luke verteld had dat Aidan kwam, had Luke zijn wenkbrauwen gefronst. Hij had weliswaar niets gezegd, maar ze kon zich voorstellen wat hij dacht. *Wij weten niet eens hoe we een dag moeten doorkomen zonder aan God te twijfelen, en wij zouden iemand anders van nut moeten zijn?*

Natalie liet Aidan binnen en bood hem op weg naar de keuken koffie aan.

'Ja, graag,' zei Aidan. 'Ik hoop dat jullie het niet erg vinden dat ik zo vroeg langskom.'

'Het is prima, Aidan. Ik begrijp het, en Luke ook.'

Luke ging aan de tafel zitten met zijn koffie voor zich. Ze waren klaar om naar de kerk te gaan, zelfs Ben. Hij zat vrolijk in zijn kinderstoel, maakte geluiden en lachte nu en dan om een onzichtbare grap. Hij lachte of huilde vaak zonder zichtbare reden, en Natalie gaf verre de voorkeur aan het lachen.

'Ik kan jullie alleen laten als jullie dat liever hebben,' zei Natalie.

'Nee, Natalie,' zei Aidan. 'Ik wil jouw inbreng ook. Als je tenminste geen bezwaar hebt tegen wat openhartige mannenpraat als ik mijn hart uitstort.'

Ze lachte halfslachtig, schonk zichzelf een glas sinaasappelsap in en ging zitten. Aidan nam plaats aan de overkant van de tafel en keek uit over de patio. De zomer was bijna voorbij, maar de bloemen die Natalie had geplant wisten dat blijkbaar niet. Ze stonden uitbundig te bloeien alsof het leven alleen maar beter kon worden.

'Weet je wat ik dacht toen ik christen werd?' vroeg Aidan.

Natalie wist dat ze hier zat om te luisteren en dat Aidan alleen Luke's advies wilde. Maar Luke gaf geen antwoord.

Aidan roerde in zijn koffie. 'Ik dacht: hoe kan ik verliezen met God aan mijn kant?'

'Er staan veel beloften in de bijbel,' zei Luke. 'Maar een makkelijk leven is er niet bij.'

Aidan zuchtte en streek over zijn gezicht. 'Wat

heb je er dan aan om christen te worden? Ik heb mijn leven opgeruimd... ik ben opgehouden met vloeken, drinken, zelfs met seks... en wat heb ik ervoor teruggekregen?'

Luke was niet onder de indruk. 'Zo, heb je dat allemaal opgegeven? Bijna evenveel als Jezus opgaf toen Hij de hemel verliet voor een kruis.'

Luke's sarcasme ontging Aidan niet. Hij boog zijn hoofd en vlocht zijn vingers in elkaar in zijn nek. 'Ik weet het. Ik ben zo egoïstisch als het maar kan.' Hij lachte kort en keek op naar Luke. 'En wil je weten hoe het zit met alles wat ik heb opgegeven? Ik mis het niet eens... nou ja, behalve de seks.' Hij keek verontschuldigend naar Natalie, alsof hij vergeten was dat zij erbij zat. 'Maar zelfs dat heeft een positieve kant. De relatie met Dana is anders dan de andere die ik heb gehad. Het is waarschijnlijk mijn eerste onzelfzuchtige relatie, en het is *beter*. Maar nu... ik weet niet wat God hiermee wil. Dana wil het het liefst uitmaken, omdat ze dat beter vindt. Voor mij.'

'En is dat beter?'

'Ik weet het niet.'

Luke staarde Aidan aan. 'Als je trouwt, wil je dan kinderen?'

'Natuurlijk.'

'Smeer 'm dan.'

Natalie's blik schoot naar Luke. Hoorde ze het goed?

Aidan was niet blij met het advies; dat zag Natalie

meteen. Hij keek eerst beledigd en toen gepijnigd. Hij haalde weer zijn hand over zijn gezicht, alsof het hard aangekomen was.

Eindelijk keek Aidan Luke aan. 'Ik dacht dat het makkelijk was om besluiten te nemen zolang je maar op het rechte pad bleef.'

Luke gaf geen antwoord. Geen troost en geen wijsheid.

'Ik weet dat je op dit moment in een lastige positie zit, Luke.' Aidan keek even naar Natalie. 'Jullie allebei. Ik moet hier niet zitten klagen over alles wat ik doormaak.'

'Ik vind niet dat je klaagt, Aidan,' zei Natalie vriendelijk. 'Dit is niet makkelijk voor Dana en jou. Het is zo'n onverwachte hobbel in de weg. Die zijn het ergst.'

'Wat vind jij ervan, Natalie?' vroeg Aidan. 'Hetzelfde als Luke?'

Ze had beloofd haar man trouw te zijn, hem te steunen in alles zolang hij nooit zichzelf of zijn verlangens buiten Gods wil plaatste. Maar dit? 'Tja...' Ze keek van de een naar de ander en wist dat het onmogelijk was om Luke op dit moment volledig te steunen. 'Peter Hamilton heeft mijn grootmoeder Cosima niet in de steek gelaten.'

'We kunnen niet allemaal Peter Hamilton zijn.' Luke's stem klonk nu kordaat – niet boos, maar duidelijk en bondig. Even keek Aidan verward; toen gingen zijn wenkbrauwen omhoog. 'Dana heeft me gisteravond het dagboek te lezen gegeven.' Hij leunde achterover in zijn stoel. '*Nadat* ze me de laan had uitgestuurd. Wegwezen, zei ze, en niet achterom kijken. Ze zei dat ze liever had dat ik nu vertrok, dan was het maar achter de rug.'

'Misschien heeft ze gelijk,' zei Luke tegen hem.

Natalie kon wel gillen en ze met de koppen tegen elkaar slaan. Hadden ze dan helemaal niets geleerd van het dagboek?

Of had *zij* het mis? Verwachtte ze teveel?

'Ik geloof niet dat we op dit moment iets moeten doen,' zei Aidan. 'Uit elkaar gaan of nadenken over een huwelijk.'

Natalie wist niet of dat wel het juiste antwoord was. 'Op één punt heeft Dana gelijk. Het wordt alleen maar moeilijker als jullie het rekken en uiteindelijk toch uit elkaar gaan.'

Luke duwde zijn halflege koffiekopje van zich af. 'Ik dacht vroeger net als jij, Aidan. Als we een goede God dienden, zou Hij ons geen slechte dingen laten overkomen... niet *echt* slecht, niet zoiets als dit. Dus nu gaan we allemaal naar de kerk om een God te aanbidden van wie ik ineens betwijfel of Hij goed is, omdat Hij niet genoeg om ons gaf om mijn gezin dit te besparen.'

Natalie legde haar hand op de hand van haar man en voelde zijn worsteling even reëel als haar eigen. Als hij ooit haar volledige steun nodig had, dan was het nu. En toch... toch stak zijn advies aan Aidan haar.

'Jij zegt altijd dat we niet kunnen uitkiezen wat

we geloven van wat de bijbel zegt over God, Luke,' fluisterde Natalie. 'We hebben reden om te geloven wat we geloven: de profetieën, de geschiedenis, de wetenschap, de wijsheid.'

Hij pakte haar hand en knikte. 'En er staat dat Hij goed is. We zullen Hem hierin gewoon moeten vertrouwen.'

'Je hebt gelijk, Luke,' zei Aidan. Zijn frons maakte plaats voor een glimlach. 'Dana heeft eens tegen me gezegd dat gehoorzaamheid soms genoeg is... wat we op dat moment ook voelen.'

*

Natalie trok Ben zijn schoentjes aan. De stoere kinderschoenen waren nog smetteloos, want ze waren niet echt gebruikt. Hij had het evenwicht niet om te lopen, maar dat verwachtte ze ook niet meer na het lezen van de literatuur over fragiele X, althans de komende maanden niet. Ze hoopte dat hij met twee jaar zou kunnen lopen.

Aidan was vijf minuten geleden naar de kerk vertrokken. Luke en Natalie gingen naar de garage. Ze wilde er niet over beginnen, maar iets vanbinnen wilde het niet loslaten, hoe ze het ook probeerde.

'Luke,' zei ze toen ze in de auto zaten en op weg waren, 'het verbaasde me een beetje dat je tegen Aidan zei dat hij 'm moest smeren. Ik dacht dat liefde sterker was dan angst; dat staat althans in Cosima's dagboek. Geloof jij dat niet?'

Hij zuchtte, hij had genoeg van het onderwerp. Zij ook. ‘Hoor es, hij wil kinderen. Als het hem niet kon schelen om vader te worden, had ik gezegd, zet door, geen probleem. Maar hij wil een gezin, en Dana wil dat risico waarschijnlijk niet nemen. Althans niet voordat ze op een ethische manier een gezonde baby kunnen garanderen.’

Toen zweeg hij en Natalie weigerde hem aan te kijken. Haar onderlip trilde, maar ze beet erop om hem stil te houden.

Luke tilde zijn handen van het stuur en ze zag uit haar ooghoek dat hij naar haar keek. ‘Ze heeft gezien wat jij hebt doorgemaakt, Natalie. Ben is nog geen twee jaar. Het wordt alleen maar moeilijker om hem groot te brengen. Hij wordt groter, maar zijn geest gaat niet vooruit.’

Hij zweeg even en Natalie dacht dat hij verwachtte dat zij iets zou zeggen om hem gelijk te geven. Maar ze kon het niet.

‘Je zei zelf dat je niet over Bens toekomst durft na te denken,’ zei hij zacht tegen haar. ‘Waarom zou je dat Dana willen laten meemaken?’

‘Maar...’ Ze hield haar protest binnen. Hij had natuurlijk gelijk. Logisch. Aidan was jong, intelligent, knap. Natuurlijk kon hij een ander vinden.

En Dana? Wat moest zij beginnen?

‘Ik kan gewoon niet geloven dat je niet wilt dat Dana gelukkig wordt met Aidan.’

‘Ik wil wel dat Dana gelukkig wordt. Allebei.’

Toen Luke de auto het parkeerterrein van de kerk

op draaide, viel Natalie weer stil. Voor de duizendste keer wreef ze met haar hand over haar buik en keek naar beneden alsof ze door een wonder naar binnen kon kijken en weten of de nieuwe baby gezond was of niet. Alles lag overhoop, welke kant ze ook op ging. Tenzij misschien... naar boven.

Maar op dit moment was de kracht van het gebed ook geen grote troost.

Ze gingen naar binnen en Natalie hoopte Dana en Aidan samen te vinden. Ze zagen Aidan bij de fontein staan, en ze ging naar hem toe terwijl Luke Ben naar de crèche bracht. Toen hij weer boven kwam, wachtten ze tot vlak voor de dienst met het zoeken van een zitplaats.

Dana was niet verschenen.

42

Lord en lady Hamilton hebben vandaag bericht gestuurd dat ze onderweg zijn hiernaartoe.

Peter en Beryl hebben allebei geprobeerd me te verzekeren dat hun ouders zich bedacht hebben. Waarom zouden ze anders naar Ierland komen? Ik wil hen geloven, maar het beeld van lady Hamilton die Beryl in haar kladden grijpt en lord Hamilton die Peter meetroont waren de eerste die in me opkwamen, en ik moet bekennen dat die nog niet vervaagd zijn...

Beryls uitroep dat er een rijtuig over de laan kwam, schalde door de hal en in de blauwe kamer wisselde Cosima een blik met Peter. Ze zag zijn glimlach en lachte automatisch terug, maar heimelijk bibberde ze.

'Ga naar buiten om ze te ontvangen,' zei mama. 'Je vader en ik wachten hier.'

Cosima knikte en Peter pakte haar hand. Ze verlieten de blauwe kamer om zich bij Beryl te voegen, die van de trap af kwam.

Beryl keek Cosima met twinkelende ogen aan. 'O, het wordt geweldig, Cosima,' zei ze. 'Ze zijn gekomen met hun zegen; daar ben ik vast van overtuigd!'

Cosima knikte en glimlachte, maar bleef zwijgend op haar hoede.

Buiten scheen de zon door een opening in de drukkende grijze wolken. De oprit van het landgoed Escott was nat en lastig begaanbaar, en het huurrijtuig, getrokken door een ongelijk span, plonsde door groeven en stuiterde voort om eindelijk tot stilstand te komen voor de antieke stenen veranda. Cosima voelde Peters greep om haar hand heel licht verstevigen, en ze keek naar hem op.

'Het maakt niet uit,' fluisterde hij met stralende ogen. 'Of ze met toestemming zijn gekomen of niet, onze toekomst staat vast.'

'Ja, maar zullen ze er deel van willen uitmaken?'

'Daar komen we vanzelf wel achter, hè, nu ze hier zijn?'

De livreiknechten, die weer een vertrouwde aanblik vormden op het Ierse landgoed Escott, ontvingen het rijtuig en voerden hun taken uit; een stond bij de paarden om een onverwachte beweging te voorkomen en een ander stond klaar met een voetenbankje en stak een gehandschoende hand toe om te helpen met uitstappen.

Lady Hamilton was de eerste die uit het rijtuig kwam.

'Mama!' Beryl wierp zich ademloos in haar moeders armen. Maar over Beryls schouder ging lady Hamiltons blik naar Peter. Cosima speurde naar droefheid en afkeuring, maar ze zag van beiden geen spoor. Ze was benieuwd of dat zou veranderen als ze haar blik op Cosima richtte.

Lady Hamiltons ogen lieten Peter een hele tijd niet los, en Cosima maakte zich opnieuw zorgen. Als lady Hamilton niet naar haar kon kijken... Maar daar verschoof haar blik van Peter naar Cosima, terwijl ze Beryl nog in haar armen hield.

Lady Hamilton glimlachte – zonder droefheid of afkeuring. Gewoon een eenvoudige glimlach, een beetje als haar oude zelf, voordat ze van de vloek afwist. Toch maakte ze geen beweging in de richting van Cosima of Peter.

Christabelle stapte uit het rijtuig en Beryl gaf een schreeuw van blijdschap en liet haar moeder los om haar zus in haar armen te sluiten.

Eindelijk kwam lady Hamilton naar Peter en Cosima toe. 'Ik heb je gemist,' zei ze, haar stem even aarzelend als de blik in haar ogen.

Het was een pijnlijk ogenblik, maar Cosima bespeurde een verandering in lady Hamilton. Ze was niet afstandelijk meer, maar ook niet helemaal zichzelf.

Even later stapte lord Hamilton uit het rijtuig.

Peter liep met uitgestrekte hand naar zijn vader toe. 'Vader.'

Lord Hamilton nam Peters hand in zijn beide handen en schudde hem hevig. 'Jongen.'

Ineens begon het te regenen, er vielen enorme druppels uit de lucht.

'Kom, we gaan naar binnen,' zei Peter.

Cosima draaide zich om naar het huis en wilde voorgaan. Dit was niet de zachte regen die eerder was gevallen, maar een aanslag van wind en striemende regen die ze beter konden ontwijken.

Ineens zag Cosima beweging aan de andere kant van de laan, dichter bij het huis. Het was het modderigste stuk bij een hoek die altijd het laatst opdroogde, waar weinig planten wilden groeien.

Ze stond stil. Daar was Royboy, in de zachte modder tussen de gesnoeide thuja's, zijn broek zwaar van natte aarde, zijn handen en gezicht niet meer schoon en blank, maar bedekt met een dikke laag slijk. Royboys glimlach ontblootte witte tanden in zijn zwarte gezicht. Het kon niet duidelijker zijn dat hij geestelijk gehandicapt was. Was ze maar vlug naar binnen gegaan, dan hadden ze hem misschien niet gezien...

Ze probeerde zich vlug om te draaien, om niet de aandacht van de anderen op hem te vestigen. Maar het was te laat.

Lady Hamilton was ontzet. Cosima keek weer naar haar broer, net zo min in staat om de uitdrukking op het gezicht van de andere vrouw te verdragen als de last van haar eigen schaamte. Nooit eerder had Royboy haar zo in verlegenheid gebracht.

Ze kon hem daar niet achterlaten. Waar was Decla? Cosima's moeder had die ochtend duidelijke instructies achtergelaten: Royboy moest goed in de gaten worden gehouden. Het mocht dan niet de eerste keer zijn dat hij weggeglipt was, maar het was wel de ergste.

'Gaat u alstublieft naar binnen,' zei Cosima, die het niet waagde om Peter aan te kijken. Zonder acht te slaan op de regen, die nu met bakken uit de lucht viel, stapte ze in de richting van haar broer.

'Ik haal hem wel,' bood Peter aan.

Maar Cosima draaide zich naar hem om met meer kracht dan ze had gedacht te bezitten, en haar hand landde op zijn borst. 'Nee.' Ze perste haar lippen op elkaar. 'Neem je familie mee naar binnen.'

'Cosima...' zei hij smekend.

Hete en ongewenste tranen mengden zich met de koude regen op haar gezicht. Ze keek op naar Peter, wetend dat zijn ouders toekeken en elk woord hoorden. 'Ik haal hem, Peter. Het is per slot van rekening mijn vloek. Misschien is het maar beter dat je ouders hem op deze manier hebben ontmoet.'

Toen schreed ze naar voren, met hun ogen in haar rug. Ze moesten vervuld zijn van afschuw, dat ze niet letten op de regen die alles en iedereen doorweekte. Ze maakte geen haast. Het kon haar niet meer schelen dat ze doornat werd. Ze had gefaald. De heftige, complete schaamte bij de aanblik van Royboy onthulde haar falen. Ze had gefaald als zijn zus, gefaald als kind van de meest liefdevolle en vergevende God. Ze had gefaald als iemand die een toekomst kon aanvaarden met kinderen als Royboy. In een familie van Royboys was geen plaats voor schaamte. Te midden van al het gemene fluisteren en staren, de geruchten en het negeren van de dorpsbewoners, had ze zich altijd vastgeklampt aan de troost dat Gods Woord vol aanvaarding was voor de verschoppelingen. Vastgeklampt aan de wetenschap dat ze niets had gedaan om een vloek te verdienen, noch haar moeder noch Royboy. Hoe kon ze zo ellendig hebben gefaald?

Misschien kon ze een flintertje waardigheid overhouden als ze leefde zonder schaamte.

Cosima had Royboy bereikt en hij fladderde met zijn handen. Hij was opgewonden door de storm. Ze nam een van zijn modderige handen in de hare en wenste dat ze hem verontschuldigingen kon aanbieden op een manier die hij zou begrijpen. Maar het was even onmogelijk voor haar om de woorden te vinden als voor hem om ze te bevatten.

Hij begroette haar met een hoge kreet en trok aan haar alsof hij vast van plan was om in de modder en de regen te blijven.

'Royboy, kom mee naar binnen,' zei ze, maar zijn glibberige handen slipten als vanzelf uit de hare. Toen ze weer naar hem greep, werd haar hand tegengehouden door een andere.

Ze keek om, geschrokken door Peters plotselinge nabijheid.

Royboy accepteerde Peters uitgestrekte hand.

'Kom naar binnen,' zei Peter vriendelijk, en hij sloeg een arm om Cosima heen en nam de leiding.

Ze waren doorweekt toen ze de hal binnenstapten, maar Peters hele familie ook. Er stonden al dienstmeisjes klaar die linnengoed uitdeelden.

Cosima wilde Royboy wegbrengen. Ze wilde niets liever dan bij haar broer zijn, en niet bij Peters familie. Ze werd overvallen door een reeks gedachten en gevoelens. Als zij in Engeland niet zo vlot waren geweest om haar af te keuren, dan had ze nu deze schaamte niet hoeven voelen. Zou het zo zijn? Zou ze hun kleinkinderen geven die ze toch niet zouden willen?

Ze moest weg, ontsnappen aan de gevoelens die te sterk waren om te verbergen. Ze kon niet naar hen kijken, zelfs niet naar Peter.

'Ik zal Decla laten komen,' fluisterde hij tegen haar.

'Nee, ik neem hem mee.'

'Goed,' zei Peter. 'We moeten toch allemaal die natte kleren uittrekken, en dan heeft mijn familie de gelegenheid om zich te installeren voordat we elkaar hier beneden weer zien. Misschien moeten we maar even wachten en dan pas je ouders begroeten.'

Maar daar was het te laat voor, want Cosima's ouders verschenen uit de blauwe kamer.

Cosima keek naar hun gezichten, hartelijk en verwelkomend, tot ze Royboy zagen. Het gezicht van haar vader verstrakte voor haar ogen en haar moeder was geërgerd.

'Goedendag, u allen,' zei haar vader, die zich het eerst had hersteld. Hij stapte naar lord en lady Hamilton toe. 'Welkom in ons regenachtige Ierland, maar ach, zonder al die regen zouden we nooit zo'n Eiland van Smaragd kunnen hebben, zo-als het genoemd wordt.'

'Dat klopt,' zei lord Hamilton, en ze schudden elkaar de hand.

Cosima probeerde weg te glippen, met Royboy naast zich.

De stem van lady Hamilton hield haar tegen. 'Cosima,' riep ze, 'is dat je broer?'

De moed zonk Cosima in de schoenen. Ze haal-de diep adem en draaide zich om. 'Ja – alleen de jongen,' bracht ze uit, 'al die modder hoort er niet bij.'

Tot haar verrassing begon lady Hamilton te lachen. Ze deed een paar stappen naar voren. 'Aangenaam je te ontmoeten, Royboy.'

'Hoe maakt u het.' Het was een zinnetje dat net als de rest van zijn woordenschat uit het hoofd ge-leerd was. Hij zei de woorden, maar hij keek lady Hamilton niet aan. In plaats daarvan staarde hij naar de muur achter haar.

'Wat een regen vandaag, hè,' merkte lady Hamilton op.

'Regen vandaag,' zei Royboy. 'Ja.'

Cosima begon hem weer mee te trekken en hij scheen gewillig te volgen.

Maar lady Hamilton pakte Cosima's vrije pols. 'Cosima' – haar stem klonk gedempt – 'ik vind het leuk om Royboy te ontmoeten en ik ben blij om hier te zijn bij jou en Peter. Ik heb jullie allebei zo gemist, en... ik wil jullie iets vertellen wat ik heb geleerd.'

Cosima keek haar nieuwsgierig aan. 'Geleerd?'

'Ja... over mezelf. Zo oud als ik ben, heb ik nog een fout in mezelf gevonden. Je zou toch denken dat er onderhand niets meer over mezelf te leren viel.'

Cosima zei niets. Ze vroeg zich af of lady Hamilton soms zenuwachtig was, zoals ze met haar handen friemelde. Lady Hamilton sloeg haar ogen neer. 'Het grootste deel van mijn leven heb ik een zwak geloof gehad.'

Daarstraks had Cosima lady Hamilton nauwelijks aan kunnen kijken. Nu keek ze haar onderzoekend aan en probeerde haar woorden te doorgronden. 'Wat bedoelt u?'

'Dit is noch de juiste tijd noch de juiste plaats, maar ik wil mijn bekentenis zo graag kwijt dat ik niet kan wachten. Ik moet je om vergeving vragen, Cosima. God heeft niets anders gedaan dan tegen me fluisteren vanaf het moment dat ik me anders tegen je begon te gedragen. Ik heb verkeerd gehandeld en wilde niet luisteren naar de woorden die de Almachtige God op mijn hart legde.'

'Wat waren die woorden, lady Hamilton?' vroeg Cosima. Voor één keer probeerde Royboy zich niet los te trekken. Hij was alsof hij het ook wilde horen, al kon dat niet waar zijn.

Lady Hamilton zweeg even. 'Ik ben altijd zo zeker geweest van wat ik geloofde.' Ze glimlachte en legde een hand op haar hart. 'Ik dacht dat ik het allemaal daar binnen vasthield, maar achteraf heb ik ontdekt dat dat niet waar was. Niet echt. Ik beleed dat God de schepper is van alle dingen en dat alles van Hem is. Wij zijn hier door Zijn genade en alles wat we hebben, is niet van ons, maar van Hem. We mogen het een poosje lenen. Wat ons is gegeven – van de bezittingen die we hebben tot de kinderen die we baren – is aan onze zorgen toevertrouwd, niet door iets wat we hebben gedaan, maar door Zijn grootmoedigheid.'

Ze legde een hand op Cosima's natte schouder. 'Zie je nu hoe ik gefaald heb in het belijden van dat geloof, kind? Toen het beproefd werd, faalde ik. Ik dacht dat Peter van mij was. Nu zie ik in dat ik moet vertrouwen op het geloof dat Hij Peter heeft gegeven, en ik moet ook op Hem vertrouwen. Kun je me mijn gebrek aan geloof vergeven, Cosima? Een gebrek aan geloof waarmee ik je pijn heb gedaan?'

'Ik... heb niets te vergeven. U handelde alleen uit liefde voor Peter. Dat begrijp ik. Ik heb ook geprobeerd hem een huwelijk met mij uit zijn hoofd te praten.'

Lady Hamilton lachte. 'Ja, dat weet ik! Je gedrag maakte het zo veel moeilijker voor me om mij aan mijn dwaze gedachten vast te klampen. God heeft Peter en jou gebruikt om mij erop te wijzen wat geloof eigenlijk is: vertrouwen dat God alleen wil wat het beste voor ons is.'

Royboy probeerde zich los te wurmen uit Cosima's greep, maar ze hield hem vast. Even later liet ze hem los toen Peter bij hen kwam en Royboy naast hem ging staan. Het moest voor lady Hamilton even duidelijk zijn als voor Cosima dat Royboy aan Peter gehecht was geraakt in de paar weken dat ze elkaar kenden.

Peter stond tussen Cosima en zijn moeder in. Er glansde een merkwaardig, maar hoopvol licht in de bruine diepten van zijn ogen. Zijn blik bleef op Cosima rusten. 'Hadden we geen gelijk, Beryl en ik?'

Cosima's hart nam een hoge vlucht. 'Ja, Peter,' zei ze knikkend. 'Gelukkig hadden jullie allebei *volkomen* gelijk.'

43

De kerkdienst was afgelopen en Natalie keek naar Aidan toen ze met z'n drieën de kerkzaal uitliepen. Hij had waarschijnlijk geen woord van de preek gehoord.

'We gaan Ben halen,' zei Natalie. 'Je kunt gerust weer met ons mee naar huis gaan, als je wilt.'

Aidan schudde zijn hoofd. 'Ik ga naar Dana.'

Natalie en Luke wisselden een blik.

'Ik moet in elk geval het dagboek terugbrengen,' zei Aidan, alsof hij zich moest verdedigen.

Natalie legde een hand op zijn arm. 'Het spijt me zo, Aidan.'

Hij hield zijn hoofd schuin. 'Wat? Voor mij, dat je zus me dumpt?'

'Nee. Ik had eerder iets moeten zeggen – over de erfelijkheid. Ik heb het zo lang als ik kon ontkend. Te lang, voor Dana en jou.'

Hij klopte op de hand die op zijn onderarm lag. 'Ik zal het je niet kwalijk nemen dat je me de tijd hebt gegeven om verliefd te worden op Dana toen ze nog wilde. Wat zeggen ze ook alweer? "Je kunt beter hebben liefgehad en verloren, dan nooit hebben liefgehad?"'

Ze drukte haar hand op zijn arm. 'Weet je zeker dat het verloren moet zijn, Aidan?'

'Natalie...' Luke's verwijtende stem was als een steek diep in haar hart.

Ze liet Aidans blik niet los. 'Ik wil dat je bid over *alle* opties – niet alleen over hoe Dana en jij een scheiding moeten doorstaan.'

*

Thuis maakten Natalie en Luke hamburgers klaar. Het was niet de meest voedzame maaltijd, maar wel de makkelijkste, omdat een zondagse maaltijd koken vandaag het laatste was waar Natalie zin in had. Alleen gelukkige gezinnen gingen 's zondags netjes aan tafel. Ouderwetse gezinnen uit een boekje.

Natalie nam een hap van haar hamburger, maar werd meteen misselijk. Op dit moment had eten, al dan niet voedzaam, geen enkele aantrekkingskracht op haar. Die ochtend had haar geest een nieuwe bron van onrust gevonden, en ze had het tijdens de hele kerkdienst en daarna niet kwijt kunnen raken. Eén enkele gedachte was als een bacil in haar hersenen opgekomen, zich vermenigvuldigend en knagend in haar hoofd tot hij zich uitbreidde naar haar hart.

Eén vraag die een antwoord vereiste: hield ze genoeg van Luke om hem te laten gaan?

44

Mijn leven heeft de afgelopen maanden zo veel onverwachte wendingen genomen, dat ik begin te denken dat ik nergens meer van opkijk. En toch is deze avond weer eens bewezen dat je nooit weet wat er zomaar gebeuren kan.
Ik zat naast Peter aan het diner, aan de ene kant van de tafel met Beryl en Christabelle, terwijl de beide ouderparen aan de andere kant zaten en hun eigen gesprekken voerden. We hadden net de laatste gang achter de rug. Ik moest onwillekeurig steeds naar mijn ouders kijken. Wie waren die gastheer en die gastvrouw van dit diner, zo sympathiek en op hun gemak met hun gasten? Ze lachten en wisselden verhalen uit alsof ze totaal niet leken op de uiterst teruggetrokken mensen die ik mijn hele leven had gekend. Het was een bijzondere aanblik, vooral omdat Peters ouders hen charmant schenen te vinden.
Toen kwam Melvin de eetzaal binnen en deed een buitengewoon alarmerende aankondiging...

'Sir Reginald Hale,' dreunde Melvin, als de keurige butler wiens rol hij had opgepakt.

Cosima wierp een ontstelde blik naar de deur toen de aangekondigde man zelfverzekerd binnentrad, zijn hoed in de gehandschoende handen, een ontspannen glimlach op zijn gezicht. Wat kon Reginald er in vredesnaam toe hebben aangezet de lange reis naar Ierland te maken? En nog wel ongenodigd?

De man in kwestie begroette hen met een buiging en liet zijn blik kort over de mensen aan tafel gaan tot hij bleef rusten op Peter.

Peter was duidelijk net zo geschokt als Cosima. Hij stond op, keek van Reginald naar Cosima, en toen weer naar Reginald. 'Reginald.' Daar liet hij het bij en bleef zwijgend staan wachten tot de man een verklaring gaf voor zijn onverwachte verschijning.

Reginalds glimlach was zo bekend dat het leek of er niets veranderd was. 'Ik kom in vrede, Peter. Met berouw en een innig verlangen om de zaken recht te zetten tussen ons.'

Peter sloeg zijn armen over elkaar. 'Ik kan me niet voorstellen waarom. Je hebt bewezen dat je geen vriend van me bent en van Cosima nog minder.'

'Ik ben gekomen om vergeving te vragen.' Nu wendde Reginald zich van Peter tot Cosima. 'Aan jullie allebei. Ik heb er veel spijt van dat ik wellicht verdriet heb veroorzaakt.' Hij keek Peter weer aan. 'Maar het was toch tijdelijk, hè maat? Als ik er niet was geweest, had je Cosima nooit ontmoet.'

'Maar waarom heb je tegen me gelogen, Reginald?' vroeg Cosima.

Even keek hij naar de grond. 'Alleen om te zorgen dat je met niemand praatte over... over de vloek. Zolang je geloofde dat ik een respectabel man als Peter had geraadpleegd, had je geen reden om me te vragen er met iemand over te praten. Ik was bang dat anderen het niet zouden goedkeuren. Sommige mensen geloven daadwerkelijk in een dwaze vloek, Cosima, en zoals ik vanaf het begin duidelijk heb gemaakt, was ik bereid dat te vergeten. Net als Peter klaarblijkelijk.'

'Maar je hebt haar een leugen verteld,' zei Peter. 'Reginald, ik moet niets hebben van leugens.'

'Natuurlijk, man! Maar tegen jou heb ik toch nooit gelogen? En ik heb het alleen gedaan om mijn doel te bereiken. Ik zie nu in dat dat fout was, en daarom ben ik gekomen. Om jullie vergeving te vragen en jullie allebei te laten weten dat ik jullie het beste toewens.'

Peter keek zijn oude vriend onderzoekend aan, alsof hij zo kon vaststellen of hij hem geloofde of niet. Als je eenmaal gelogen had, dacht Cosima, was het vertrouwen niet snel teruggewonnen.

Toen keek Peter haar aan. 'Zijn fout heeft ons beiden gekwetst, maar hij heeft gelijk dat het tijdelijk was. Zelfzuchtige motieven hebben zelden een goed resultaat. Maar jou heeft hij het meeste onrecht aangedaan, Cosima. Je hoeft het maar te zeggen, dan stuur ik hem weg. Ik kan niet begrijpen waarom hij zonder fatsoenlijke uitnodiging de reis hierheen heeft ondernomen.'

Cosima haalde diep adem. Toen Reginald haar

had verraden, had ze gedacht dat ze hem haatte, maar nu haar hart zo vol was van liefde voor Peter, was het moeilijk om ruimte te vinden voor haat. Er kwamen haar zoveel beelden van Christus' vergevensgezindheid voor de geest dat ze wist wat ze moest zeggen. Ze moest niet aarzelen. En toch deed ze dat.

Maar Reginald keek haar zo hoopvol en vriendelijk aan, dat haar aarzeling verdween.

'Ik heb zo vele malen vergeving gekregen,' zei ze. 'Het zou verkeerd van me zijn om jou niet hetzelfde te bieden, Reginald.'

Hij kwam naar haar toe en stond stil naast haar stoel. Even dacht ze dat hij haar voor de allereerste keer zou omhelzen. Ze was opgelucht toen hij slechts haar hand pakte, maar hij schudde hem zo krachtig dat ze tot haar schouder toe door elkaar gerammeld werd.

Cosima's moeder stond op. 'We hebben ons diner net beëindigd, meneer Hale, maar we kunnen iets voor u laten halen als u wilt.'

Hij stond zijn hoofd al te schudden. 'Nee, dank u wel. Maar ik zou u wel willen vragen om het gebruik van de mooie kamer die ik de vorige keer dat ik hier was, heb gehad. Ik ben van plan om morgen naar Engeland terug te keren, maar het is een beetje laat om vanavond nog de terugreis te aanvaarden.'

'Ja, natuurlijk. Maar o lieve help, die speciale kamer is al aan Peter gegeven. Ik hoop dat een andere volstaat.' Cosima's moeder stuurde een livreiknecht weg om Melvin te halen, en gaf hem opdracht een kamer klaar te maken. 'U gebruikt toch thee met cake met ons, meneer Hale? Als het niet meer regent, kunnen we op de veranda gaan zitten. Daar is schitterend de zonsondergang te zien.'

'Natuurlijk.' Hij boog nogmaals.

Haar ouders gingen voor en Cosima liep naar Peter toe, maar Reginald was naast haar voordat ze bij elkaar waren.

'Het is heel aardig van je om me te vergeven, Cosima. Zou ik je nog eens kunnen spreken voordat ik morgenochtend vertrek?'

Peter was bij haar en nam haar hand in de zijne. 'Waarover, Reginald?'

'Eigenlijk zou ik jullie allebei graag willen spreken,' zei hij met een brede glimlach. 'Alleen om onze vriendschap te herstellen, natuurlijk.'

Cosima zag er het nut niet van in. 'Ik geloof niet...'

'Maar je mag me niet weigeren, Cosima. Voordat ik uit Engeland vertrok, heb ik de douairière gesproken. Ze was erg openhartig, zoals te verwachten viel. Ik moet alleen jullie vriendschap terug zien te krijgen, en heel Londen zal me verwelkomen met de welwillendheid die ik altijd wenste.' Hij zweeg en probeerde haar met zijn lach een glimlach te ontlokken. 'Dat doe je toch voor me, hè Cosima? We leggen toch een basis vanavond?' Hij keek Peter aan. 'Met z'n drieën. Om elf uur wacht ik op jullie in de bibliotheek, voor een half uurtje gezelligheid, meer niet. Om te zorgen dat mijn toekomst nog te redden is?'

Hij was verdwenen voordat Cosima en Peter nee konden zeggen en haalde Cosima's ouders in op weg naar buiten.

Beryl sprak hen aan voordat ze zich bij de rest van het gezelschap voegden. 'Ik heb alles gehoord en als je het mij vraagt, is het ongerijmd dat je grootmoeder zoiets gezegd zou hebben, Cosima.'

Peter knikte. 'Het klinkt nogal onwaarschijnlijk, hè?'

Cosima fronste. 'Hij moet er erg om verlegen zitten de vriendschap te herstellen.'

'Ja ja,' zei Beryl snuivend. 'Zonder Peters steun en connecties betekent hij zakelijk nog niet de helft van wat hij nu is.'

'Ik denk dat hij daarom ook met mij wil praten,' zei Cosima. 'Om jou over te halen weer vriendschap met hem te sluiten.'

'Je moet precies het tegenovergestelde doen, Peter – persoonlijk *en* professioneel,' zei Beryl.

'Het betekent zijn einde als ik de professionele banden met hem doorsnijd.' Hij glimlachte Cosima halfslachtig toe. 'Maar ja, we hebben hem net vergeven.'

'Vergeving is één ding,' zei Beryl voordat Cosima kon antwoorden. 'Hem onder je vleugels houden, is heel wat anders.'

Peter ging hen voor naar de veranda. 'We zullen met hem praten en daarna een besluit nemen.'

45

'Er is iets waar ik met je over moet praten, Luke,' zei Natalie zacht. Ze nam een slok van haar drinken. Daardoor verdween het trillen van haar lippen, en ze hoopte de zwakheid in haar stem weg te slikken. Ze moest sterk zijn, omwille van Luke.

Boven zijn broodje hamburger keek hij haar aan. 'Brand los.'

Sinds ze op het idee was gekomen dit onderwerp aan te snijden, had ze geen goede manier kunnen bedenken om te beginnen. Ze had gehoopt dat haar op het moment zelf wel iets zou invallen, maar nu het moment gekomen was, kwamen de woorden toch niet.

Ze had kunnen bidden om wijsheid, maar het hele onderwerp was zo ellendig dat ze er niet met God over had gesproken, zelfs niet in de kerk.

'Ik vroeg me af... nou ja... ik zat te denken eigenlijk... dat met dat fragiele X-gedoe... nu Ben is zoals hij is, en we niet weten of de nieuwe baby gezond zal zijn...'

Luke legde zijn hamburger opzij en keek haar met een bezorgde frons aan. 'Heb je er spijt van dat we de vruchtwaterpunctie niet hebben doorgezet?'

'Nee.' Ze zweeg weer. 'Het gaat niet over de

punctie. Het is iets... wat nog moeilijker is om over te praten.'

Hij nam nog een hap van zijn hamburger. Hij gedroeg zich zo natuurlijk dat ze wist dat hij geen idee had wat ze ging zeggen.

'Ik zou niet weten wat tussen ons moeilijk zou zijn om over te praten, Naat,' zei hij. 'We hebben samen zo'n beetje alles gedaan wat je met elkaar kunt doen: lachen en huilen en alles wat daartussenin zit. Wat is er?'

'Ik heb bedacht, Luke, dat jij... nou ja, dat je een nogal aantrekkelijke man bent.'

Glimlachend trok hij zijn wenkbrauwen op. 'En dat is moeilijk te zeggen?'

Ze schudde haar hoofd, niet gekalmeerd door zijn ontspannen houding. Ze wist dat hij worstelde met het hele verhaal; dat was gisteravond duidelijk geworden. Maar op een of andere manier kon hij er beter mee omgaan dan zij, en het doen voorkomen alsof hij de kracht had om het leven te trotseren. Die kracht zou ze missen.

'Je weet wat ik van je vind, Luke. Jij bent het voor mij. Maar ik... ik dacht, vanwege fragiele X... misschien ben ik *het* niet voor jou. Of ik zou het niet moeten zijn.'

'Wat bedoel je?' Hij at nog steeds door. Het onderwerp had geen indruk gemaakt.

'Ik bedoel dat je misschien niet met me had moeten trouwen. Misschien moet je weggaan nu je nog jong bent en opnieuw beginnen met iemand die je gezonde kinderen kan geven. Iemand die geen draagster is van een ziekte.'

Luke's mond was opengevallen, zodat er een stuk half gekauwde hamburger te zien was. Hij klapte hem meteen weer dicht en liet zijn vork die halverwege de tafel en zijn mond zweefde, vallen. 'Waar heb je het over, Naat?'

Ze wendde zich van hem af omdat ze hem niet meer aan kon kijken, en de bezorgdheid en verwarring en liefde in zijn ogen zien. Ze verdiende hem niet; daar was geen twijfel aan. En hij verdiende zoveel meer dan ze hem kon geven.

Natalie bracht een hand naar haar gezicht, dat tot haar verrassing nat was. Voordat ze zijn vraag kon beantwoorden stond hij op en kwam naar haar toe, tilde haar omhoog in zijn omhelzing. Zijn armen waren vertrouwd om haar heen, veilig en welkom en precies wat ze nodig had.

Luke hield haar dicht tegen zich aan en drukte haar wang tegen zijn borst. 'Natalie, Natalie,' fluisterde hij.

Ze kon niets zeggen. Ze had zo veel dingen willen zeggen. Maar er kwam niets uit. Ze snikte alleen maar in zijn armen.

Hij streelde haar haren, maakte zich los en hief haar gezicht naar het zijne. 'Ik houd van je, Natalie. Vroeger wist je wat dat betekent. En onze huwelijksgeloften dan? In voor- en tegenspoed, in ziekte en gezondheid. Wat voor liefde dacht je dat ik voor je voelde? Zo oppervlakkig dat ik er tussenuit knijp?'

'Ik weet alleen dat jij iets beter verdient dan wat ik in dit huwelijk breng.'

Hij hield haar op armlengte van zich af. 'Waar *heb* je het over, Natalie? Waarom zou iets waar je geen controle over hebt, waar je niets in te kiezen had, zwaarder wegen dan alle andere dingen die we hebben? We zijn geboren met twee helften van hetzelfde brein, weet je nog? Dat kun je niet uit elkaar halen.'

'Maar ik denk juist aan jouw brein, Luke!' Ze was nu kalmer. De tranen waren gedroogd. 'Je verdient kinderen, zoons die net zo zijn als jij.'

'Ach kom, dat kan niemand garanderen. Stel dat we dochters kregen? Zouden die soms zijn zoals ik?'

'Misschien.'

'Niet zoals jij je voorstelt – dat hier een of andere kleine kloon rondloopt die al mijn beste eigenschappen kan erven – al kregen we volkomen gezonde jongens. Dat is nooit een garantie, Naat, ook niet zonder genetische kwaal. Aidan is het bewijs daarvan, herinner je je zijn verhaal? Bovendien, wie weet wat er in mijn genen zit? Misschien ben ik een kandidaat voor kanker of diabetes of een beroerte ofzo. Misschien zal ik jong sterven, en zul jij denken dat je nooit met me had moeten trouwen omdat je getekend had voor een lang leven samen.'

Ze staarde hem aan, zijn tegenwerpingen troffen geen doel. 'Misschien moet je je eigen advies opvolgen en wegwezen nu je nog jong bent.'

Hij staarde haar aan. 'Mijn eigen advies?' Hij zweeg even. 'Dus daar gaat het allemaal om. Mijn advies aan Aidan.'

Ze ontkende het niet. Dat was per slot van rekening de waarheid.

'Natalie, ik had redenen voor wat ik tegen Aidan zei.'

'Natuurlijk. Hij wil gezonde kinderen, en jij weet hoeveel pijn het doet als je die niet krijgt.'

'Ja, dat ook.' Hij liet haar los, trok een stoel onder de tafel vandaan en ging zitten, liet zijn onderarmen op zijn knieën rusten en keek naar de grond. 'In de kerk heb ik me vanochtend aldoor af zitten vragen waarom ik Aidan dat advies gaf.' Hij glimlachte grimmig. 'Nu dit ter tafel is gekomen, is het haast alsof God probeerde me iets te vertellen, zodat ik voorbereid was om jou een samenhangend antwoord te kunnen geven. En ik heb een antwoord, Natalie. Misschien heeft het er iets mee te maken hoe moeilijk dit voor ons is geweest, maar dat is niet alles. Aidan is nog niet lang gelovig. Stel dat hij besluit dat God hem niet beschermt zoals hij verwacht had? Ik denk dat hij wel weet dat christenen niet automatisch uitgesloten zijn van pijn en lijden – anders was er helemaal geen geloof voor nodig om tot God te komen, alleen logica – maar ik weet niet of ik zo'n zware beslissing zou leggen bij iemand wiens geloof nog geen jaar oud is.'

Luke stond op en nam Natalie weer in zijn armen, wreef over haar rug. 'Bovendien had ik nooit tegen Aidan kunnen zeggen "ga je gang en trouw lekker met Dana", al had ik het gewild. Dat had dwang toegevoegd aan zijn lijst met voor- en nadelen. En ik zal hem niet veroordelen als hij inderdaad besluit ermee op te houden. Doordat ik dat tegen hem heb gezegd, zal hij zelfs *zekerder* van zijn zaak moeten zijn als hij de relatie laat voortduren. Als hij haar vraagt met hem te trouwen, is het niet omdat anderen vinden dat hij onchristelijk is of een slapjanus om hem nu te smeren. Ik heb het gedaan om de beslissing die hij neemt te bekrachtigen, niet om Dana te kwetsen.'

De tranen sprongen Natalie weer in de ogen. 'Het klonk allemaal zo logisch. Enkel logica en geen liefde.'

'Je weet dat ik soms zo doe... Zoals ik al zei toen ik vond dat je het dagboek moest lezen, ik kan niet tippen aan Peter Hamilton.'

'Dat... daar heb ik ook aan gedacht, Luke. Misschien wil je dat ook niet. Ik geef je een uitweg, zodat je niet hoeft.'

Hij hield haar een eindje van zich af. 'Maar ik *wil* wel, Natalie. Ik wil edel zijn en trouw; het is alleen niet makkelijk. Niet zo makkelijk als het schijnbaar voor je betbetovergrootvader was.'

'Ik denk niet dat het makkelijk was,' zei ze. 'Toen niet. Voor geen van beiden... ik las over Cosima's schuldgevoel en kon me daar meteen mee identificeren.'

Hij schudde zijn hoofd. 'Het ging niet om

schuldgevoel of de lat zo hoog leggen dat niemand erbij kon. Het ging erom daar bovenuit te rijzen. Geloof boven angst.'

'Ik denk dat ik het schuldgevoel meer zag dan jij, omdat ik zelf in dezelfde valkuil viel.'

Luke legde zijn handen om haar gezicht. 'Jouw schuldgevoel en mijn angst om verwachtingen niet waar te kunnen maken, zullen ons nog in de problemen brengen, Natalie. Dat moeten we onthouden – allebei – als het om Ben gaat. Ik houd van je. Ik knijp er niet tussenuit. Ik houd ook van Ben. Hoe zou ik jullie kunnen verlaten?' Hij bracht een hand naar het kind dat groeide in haar schoot. 'Of deze? We weten niet wat de reden van dit alles is, Natalie, maar we kennen de feiten. God heeft ons deze twee kinderen gegeven, en wij moeten ze grootbrengen. Met Zijn hulp. En dat zullen we doen. Samen.'

46

Nog maar korte tijd geleden geloofde ik dat mijn hart nooit meer in een normaal tempo zou slaan. Zelfs nu nog haal ik adem met horten en stoten. Ik hoop dat ik door op te schrijven wat er vanavond plaatsgevonden heeft, door de gebeurtenis opnieuw te beleven terwijl ik de afloop weet, beter kan beseffen dat Gods hand ons niet heeft verlaten. Geen moment.

Hoewel we niet officieel hadden afgesproken met Reginald, was er eigenlijk geen twijfel aan dat we zouden gaan. Ik ontmoette Peter om elf uur boven aan de trap. Iedereen was al naar bed, en het was stil en donker in huis, afgezien van een paar hoge muurkandelaars die mijn moeder altijd wil laten branden. Royboy wordt 's nachts vaak wakker en het is makkelijker om achter hem aan te gaan met een lichtje dat de weg wijst.

Ik kon een ademloze lach niet onderdrukken...

'Als onze ouders wisten dat we hier waren, zouden ze ons morgenochtend meteen laten trouwen in plaats van in de komende lente.'

Peter trok haar in zijn armen. 'Dan moesten we misschien maar een beetje lawaai maken.'

Cosima kon niet weer lachen, al wilde ze wel.

Peter sloot zijn mond over de hare en zij sloeg haar armen om zijn hals.

Een erg groot schandaal was het niet geworden; ze waren op weg naar haar vaders bibliotheek en niet naar een ongepaste plaats. Maar er was iets opwindends in de atmosfeer, in de stilte en de geheimzinnigheid. En ze moest toegeven dat ze, naarmate het moment naderde om eindelijk met Reginald te praten, gaandeweg nieuwsgierig was geworden. Was dat alles wat hij wilde – de vriendschap met hen bewaren? Het leek onmogelijk om aan dat verzoek te voldoen, nu Reginald meer gedreven leek door hebzucht dan door genegenheid.

De deur van de bibliotheek kraakte toen Cosima hem opendeed. Geluiden werden 's nachts altijd versterkt. Peter ging voor haar staan en duwde de deur helemaal open.

De kamer was gedempt verlicht met twee grote lampen tegenover elkaar. De ene, haar vaders favoriete leeslamp, stond hoog opgericht achter de comfortabel met kussens beklede leren stoel in de hoek. De andere olielamp stond op haar vaders grote mahoniehouten bureau. Daar zat Reginald, in haar vaders stoel met de hoge rugleuning. Zijn blonde haar was de enige lichte plek in de schaduw, zijn hoofd reikte maar tot tweederde van de hoogte van haar vaders hoofd. Reginald leek een beetje op een klein kind dat een groot mens speelt.

'Welkom,' zei hij, alsof de bibliotheek van hem

was. Hij stond op, liep om het bureau heen en ging ervoor staan. 'Ik wist dat jullie zouden komen.'

De kamer was niet zo groot als de meeste andere in het landhuis. Slechts één muur was gevuld met boeken, het bureau stond tegen een andere muur en vlakbij stonden een canapé en een paar stoelen. Twee kleinere planken met planten hingen aan weerskanten van de deur vlak achter Cosima en Peter. Al stonden ze maar vier of vijf stappen van elkaar, Cosima kon Reginalds ogen niet duidelijk zien. Ze zag alleen zijn witte tanden toen hij glimlachte.

'Je zei dat je onze vriendschap wilde herstellen.' Peters stem klonk kortaf. 'Maar ik weet helemaal niet of dat mogelijk is, Reginald.'

Reginald lachte, maar hij leek niet geamuseerd of verrast door Peters woorden. Het klonk raar en onecht. Hij wandelde weer terug achter het bureau en draaide zich van hen af naar het raam. Overdag maakte haar vader gebruik van het natuurlijke licht als hij aan het werk was, maar nu was het donker en Cosima ving een glimp op van Reginalds weerspiegeling, onderbroken door houten raamlatten.

'Eigenlijk,' zei hij, 'ben ik hier gekomen om iets... iets heel belangrijks te doen.' Hij wankelde even, alsof hij duizelig was, maar toen ondersteunde hij zich met één hand tegen het glas. Zijn andere hand gleed onder zijn jasje en verdween uit het spiegelbeeld dat Cosima zag.

Ze vroeg zich af wat hij in gedachten had.

Misschien zou hij weer de oude zijn als hij zijn doel had bereikt, wat dat ook mocht te zijn. Kennelijk was het herstellen van zijn vriendschap met Peter niet het enige dat hij op zijn hart had. 'Misschien kunnen we je helpen.'

Zijn schouders schokten toen ze het had gezegd, van het lachen of van het huilen. Hij draaide zich naar hen om en nu zijn gezicht verlicht werd door de lamp op het bureau, zag Cosima dat zijn gezicht straalde van vrolijkheid. Toen hij zich vermand had, was zijn glimlach meer een zelfgenoegzame grijns dan een vriendelijk gebaar. Hij leek niet meer zichzelf.

Langzaam haalde hij zijn hand onder zijn jasje vandaan. Cosima keek toe, eerst nieuwsgierig naar het glanzende voorwerp in zijn vingers. Toen vervuld van afschuw.

Het was een pistool. Reginald hield het losjes in zijn handen en het licht viel erop. Hij richtte nergens op, hield het alleen maar vast alsof het een interessant voorwerp was. En dat was het ook.

Meteen schoot Peter naar voren, met uitgestrekte handen als om het wapen weg te nemen. 'Wat doe je daarmee?' Hij stond stil toen Reginald het kleine wapen hun kant op zwaaide, hoewel hij niet rechtstreeks op Peter of Cosima richtte.

Reginald lachte. 'Moet je je liefje beschermen, Peter? Hoeft niet.' Hij liep weg van het bureau en stond stil voor de canapé, waar hij Cosima en Peter in het volle zicht had.

Cosima keek toe, als aan de grond genageld door het wapen in zijn onvaste handen.

Toen Peter weer in beweging kwam en zichzelf tussen Reginald en haar in plaatste, schudde Reginald zijn hoofd alsof Peters gedrag niet nodig was. 'Ik ben hier niet gekomen om haar te doden, mijn *vriend*. Nee, nee. Ik wilde alleen getuigen hebben.'

Toen richtte hij de smalle, glanzende loop op zijn eigen hoofd. Hij hield het wapen recht vast om de trekker over te halen.

Peter haalde uit naar voren, maar Reginald strompelde buiten bereik en vond snel weer steun voor zijn voeten.

Reginald grijnsde en zijn wenkbrauwen gingen omhoog. Hij zwaaide het pistool rond en keek Cosima aan terwijl hij twee stappen dichterbij kwam.

Peter trok haar weg, zodat ze nu in het midden van de kamer stonden en Reginald het dichtst bij de deur was.

'Of misschien moest ik Cosima toch maar doden.' Reginald lachte zelfvoldaan en keek naar Peter. 'Jou veroordelen tot een leven zonder haar. Daar zou zeker voldoening in te vinden zijn.'

'Reginald, als je vindt dat je de versmade minnaar bent, moet je nog eens nadenken,' zei Peter. 'Cosima is nooit echt van jou...'

'Dacht je dat ik dit doe om háár?' Reginalds stem schoot omhoog, bijna alsof hij van iemand anders was. 'Ze was van mij, ja – maar alleen als een instrument, Peter. Een instrument om te gebruiken tegen jou.'

Reginald zette één enkele stap dichterbij en zwaaide met het pistool van de een naar de ander. Het had een ivoren handgreep, merkte Cosima op, en de korte loop was van zilver. Cosima had nooit iets gezien wat zo klein en tegelijk zo angstaanjagend was.

'Je hebt geen flauw idee, hè Peter? Al die jaren heb je in een leugen geloofd.' Reginald gebruikte het pistool als een verlengstuk van zijn hand en wees ermee van Cosima naar Peter alsof het niet meer dan een onschuldige vinger was. 'Je moet iets beseffen over de man met wie je hoopt te trouwen, Cosima.' Zijn ogen begonnen steeds vrolijker te stralen. 'Hij kan het slechte niet zien in mensen – zelfs niet als dat zwaarder weegt dan het goede. En dat is, in tegenstelling tot wat iemand met jouw gevoeligheden wellicht denkt, een groot gebrek.' Hij rechtte zijn rug en richtte de kleine, dodelijke loop rechtstreeks op Peter. 'Kijk, daardoor is hij nu hier terechtgekomen en zijn er levens in gevaar. Zelfs jouw leven.' Hij zwaaide het pistool haar kant op.

'Reginald...' Peter hief zijn hand en deed een stap in Reginalds richting.

'Stil!' commandeerde Reginald, achteruit struikelend. Hij verstevigde zijn greep met twee handen om het pistool. 'Laat me uitpraten, Peter. Je zult me eindelijk de waarheid laten vertellen.'

‘Vertel maar, Reg.’ Peters stem klonk kalm, bijna vriendelijk. Cosima wierp een blik van het pistool naar Peter, die worstelde om kalmte voor te wenden. ‘Ik wil horen wat je te zeggen hebt.’

Reginald schudde zijn hoofd. ‘Nee, Peter. Dat wil je niet. Maar ik ga het je toch vertellen. Ik kan het nu zeggen. De waarheid is dat ik geen vriend van je ben. Nooit geweest ook.’ Hij glimlachte en heel even leek hij weer op zijn oude zelf, vriendelijk en kalm.

‘Dat is niet waar, Reg. Jij en ik hebben goede tijden gekend, we hebben samengewerkt en elkaar geholpen.’

‘Maar ik heb jou *gehaat*.’ Met een korte lach onderstreepte hij zijn verklaring. ‘Al die tijd heb ik je gehaat – je wist het alleen niet.’

‘Dat kan niet waar zijn, Reg. Ik geloof het niet.’

Hij zwaaide weer met het pistool. ‘Wat moet je nog meer, Peter? Hier sta ik voor je met een pistool gericht op jou en je liefje, en nog stééds geloof je het ergste niet van me? Dom.’ Hij hield zijn hoofd schuin, maar keek Cosima aan, als om Peter in haar gedachten te bestempelen.

Zijn blik keerde terug naar Peter. ‘Laat ik je helpen, mijn vriend. Herinner je je Nan nog? Natuurlijk, je was bijna met haar getrouwd.’ Reginald keek weer naar Cosima. ‘Je moet me hiervoor bedanken, Cosima. Als ik niet had gehandeld, was Peter niet meer beschikbaar geweest voor jou.’

Cosima keek naar Peter, maar zijn blik was op

Reginald gefixeerd. Het viel haar in wat Beryl haar had verteld, haar verdenking dat Reginald een man had betaald om Nan te verleiden en van Peter los te maken. Misschien had Beryl gelijk gehad.

'Het was zo makkelijk,' zei Reginald, alsof hij een dierbare herinnering ophaalde. 'Ik wist dat ik niet knap genoeg was om het te doen, maar het was niet moeilijk om die jongeman te vinden, hem op te knappen, een mooi pak voor hem te kopen en hem te scholen in de fijne kunst van *beperkte* conversatie. Toen bracht ik ze met elkaar in contact – net zo'n beetje als ik Peter en jou met elkaar in contact heb gebracht, Cosima. De gevolgen zijn zo voorspelbaar als je twee gezonde, lichamelijk aantrekkelijke mensen bij elkaar zet. Natuurlijk moeten ze wel allebei een behoefte hebben die vervuld moet worden. En daar maakte jij het makkelijk, Peter. Jij vervulde Nans behoeften niet. Ik weet niet waarom – misschien was het jouw schuld niet. Misschien lag het aan Nans aard. IJdel genoeg om te genieten van de aandacht van elke knappe man.'

Hij keek weer naar Cosima. 'In alle eerlijkheid tegenover Nan moet ik je vertellen dat het slechts een kus was die een einde maakte aan haar toekomst met deze Hamilton-erfgenaam. Eén kus, zo perfect getimed dat ik toen wist hoe briljant ik was. Ik had Peter, en zijn vader natuurlijk, uitgenodigd om naar Hyde Park te gaan voor een vroege ochtendrit te paard. Ik moest hem daar op een precies tijdstip hebben, snap je. Op tijd om er getuige van te zijn dat zijn verloofde en mijn gehuurde man hand in hand liepen te wandelen. De kus was een extra, onverwachte bonus.'

'Het geeft niet dat je dat georganiseerd heb, Reginald,' zei Peter. 'Ik ben vaak 's morgens dankbaar wakker geworden dat dat huwelijk niet is doorgegaan – al voordat ik Cosima ontmoette.'

'Maar je had het *niet* door voordat Nan werd verleid door een andere man. En ik had het allemaal geënsceneerd!'

Peter zei niets, hij knikte alleen en Cosima ademde voorzichtig uit. Ze konden Reginald maar het beste zoet houden.

'En nu is daar Cosima.' Reginalds toon werd weer minzaam. 'Mijn strategie werkte alweer. Zet twee aantrekkelijke, gezonde – nou ja, *gezond* is niet het juiste woord in Cosima's geval. Maar toen ik jullie bij elkaar zette, volgden jullie het plan alsof ik de regie had.'

Abrupt liet hij het pistool heen en weer zwiepen tussen Peter en Cosima. 'Het was allemaal door mijn toedoen, ik heb jullie samengebracht. Alleen hadden jullie met mij mee moeten gaan, jullie allebei, naar Gretna Green. Jullie hadden moeten trouwen voordat Peter wist van de vloek, zodat er geen uitweg meer was. Jullie hadden terug moeten komen op Hamilton Hall als het huwelijk al geconsumeerd was, zodat zelfs jullie bekrompen ouders zouden wachten om te zien of de eerste van jullie achterlijke kinderen in haar buik aan het groeien kon zijn. Ze hadden kunnen staan op een echtscheiding, ondanks hun zogenaamde *geloof*, en jullie kunnen overtuigen dat dat het beste was. Maar waar ik op hoopte, wat mijn bedoeling was, Peter, was dat jij zwakzinnige kinderen zou nalaten.'

Reginald bulderde van het lachen, alsof hij een monumentale grap had verteld. Eindelijk hield hij op met snuiven, en in zijn ogen straalde dat griezelige licht, in één oog glom een traan. Hij staarde Peter aan, met zijn blonde wenkbrauwen opgetrokken. 'Maar daar sta je dan Peter, je weet alles en je bent bereid het huwelijk door te zetten. Dat,' voegde hij eraan toe, 'was *niet* mijn bedoeling. Ik wilde echt alleen je erfgoed doden. Maar nu maak je dat ik jou ook wil doden.'

'*Waarom*, Reg?' vroeg Peter en Cosima wist dat hij even verbijsterd was als zij.

Reginald deed een stap naar achteren, en stond abrupt en verbaasd stil toen hij de deur raakte. Maar het pistool trilde niet eens, zo vast lag het in zijn hand. Gericht op Peters hart.

Als Reginald Peters smeekbede om begrip al hoorde, verkoos hij er geen acht op te slaan. Hij keek Cosima aan. 'Al die tijd wist ik alles van je, Cosima. Over Royboy en Percy en je tante... alles. Ik wist het al voordat ik mijn man stuurde om naar je hand te informeren. Rachel had het me verteld.'

Hij lachte kort. 'Rachel, ook een zondaar zoals ik, alleen is zij de dochter van een graaf en daarom vrij om te doen wat ze wil. Ze haat jou ook, trouwens,' zei hij tegen Peter. 'Ik denk dat je dat nooit hebt geweten, maar het is zo. Je hebt haar nooit zien staan, terwijl ze dat wanhopig graag wilde. Droevig, hè? Nan is nu getrouwd met haar tweede keus, een of andere malloot die haar vader heeft opgediept en die geen bezwaar had tegen het onbeduidende schandaal van een in stilte verbroken verloving – erg aardig van je om het zo te doen; ze was in elk geval niet maatschappelijk geruïneerd.'

'Heeft Rachel je over mij verteld?' vroeg Cosima. Even won haar nieuwsgierigheid het van haar angst voor zijn pistool.

'Ja.' Reginald sprak alsof ze niets meer dan een aangename conversatie voerden. 'Ze had de verhalen van je grootmoeder gelezen. Zonder medeweten of toestemming van de douairière natuurlijk. En ik mag er wel aan toevoegen dat Rachel veel slimmer is dan jij, Peter. Zij zag me zoals ik ben. Geen vriend, maar iemand die jouw plaats in de maatschappij haat, jou haat omdat jij het allemaal hebt en te makkelijk hebt gekregen. Geboren in de adel. Geboren met een gezicht dat alle vrouwen bewonderen. Geboren met intelligentie en ambitie, maar in een bedje dat gespreid is door je vader en diens vader voor hem. Het enige dat jij hoefde te doen, was geboren worden, Peter.'

Het werd stil. Het enige dat Cosima boven het bonzen van haar hart uit hoorde was ademen. Reginalds diepe, stokkende ademhaling, alsof hij een race had gelopen.

'Je hebt gelijk, Reg,' zei Peter. 'Ik ben rijker gezegend dan iedereen die ik ken.'

Reginald hapte naar adem alsof hij een schop had gekregen. 'Gezegend! Och, laten we toch je gelóóf niet vergeten, zeg! Nog iets waarmee je geboren bent, Peter. Een ongewoon groot vermogen om te geloven in de Almachtige God.'

'Met dat vermogen zijn we allemaal geboren, Reg,' zei Peter zacht.

'O nee, niet zoals jij. Moet je zien hoe je daar staat en een vrouw beschermt die heel goed het einde kan betekenen van het Hamilton-erfgoed. Het kan je niet eens schelen! Je gelooft dat het God was die jullie samen heeft gebracht, maar in werkelijkheid was ik het. *Ik* heb jullie samengebracht, niet uit liefde, maar uit haat. Maar je bent niet bang. Je trouwt met haar en denkt dat God – van wie je denkt dat Hij zoveel van je *houdt* – je zal sparen voor een zwakzinnig nageslacht. Of erger nog, je krijgt je aangetaste blagen en blijft houden van de God die het heeft laten gebeuren. Jij vindt wel een manier om er Zijn zegen in te zien, zelfs als je sterft en kinderen krijgt die niks voor je kunnen betekenen, aan wie je niks kunt doorgeven.'

'Als er een kind geboren wordt dat niet helemaal volmaakt is, is dat geen teken dat God niet van me houdt,' zei Peter. 'Het betekent alleen dat we in een gebroken wereld leven. Misschien heeft Hij me voor dit doel geschapen, Reg, om een vader te zijn voor zo'n kind. Je zei het zelf al. Ik heb een te comfortabel leventje gehad. Misschien wil Hij me iets leren dat ik alleen kan leren door te trotseren wat anderen wellicht uit de weg zouden gaan. Als het leven makkelijk was, zouden we kunnen denken dat we Hem niet nodig hadden.'

Reginald schudde zijn hoofd. 'Daar heb je het nou, Peter – nog meer bewijs van je misvatting dat God van *jou* houdt. Van je houdt als individu, alsof Hij zich bekommert om elke kleinigheid van jouw nietige leven.'

'Dat doet Hij ook. Hij is voor mij gestorven. Ik zou zeggen dat Hij zeer individueel van me houdt. En van jou ook.'

'Van mij! Ha, dat is een goeie, Peter! God van mij houden? Met een wapen in mijn hand, klaar om iemand dood te schieten van wie Hij *wel* houdt!' Reginalds glimlach stierf weg en hij hief het pistool. Cosima's adem stokte. Gespannen klemde hij zijn hand om het pistool alsof hij het zou gebruiken.

Ineens bewoog de deur achter hem – heel licht, maar onverwacht.

Reginald draaide zich om en Peter stortte zich op hem, gebruikmakend van Reginalds verslapte aandacht.

Cosima trok aan Reginalds vrije arm, maar ze was niet sterk genoeg. Hij strekte zijn andere arm uit om het pistool bij Peter uit de buurt te houden. Maar Peter kon even ver reiken als Reginald en hij kreeg het pistool te pakken vlak voordat de deur achter hem openzwaaide en ze samen bijna op de grond tuimelden.

Er klonk een hoge gil. Royboy!

Nooit was zijn lawaai zo welkom geweest. Peter stootte Reginald van zich af, met het wapen nu veilig in zijn greep. Reginald viel en bleef hangen tegen de halfopen deur.

Royboy duwde nog eens omdat hij er niet in kon. 'Hoe maakt u het.'

Peter greep de deurknop en trok de deur zo ver open dat Royboy erdoor kon. Reginald gleed van hen weg, in elkaar gezakt met zijn hoofd tussen zijn knieën.

'Goeie timing, Royboy,' zei Peter terwijl hij Royboy op zijn rug klopte.

Royboy wapperde met zijn handen en zei woorden die Cosima niet kon verstaan. Het onmiddellijke gevaar was verdwenen, maar ze had het koud en warm tegelijk en haar armen en benen tintelden alsof het bloed in haar aderen had stilgestaan, maar nu haastig zijn plicht hervatte.

Hoewel ze heel goed wist dat haar broer de voorkeur gaf aan een simpele glimlach boven enige vorm van aanraking, sloeg ze haar armen zo stijf om hem heen dat hij zich niet los kon wurmen. 'Royboy! Goed gedaan!' Ze liet hem los en voegde eraan toe: 'Je... je hebt ons het leven gered.'

'Ja, leven gered. Hoe maakt u het,' antwoordde Royboy. 'Hoe maakt u het.'

Peter liet de kogels uit het pistool in zijn handpalm vallen. Hij zag er veel kalmer uit dan Cosima zich voelde. Haar hart bonsde nog steeds zo hard dat ze bang was naast Reginald op de vloer te belanden.

'Inderdaad.' Peter glimlachte en legde een hand op Royboys schouder. 'God heeft je vanavond gebruikt, jongeman!'

Met een nieuwe kreet wapperde Royboy opnieuw met zijn handen, blij en gelukkig alsof hij het begreep. En misschien deed hij dat ook wel.

47

Toen Natalie Ben in bed legde voor een slaapje werd er aangebeld. Tegen de tijd dat ze beneden kwam, was Luke al op weg naar de voordeur. 'Verwacht je iemand?'

Ze schudde haar hoofd.

Luke deed open en daar stond Aidan – met Dana aan zijn zij. Ze hielden elkaars hand vast. En lachten. Natalie kwam naast Luke staan en nam de duidelijk gelukkige gasten mee naar binnen. Haar hart bonsde, ze wist dat ze maar om één reden zo samen voor de deur konden staan. Aidan had Luke's advies niet opgevolgd. 'Wat een verrassing,' zei ze.

'Een verrassing dat we er zijn of dat we aanbelden?' vroeg Dana.

'Allebei.'

'We blijven niet lang; we zijn onderweg naar mam.'

'Wil je haar bellen en vragen of ze hiernaartoe komt?'

Dana schudde haar hoofd. 'Nee, we wilden jullie iets vertellen en dan gaan we een deel van dat nieuws aan mam vertellen – een soort aangepaste heropvoering. En we willen Cosima's dagboek bij haar afgeven, als jullie het goedvinden.'

'Tuurlijk. Het is haar beurt om het te lezen.' Natalie ging hen voor naar de woonkamer. Haar aanbod om iets te drinken werd afgewezen.

'We wilden jullie alleen even bedanken voor ons gesprek van vanochtend,' zei Aidan. 'Het heeft me geholpen de dingen in perspectief te plaatsen.'

'Dat is duidelijk,' zei Luke sceptisch.

'Ik neem aan dat Aidan je verteld heeft wat er is gezegd?' vroeg Natalie aan Dana.

'Ja.'

'Luke wilde geen druk op Aidans beslissing leggen,' verklaarde Natalie.

'Zoiets dacht ik al,' zei Aidan. 'Maar hij heeft één belangrijk punt over het hoofd gezien. Dat het leven niet om ons draait. Onze dromen zijn nietig, vergeleken met Gods plan voor ons. Daarom heeft Hij ons ergens geleid waar we niet hadden verwacht heen te gaan. Ik zie geen goede reden waarom een van ons zich af zou moeten keren van de liefde die God Dana en mij voor elkaar heeft gegeven. Oké, we staan voor een uitdaging. Dat overkomt iedereen. Dus die zien we onder ogen met het geloof dat God ons daar heeft geplaatst waar Hij ons hebben wil, en dat Zijn wegen niet altijd onze wegen zijn.'

Natalie en Luke wisselden een blik.

'Je hebt gelijk,' zei Luke en hij gaf Natalie een knipoog. 'Wat zei ik ook alweer over nieuw geloof... dat dat het sterkste is?'

Natalie lachte en ze vond het niet nodig om Dana

en Aidan uitleg te geven. Ze keek naar haar zus en wist dat ze zich moest verontschuldigen. 'Het spijt me, Daan. Als ik niet zo graag had willen ontkennen dat er iets mis was met Ben, had ik dat dagboek niet weggestopt. Ik probeerde alles onder controle te houden... zelfs de waarheid... ik had het nooit geheim moeten houden...'

Dana stak haar hand op en Natalie hield op met ratelen.

'Je wilde me altijd voorbereiden op wat het leven voor me in petto had,' zei Dana. 'Ik was gewoon meestal te eigenwijs om te luisteren.'

'Hoe noemde je het laatst ook alweer?' vroeg Luke aan Natalie. 'Wat je vader was, wat het dagboek voor je was – een wegwijzer?'

'Een wegwijzer!' Dana herhaalde woorden die haar bekend voorkwamen. 'Dat heb je me een keer verteld toen we op de middelbare school zaten en ik ben het nooit vergeten. Je zei dat je mijn wegwijzer was, zodat het leven makkelijker voor me was.'

'Jammer dat dat niet opgaat,' zei Natalie.

'Tja, ach, het leven hoort niet makkelijk te zijn,' zei Aidan. 'Op aarde tenminste.'

'We zullen moeten doen wat Cosima's vader zei: de zegen vinden door de lasten heen.' Natalie zocht Luke's blik. 'Ik geloof dat ik dat begin te leren.'

*

Vijf maanden later

Ben schreeuwde door het hoge krijsen van de baby heen. Kipp, genoemd naar zijn eerste Amerikaanse voorouder, had zijn stem gevonden – en zijn broer Ben genoot ervan. Ben zat op de grond naast het babyzitje, wapperde met zijn handen en lachte om de herrie.

Natalie keek op. Ze was Dana aan het helpen met het schrijven van de enveloppen voor de trouwkaarten. Al voordat ze de uitslag hadden gekregen van het onderzoek van het bloed uit Kipps navelstreng, waren Luke en Natalie ervan overtuigd dat Kipp niet getroffen was door fragiele X. Zijn gehemelte was breed en laag, zijn oortjes waren klein en stonden dicht bij zijn hoofd. En hoewel hij ruim een pond meer woog dan Bens gezonde geboortegewicht van zevenenhalf pond, mat de omtrek van Kipps hoofdje precies het gemiddelde van wat normaal was. En het belangrijkste: Kipp maakte al langdurig oogcontact.

Toch viel Natalie's blik vaak op de envelop die ze een paar weken geleden had ontvangen. Hij lag op de werktafel in de keuken, onder de telefoon waar meestal stapels post lagen. Maar ze was nog niet van plan om die brief al op te bergen.

Uitslag van fragiele X-onderzoek op Kipp Hamilton Ingram: negatief.

Ze was met recht gezegend.

Epiloog

Op deze dag, zeven juni achttienhonderdvierenzeventig, zag ik mijn zoon naar Amerika vertrekken. Kipp, mijn jongste, geniet van de vrijheid die je krijgt als je de zoon bent zonder erfgoed. Hij heeft altijd tegen me gezegd dat een erfenis alleen maar verantwoordelijkheden en beperkingen met zich meebrengt, en dat hij blij was zonder geboren te zijn. Hij zegt dat Amerika de grootste rijkdommen van de wereld heeft en dat de mensen de grootste rijkdom zijn. Hij wil een van hen zijn en helpen verandering te brengen in een veranderende wereld.

Ik twijfel er niet aan dat onze Kipp dat kan. Vooral met de herinnering die hij in zijn zak bij zich draagt, het zekere weten dat hij alles en alles kan overleven – wat hij ook vindt in de Nieuwe Wereld.

Onze anderen kinderen, Branduff, Clara en Mary, vergezelden ons naar de haven om Kipp uit te zwaaien. Ik denk dat lord en lady Hamilton zich zo voelden toen ze hun zonen zagen afreizen en zich afvroegen of ze hen ooit weer zouden zien. Mijn vier fantastische kinderen, misschien wel voor de laatste keer bij elkaar.

Ik keek naar mijn geliefde echtgenoot, met zijn bijna vijftig jaar nog steeds knap. Nooit heeft een man bereidwilliger willen lijden voor onze God. En toch heeft God hem alleen maar gezegend, zelfs in Mary, die simpel is en toch altijd lacht. In haar beperkingen steunen we op Gods genade en liefde, en elke dag worden we als gezin hechter samengebonden.

Toen Mary drie jaar oud was en we begonnen te vermoeden wat er met haar aan de hand was, bracht God me dichter bij Hem dan ooit tevoren. Hij sprak tot me in de woorden van de apostel Paulus: 'Mijn genade is u genoeg; want mijn kracht wordt in zwakheid volbracht. Zo zal ik dan veel liever roemen in mijn zwakheden, opdat de kracht van Christus in mij wone.'

Ik denk haast nooit meer aan de vloek. De tongen van de dorpsbewoners zijn lang geleden tot zwijgen gekomen. Daar heeft Beryl natuurlijk veel mee te maken gehad. Ook zonder haar werk op de school had ze hen met haar eindeloos optimistische glimlach voor zich gewonnen. Haar brieven staan vol met verhalen over uitdaging en zegen; ze zal nooit ophouden met werken, tot de dag dat God haar bij Zich roept.

Ook denk ik niet vaak meer aan Reginald Hale, die die nacht verdween uit ons leven en uit de maatschappij waar hij eens zo naar gehunkerd had. Ik bid nog steeds dat hij op een dag de individualiteit van Gods liefde ontdekt, als hij dat al niet gedaan heeft.

Maar als ik bedenk dat ik vroeger beschouwd werd als vervloekt, brengt God me een tekst uit Zijn Woord in gedachten, een tekst die in mijn hart gegrift staat: 'De Here, uw God, heeft u den vloek in een zegen veranderd, omdat de Here, uw God, u liefhad.'

En ik prijs Hem.

Noot van de auteur

Vreugdekind is een boek dat ik 'eens' dacht te gaan schrijven. *Eens* als ik fragiele X had aanvaard in mijn leven, in het leven van mijn zoon. *Eens* als ik iets goeds kon vinden om te zeggen over hoe het is moeder te zijn van een permanent gehandicapt kind. *Eens* als ik begreep waarom God dingen als fragiele X toestaat.

Nu ben ik een eindje gevorderd in de richting van *eens*, maar ik ben er nog lang niet. Terwijl ik *Vreugdekind* schreef, vond ik inderdaad goede dingen om te zeggen over het moeder zijn van een kind met speciale behoeften. Zoals Royboy schenkt mijn zoon en schenken zoveel andere fragiele X-patiënten de glimlach van God – vol van genade jegens anderen. Zonder fragiele X in mijn leven had ik dit boek nooit geschreven, nooit de vreugde ervaren van het uiten van een deel van de emoties die God in ons allen heeft gelegd – liefde en teleurstelling, hoop en strijd, naast elkaar. Natuurlijk betekende het een terugkeer naar enkele pijnlijke momenten in mijn eigen leven om mijn verzonnen verhaal echtheid te geven: de ontkenning, de diagnose, en de chaos daarna. Maar dat is iets wat velen met mij hebben meegemaakt. Dit boek is voor ieder van ons die het overleefd heeft.

Ik bid dat iedereen die deze diagnose of een soortgelijke moet meemaken, weet dat de blijdschap uiteindelijk terugkomt en dat u zich in veel dingen mag verheugen tijdens de reis van uw leven. Vooral bid ik dat u mag weten dat u bemind wordt door de God die u en uw kind heeft geschapen.

Als u meer wilt weten over het fragiele X-syndroom, kijk dan op www.fragielex.nl. Ik bid om de dag dat de 'vloek' in dit boek genezen kan worden.

Maureen Lang

Over de auteur

Maureen Lang heeft altijd een passie gehad voor schrijven. Ze schreef haar eerste roman rond de leeftijd van tien jaar in een schrift met een omslag van zacht hertenleer (niets dan het allerbeste!) en liet het rondgaan in de buurt. Ze ontving lovende kritieken. Ze vond het zo leuk dat ze sindsdien altijd is blijven schrijven.

Uiteindelijk ontving Maureen de Golden Heart Award van romanschrijvers in Amerika, gevolgd door de publicatie van drie seculiere romans. Daarna nam het leven enkele wendingen en vijftien jaar lang schreef ze niet, tot God haar opeiste om voor Hem te gaan schrijven. Algauw won ze een Noble Theme Award van Amerikaanse christelijke fictieschrijvers, en ongeveer een jaar later volgde een contract voor *Pieces of Silver*, gevolgd door *Remember Me*.

Maureen woont in het Mid-Westen met haar echtgenoot, haar drie kinderen en de hond van haar dochter, Bunubi.

Vragen aan de auteur

Waarom schreef u *Vreugdekind*?

Voornamelijk om aandacht te vragen voor het fragiele X-syndroom en anderen te laten delen in deze levenservaring. Hoewel ik meen dat het een van de moeilijkste dingen in het leven is om een ernstige diagnose voor je kind onder ogen te moeten zien, heeft het me geholpen om te kijken naar hoe het mijn leven veranderde – en te proberen er iets goeds over te zeggen. Op het moment van de diagnose twijfelde ik aan veel dingen, niet het minst waarom een goede God dit mensen laat overkomen van wie Hij schijnbaar houdt (mijn echtgenoot, mijn zoon, mijn andere kinderen, onze familie, mijzelf). Het schrijven van dit boek hielp me alle preken te verwerken die ik heb gehoord over de vrije wil die God ons gaf om ons te leren liefhebben. Vrije wil brengt allerlei verwoesting met zich mee – maar zonder vrije wil zouden we robots zijn zonder het flauwste idee van wat het betekent om God of elkaar lief te hebben. En dan zag de wereld er heel anders uit dan een wereld waarin we het kwaad en ziektes onder ogen moeten zien.

Hoeveel van dit verhaal is waar? Hebt u inderdaad een dagboek gevonden van uw familie waarin stond dat fragiele X al generaties lang in uw familie voorkwam?

Hoewel fragiele X al minstens drie generaties in mijn familie moet hebben gezeten voordat het zich vertoonde in mijn zoon, zijn het dagboek en al het andere in *Vreugdekind* pure fantasie. Maar net als Natalie had ik net ontdekt dat ik weer zwanger was toen mijn zoon de diagnose kreeg. Ik maakte de rest van mijn derde (en laatste) zwangerschap door terwijl ik niet wist of ik een gezonde baby zou krijgen of weer een fragiele X-kind. (Net als Natalie's zoon Kipp, bleek mijn nieuwe baby niet getroffen.)

Waarom duurde het in het verhaal zo lang voordat Natalie de diagnose van Ben ontving?

Hier lijken feit en fictie meer op elkaar dan je zou verwachten. In het geval van mijn zoon, enkele jaren geleden, duurde het bijna tien weken voordat ik de diagnose kreeg. Het onderzoek duurt nog steeds een paar weken, zij het normaal gesproken niet de ongeveer zes weken die voor Ben nodig waren (en zelden zo lang als de tien weken voor mijn zoon). Niet alle laboratoria voor erfelijkheidsonderzoek doen het specifieke onderzoek naar het fragiele X-syndroom, en de instellingen die het wel doen, wachten vaak tot ze een flinke hoeveelheid bloedmonsters hebben en doen ze dan allemaal tegelijk. Een andere factor die de uitslag kan ophouden, is dat er twee of drie verschillende artsen bij betrokken zijn. Zowel in mijn geval als in Natalie's geval namen een laboratorium, een erfelijkheidsdeskundige en een coördinerende arts allemaal de tijd om de uitslag te bekijken voordat ze de informatie doorgaven aan de ouders.

Ik heb iemand ontmoet met fragiele X die veel beter functioneerde dan Royboy, het kind met fragiele X in *Vreugdekind*. Waarom hebt u ervoor gekozen om iemand met fragiele X als zo beperkt op te voeren, terwijl veel kinderen met fragiele X veel meer kunnen, vooral met taal?

Het personage van Royboy heb ik zo dicht mogelijk bij mijn eigen zoon gebracht, omdat mijn zoon de fragiele X-patiënt is die ik het beste ken. Maar zoals in het boek afgeschilderd in Percy en Royboy, zijn er verschillende gradaties van aantasting. Veel fragiele X-patiënten verwerven een goede taalvaardigheid, kunnen tot op zekere hoogte lezen, en zelfs bepaalde sporten beoefenen. Voor mijn zoon geldt dit helaas niet. Op de fragiele X-schaal wordt hij beschouwd als 'laag functionerend'.

Is het echt mogelijk dat fragiele X van Cosima's generatie wordt doorgegeven aan die van Natalie zonder vaker op te duiken dan in het boek?

Ja. Fragiele X kan in een familie generaties lang stilletjes worden doorgegeven voordat een kind wordt getroffen door het syndroom. Het komt erop neer dat er een variabele factor in het DNA van een fragiele X-drager is die kenmerkend toeneemt met opeenvolgende generaties, waardoor het risico toeneemt dat een drager een aangetast kind produceert. Maar nu en dan nemen de factor (en het risico) af, om in een latere generatie weer toe te nemen.

Het hangt er ook vanaf of de drager mannelijk is of vrouwelijk. Zoals Natalie te weten kwam, heeft elk kind dat geboren wordt uit een *vrouwelijke drager* een kans van vijftig procent om het aangedane gen te ontvangen. (De kinderen die het fragiele X-gen ontvangen kunnen cognitief aangetast zijn of ook gewoon onaangetast drager zijn.) Een *mannelijke drager*, zoals Cosima's zoon Kipp, die zelf onaangetast is door het gen, zal de dragerstatus doorgeven aan al zijn dochters. Zijn zoons zullen helemaal vrij zijn van de stoornis. Nooit is gedocumenteerd dat een vader een kind kan produceren dat een volledige mutatie is (dus ernstig aangedaan). Daarom zouden alle kinderen die Cosima's dragerzoon (Kipp) gekregen heeft, cognitief onaangetast zijn geweest. Het is denkbaar dat er nog twee of drie generaties voor nodig waren geweest voordat de mutatie weer opdook, en dat is geschilderd in *Vreugdekind*: Ellen Dana Grayson werd getroffen, en daarna verdween het tot Ben de diagnose kreeg.

Woord van dank

Het lijkt me onmogelijk om in een paar woorden de dankbaarheid te vatten die ik jegens zo veel mensen voel bij de productie van dit boek. Toen God me voor het eerst influisterde dat ik dit verhaal moest gaan schrijven, had ik er weinig zin in en ik was er ook niet aan toe. Maar van mijn eerste vriendelijke en bemoedigende lezers, te talrijk om te noemen, ontving ik de zekerheid die ik nodig had om die eerste twijfel te overwinnen. Van andere moeders die de verschrikking hebben meegemaakt van een diagnose over hun kind die je hele leven op zijn kop zet, kreeg ik de bevestiging van mijn doel: iets te schrijven dat ons erop wijst dat we het kunnen overleven. Dankzij al mijn kritische meedenkers raakte ik ervan overtuigd dat dit boek meer dan louterend was.

Mijn dank aan Meredith Efken die me hielp het brandpunt van dit verhaal te vinden en aan Jill Eileen Smith, Joelle Charbonneau-Blanco, Julie Scudder Dearyan, en vele anderen van mijn kritische lezers, voor geloof in de waarde van dit project.

Veel dank aan mijn agent Greg Johnson en zijn assistente Marjorie Vawter, wier enthousiaste verslag Gregs aandacht trok. Greg heeft het idee niet alleen binnen recordtijd verkocht, hij zette me er ook toe aan een vervolg te bedenken. Nu hoef ik geen afscheid te nemen (nog niet, althans) van de personages van wie ik ben gaan houden.

Ten slotte dank ik het Tyndale team van Stephanie Broene, Kathy Olson en Karen Watson. Hun wijze inbreng, hun vriendelijke assistentie en hun bereidwillige toegankelijkheid maakten de productie van dit boek vanaf het allereerste begin tot een genoegen. Kathy, jouw inzicht en je geruststellende kanttekeningen maakten het redigeren van dit boek tot een vreugde. Mijn oprechte dank.

Maureen Lang